天叙有典

天秩有禮

天命有德

天討有罪

永雲

钟永圣
国学大讲堂

尚書通解

（一）

钟永圣 ◎ 著

新华出版社

图书在版编目（CIP）数据

尚书通解. 一 / 钟永圣著. —北京：新华出版社，2018.7（2024.2重印）

ISBN 978-7-5166-4273-3

Ⅰ. ①尚… Ⅱ. ①钟… Ⅲ. ①中国历史—商周时代②《尚书》–研究
Ⅳ. ①K221.04

中国版本图书馆CIP数据核字（2018）第170899号

尚书通解（一）

作　　者：钟永圣			
责任编辑：徐　光		封面设计：李尘工作室	

出版发行：新华出版社
地　　址：北京市石景山区京原路 8 号　　　　邮　　编：100040
网　　址：http：//www.xinhuapub.com
经　　销：新华书店
　　　　　新华出版社天猫旗舰店、京东旗舰店及各大网店
购书热线：010-63077122　　　　　中国新闻书店购书热线：010-63072012

照　　排：李尘工作室
印　　刷：河北鑫兆源印刷有限公司

成品尺寸：170mm×240mm
印　　张：25　　　　　　　　　　字　　数：286千字
版　　次：2019年8月第一版　　　　印　　次：2024年2月第三次印刷

书　　号：ISBN 978-7-5166-4273-3
定　　价：78.00元

珍视上古正史　恢复中华史观

——《尚书通解》自序

在现代中国人熟知的"四书五经"当中，《尚书》似乎是距离大众最远的一本经典，除非要写论文，否则很少有人问津。

这种状况必须改变。如果中华民族要在文化上实现伟大复兴，使炎黄子孙产生坚定的文化自信，就必须让《尚书》为大众所了解。因为，虽然《尚书》在汉代以后被列为"儒家经典"，但它其实是中华上古正史的总集。学习《尚书》就是了解我们自己最重要的一段历史，传承我们华夏文明的核心精神。

尽管传统儒学学者对《尚书》的地位特别尊崇，但是1840年以来，中国史学界受西方和日本的影响，对《尚书》的认定仅仅是一部中华上古的政经"资料汇编"，抹杀其上古"正史"的地位，这对中华民族远古历史的认知、研究和借鉴造成了很大的负面影响，尤其是使年轻一代的中国青年，不相信中国有超过三千七百年的"信史"，不相信在尧舜禹及其以前的时代，中华文明已经达到高度的文明境界。

我们现在认定《尚书》是中华正史，不是出于对本民族文化的偏爱而得出的偏执结论，而是有长久的中华史学传统作为依据。我们看现在被列入正史的"二十四史"，唐朝以后的历代历史记录都叫做

"史"，例如，宋朝的历史记录叫《宋史》，明朝的历史记录叫《明史》。唐朝以前的朝代正史记录都叫做"书"，例如，唐史有《新唐书》《旧唐书》，隋朝历史记录叫《隋书》，晋朝的历史记录叫《晋书》，汉朝的历史记录叫《汉书》等。就连大家熟知的《史记》，其实原来的名字也是叫"书"，是《太史公书》。按照把一个朝代的历史记录叫"书"的中国历史传统，夏、商、周三代所对应的《夏书》《商书》和《周书》，都统一保存在《尚书》里面。可是，这一无可辩驳的事实却不被承认，不能在历史教育中教给国人，是何道理？

《尚书》虽然残缺，在长久的岁月和战乱中丧失了绝大部分内容，可是它保全了中华上古史的编辑体例。最关键的一点，它在帮助现代中国人了解上古史、树立正确的中华朝代史观方面至关重要。现在能够看到的《尚书》开篇，是《虞夏书》，或者《虞书》和《夏书》分开。按照上面总结的"朝代＋书"的著史模式，这说明我们的上古历史中存在一个"虞"朝，和夏朝、商朝、周朝一样，是一个独立的朝代。另外在有些版本的《尚书》中，提到在《虞书》之前还有《唐书》的记录，显然在"虞朝"之前还有一个"唐朝"。司马迁在《史记·五帝本纪》中明确记载，五帝各有"国号"，黄帝国号为"有熊"，颛顼帝为"高阳"，帝喾为"高辛"，帝尧为"陶唐"，帝舜为"有虞"，帝禹为"夏后"，之所以各有其号，是为了"以彰明德"。那么，很显然，《尚书》里面的《唐书》就是尧的"陶唐朝"的历史，《虞书》记载的就是舜的"有虞朝"的事情。至于其他上古天子时代的朝代正史，就应该是在《尚书》里面"本来有，但是丢失了"的内容。毕竟按照《纬书》所说，《尚书》的原始规模是3240篇，我们今天能见到的《尚书》，没有争议的仅仅28篇，加上有争议的内容（古文《尚书》），也不过四五十篇而已。绝大多数的中华上古史记录都已经湮灭在历史长河当中了。除非有全本《尚书》出土，否则我们难以窥见中华上古历史的全貌。

即使没有全本的《尚书》，我们也不能因此忽略、虚化、错解留下来的部分《尚书》。恢复中华史观，是让国民产生文化自信的根本途径之一，是保护中华文化，保卫中华民族的文明精神，维护华夏文明尊严以增强凝聚力的重大历史任务。

钟永圣

戊戌年十一月十一日

北京大学理科教学楼

目录

（一）

《论语》最后一篇是《尧曰》，《尚书》的第一篇是《尧典》，作者提醒我们开讲《尚书》等于接着《论语》往下讲。中华历史源远流长，且传之有道，我们的历史源头可以追溯到伏羲。而尧作为上古的一位圣王，到底有哪些德行，作者一一道来。

（二）

《尚书》要被作为中华正史来对待，了解上古史至关重要！我们有悠久的华夏文明，我们的祖先是人！作者将《尚书》与《史记》互相参照讲解，让我们更容易理解。

（三）

帝尧命羲和，历象日月星辰，敬授民时，使我们惊叹于四千多年前尧时期的天文学研究竟然如此精准、先进！本篇作者启发式的讲解，让我们发现了许多文字背后的意蕴。在人事提拔任用的时候，四岳三次推荐三次被帝尧否决，到最后勉强同意，也让我们看到帝尧当时的处境。

（四）

本篇是进入冬至前的最后一讲，作者提醒我们一定要注意冬至开始后三十六天的保精期。尧舜禅让，千古佳话，从作者细致的讲述中，我们了解尧对舜从推举、考察、培养直至帝位交接，可以说尽在帝尧的掌控之中，体现出了尧高度成熟的政治智慧。

（五）

春节后的第一讲，作者带我们回顾《尧典》并续讲《舜典》。作者一再强调尧舜禹不是传说，《尚书》就是中华第一史书！中华历史代代传承，我们可以查到自己的家谱，可以轻松搞清楚至少五千年以上的历史，可以探究至少六千四百年以前的《易经》智慧，这就是我们的文化自信！

（六）

本篇继续讲解《尚书·舜典》，舜上任之后，根据天象安排政事，然后巡视四方，划分十二州，施行仁政，最后铲除"四凶"，天下咸服。精练的文字，通过作者的解读，让我们看到了文字背后隐藏的历史真相，令人回味无穷。

（七）

在尧、舜两代天子的努力、设计、安排之下，最终完成了国家腐败的清理、新制度的创设、中华文化心法的传承以及最高权力的顺利交接。本篇主要介绍舜接天子位之后对国家政务的安排，很多祖师爷级的人物将悉数登场。

（八）

我们的历史不是传说，尧舜禹确有其人，且功业卓著、品德高尚；尧舜禹时期我们就有完备的国家制度、政治体制、民主法制建设，有优美的诗歌和乐曲……这都是我们文化自信的源泉。所以，我们要识破"欲灭其国，先去其史"的阴谋，从经典中汲取智慧，用于当下的工作和生活。

（九）

作者通过《尚书》、《论语》的对比讲解，让我们体会到中华文化心法的传承是一以贯之的，在施政方针上，以民为本，以德化民，宽容治下。本讲作者强调念头的重要性，念头决定方向、决定命运；做出正确的判断，需要有智慧，而智慧的获得需要有德行，所以积德非常重要！

（十）

《尚书》学习需要有老师教，中华文化的心法更需要师传。本讲主要叙述了舜将帝位传给大禹的整个过程，也是中华文化心法的传接过程。从舜帝的临下以简，御众以宽，到大禹的克勤于邦、克俭于家，不自满假，让我们对"天之历数在尔躬"有了更深的理解。

（十一）

上天垂象，圣人则之，大禹因此制《洪范》——治理国家的根本大法，由夏、商传到周，传到今天，中华文化真的源远流长！作者通过"鼹鼠食郊牛角"以及神算邵康节的故事，提醒我们对中华传统文化要抱有敬畏之心，不要轻易地以自己的见识、见解、观念去推断他人。

（十二）

本篇讲解《尚书·皋陶谟》，作者从学习经典要真学真行讲起，阐述善良宽厚的重要意义，强调对人对事要保持中道，最后结合文中精美绝伦的句式表达，揭示了中国上古天人合一观的最精妙、最明确的政治哲学。

（一）

丁酉年九月廿三　2017年11月11日

《论语》最后一篇是《尧曰》，《尚书》的第一篇是《尧典》，作者提醒我们开讲《尚书》等于接着《论语》往下讲。中华历史源远流长，且传之有道，我们的历史源头可以追溯到伏羲。而尧作为上古的一位圣王，到底有哪些德行，作者一一道来。

《论语》、《尚书》，一脉相承

尊敬的各位同胞、各位同人：

大家上午好！

经过三年半的时间，我们把《论语》讲完了，算是作一次比较圆满的通读、简要的介绍。因为我们是公益讲座，考虑到听众当中有八十岁以上的老人，有时会有十来岁的小朋友，所以讲座尽可能地通俗易懂。

《论语》最后一篇是《尧曰·第二十》，我们在最后一讲当中，也就是第七十三讲当中跟大家分析，《尧曰》一共三段话。第一段讲了大约两千年间的中华正史传统文化心法的传承，所以我们开讲《尚书》，等于接着《尧曰》往下讲。就是看一下，尧作为我们上古的一位天子圣王，到底有哪些德行，怎么样治理天下，在传承的时候告诉了舜帝什么样的中华文化心法，这些事情都记载在《尚书》当中，所以，我们开始学习《尚书》。

解读《尚书》，认识上古

进入新时代，我们中华民族的子孙如何看待自己的上古文化，如何看待中华优秀传统文化的源头，至关重要！因为它涉及我们最根本、最持久、最深刻的文化自信。就是我们这个自信到底是从哪里来的，如果按照西方史观来论述，就像我们小的时候被强加给自己的那种机械式的历史观，那我们无法理解中华文化伟大之处。比如说，我记得我初中学习的历史课本，一翻开就是"原始社会"。原始社会是什么状况呢？简单地说，"茹毛饮血"。为什么茹毛饮血呢？因为生产力水平极其低下。生产力水平极其低下，就意味着它决定的生产关系也极其落后，那么也说明当时的人在智慧上愚昧、野蛮，比其他种类的动物没强多少，只不过就是直立起来行走了。

实际上我们现在慢慢地学习了自己国家的经典，也学习了西方的字母文化，我们发现那个evolution，精确的翻译不是"进化论"，而应该是"演化论"。这一点大家可以到学术界去征询意见，我估计凡是对英文理解得稍微稍微精致一点儿的，都会说翻译成汉文的"演化"会更加精致和准确，更符合他要表达的原意，而不是"进化"。"进化"的意思就是后一段要比前一段先进，是建立在这样的机械论基础之上。

我们在党的十九大之后，新时代开启最初的这段时间应该做一个这样的梳理。而我们秉持的基本观念是，由于华夏文明或者中华文明是这个世界上唯一连续存活的古文明，所以，它的历史是独一无二的，不应该以其他任何文明形态的史观、体系论来解读我们的文明，我们有中华民族自己文明的演变逻辑。所以基于此，我们从头去看一下《尚书》。

现在我们已经公认的正史结集《二十四史》，是从《史记》开始一直到《明史》，因为《清史稿》是"稿"，还没有做定论。通常在我们的朝代史修编过程当中，是后一个朝代修编定稿前一个朝代的历史，从这个名称来看，如果定论应该叫作《清史》，一如明朝的历史定下来叫《明史》。那往前，明朝修编的有《元史》，元朝修编的有《宋史》，也就是唐以后我们的正史都是朝代名，后面加上一个"史"字，定义为正史的记录，这已经是事实了。

但是回到唐朝的阶段我们发现，它不叫"唐史"，看到的是什么呢？两部：《新唐书》、《旧唐书》。《旧唐书》是因为编辑的史实资料芜杂，不够精致，所以重修唐史，出现了《新唐书》。注意《新唐书》、《旧唐书》的区分，那么《新唐书》显然下了更大的功夫进行了梳理，把一些混乱的、重复的资料进行了史学的清理，我们更多的是关注《新唐书》。

唐朝以前的朝代为隋朝，所以我们在《二十四史》当中能够看到《隋书》，很有名的《隋书·经籍志》大家应该听说过。那么隋以前比较乱，是宋、齐、梁、陈，所以在史书当中也能看到南北朝那段历史。两晋是统一的历史，由此我们能看到完整的《晋书》。之前是三国，三国不作一个统一朝代，所以叫《三国志》，就像我们各地修地方史叫"县志"，古代各地方都有"县志"。各地不能作为一个独立的朝代来修史，所以没有史书存在，但记录历史的书叫"志"。通过以上介绍大家可以明白我们以前记录历史的规矩。

那么再往前是汉，大家听到的最有名的就是班固的《汉书》对吧？我今天带来了，有很多种版本，我今天拿的是浙江古籍出版社出版的《汉书》。也就是说在当时对汉朝历史有一个全面的朝代史的记录和整理，非常重要。这个时候很有名的主角就出场了，大名鼎鼎的《史记》。《史记》为什么不叫"书"了？它原名是叫《太史公书》的。

罗列了这么多正史的名称为的是说明什么呢？唐以前我们记录历史的正式文件，经过国家认定的叫"书"，唐以后从宋代开始，习惯性的说法就是"史"，所以你回去翻看一下《二十四史》。我有一整套《二十四史》，就摆在书桌上天天看，慢慢地发现历史传承有一个过程。大家熟悉的《史记》原名叫《太史公书》，"太史公"是对司马迁父亲官职的称呼，然后司马迁继承了父亲的职位，而且做得比父亲更加完善，给我们留下了一个横跨三千年的通史。

《尚书》目录，正史体例

如果你手中有不同版本的《尚书》请翻开目录整体看一下，从后往前看。刚才从我们现在的历史往上数，我们说朝代史已经说到《汉书》了对吧？汉以前有一个短命的朝代叫"秦"，大家听说过《秦书》吗？没有。历史太短，十五年的时间，灭亡了，二世而亡，而且都很短，就没有《秦书》。在《尚书》里面现在保留的最后一篇叫《秦誓》，列在《周书》里面，因为"秦"实际上是周的一个诸侯国。秦始皇用铁骑、战争、杀伐，强力地统一天下之后，也灭了中央天子，自己取而代之，历史上称之为秦朝。但是"马上打天下"不能"马上治天下"，所谓"马上治天下"指的就是用战争的手段、杀生的手段治理天下。秦为什么二世而亡？就是因为做错了。没有《秦书》，那篇《秦誓》记录的还是秦始皇几百年前的远祖，发生在秦穆公那个时期的事情。

我们注意到《尚书》里面出现了两个关键的字——"周书"，大家看到了吗？在目录里面，看一下，不用看具体的篇幅，找"周书"。那就意味着从我们历史逻辑往上翻，当我们找到断代史《汉书》以后，以前的朝代，我们还看不着这么大规模的朝代史对吧？没有吗？有！在哪里？在《尚书》里面。我们注意，唐以前国家编修的正史的名称就叫"书"，不要忘了这个逻辑、这个事实。那么秦朝没有"秦书"，是因为朝代太短，而且乏善可陈，除了统一这一件事情本身，乏善可陈，时间还短，那么在《史记》当中留下了一篇《秦本纪》，来叙述秦国从分封建国开始一直到秦始皇的历史，叫《秦本纪》，不构成"秦书"。

秦以前的朝代，作为一个朝代存在的，很显然就是周朝。周朝前半部分强大而统一，都城在镐京，也就是现在陕西西安附近，所以历史上称为"西周"。这是史学上的称呼，在当时没有"西周"这样的国号名称，这是史学上的称呼。就像我们说汉，有前汉、后汉，有西汉、东汉，为什么呢？前汉或者西汉都城在长安，也就是今天的西安，那后面为什么叫后汉、东汉呢？因为其都城在洛阳，在长安的东南，所以划分东、西。

那有《周书》，就说明在历史上我们早已经形成对一个朝代进行史学记录的整理，定名为《周书》。再往前看，《周书》之前叫什么？周朝前一个朝代，就是武王取代的朝代叫商朝。也就是说，商朝作为一个朝代，它历史的记录就是《商书》，和《汉书》同一地位，和《周书》同一地位，对吧？这是一个历史的学术记录逻辑。

再往前看，商朝以前，商汤攻灭的是夏桀，灭的是夏朝，那夏朝作为一个朝代，整个朝代史的记录是什么呢？在《尚书》当中大家看到了什么？《夏书》，或者说《虞夏书》，是吧？版本不同，目录处理的也不同，有的是《夏书》，有的是《虞夏书》。按照以前我们学历史的常识，中国历史上第一个朝代是什么？史书告诉我们是夏朝，中国历史上第一个朝代是奴隶社会的夏朝。真的是这样吗？有没有人怀疑过？我们的第一个朝代是不是夏朝，是不是就有这样的定论？我给大家念一下《史记·五帝本纪》里面的一段话，大家听。之所以念呢，是因为要取信于人，就是让大家知道这段话从哪里来的。

《五帝本纪》里面在"太史公曰"前，也就是倒数第二段，因为大家都知道在《史记》里面一读到"太史公曰"就是这一篇要写完了，老人家有话要讲，而这个评论非常非常的重要，大家一定要反反复复认真地读。

"自黄帝至舜、禹，皆同姓而异其国号，以章明德。故黄帝为有熊，帝颛顼为高阳，帝喾为高辛，帝尧为陶唐，帝舜为有虞。帝禹为夏后而别氏，姓姒氏。契为商，姓子氏（孔子的远祖，姓这个'子'）。弃为周，姓姬氏。"文王叫姬昌，武王叫姬发，然后王子乔就是那个周灵王的太子，为了救大家，反对父亲放水，被贬为庶民，叫姬晋。晋，太原的简称。晋祠供奉的是王姓的先祖，周朝一个太子。王姓的祖先，是这样来的。

那么，这段话说明了什么？说明从黄帝往下数，一直到夏禹，叫"皆同姓而异其国号"，同姓，国号不同。夏是从哪里来的呢？是从大禹的国号来的。注意！史书叫"国号"，不是西方所说的那个"部落"。不是！那个时候我们的文化已经相当相当的发达和高明。只是现在史料大多数湮没在历史当中，我们需要慢慢地等待，等待它出土，就像甲骨文出土一样，揭开那段历史。即使甲骨文的出土现在我们也不能把全部出土的甲骨记录全部翻译清楚，因为据说现在甲骨文只能认出九百多个字，各个专家说的都不同，即使认出来的字，你认为这个字这么读，是现在的某个字，可能另外的专家就表示怀疑，还是没有定论，有定论的更加少，大概是五六百个字大家都没异议。

但什么叫"同姓而异其国号"？这么做的目的叫"以章明德"。

说到这里再回头去看《尚书》里面《周书》、《商书》、《夏书》、《虞书》，也就是夏朝之前有一个"有虞朝"，或者简单地说叫"虞朝"，历史上说帝舜的国号为"有虞"。念《千字文》，有句话叫"有虞陶唐"，为了押韵，读起来朗朗上口，他把历史顺序颠倒了一下，应该是"陶唐有虞"，但是"陶唐有虞"念起来就不如"有虞陶唐"朗朗上口，但是我们应该知道原来历史的顺序。

我们往上追溯历史，追到《夏书》再往上，发现前面有《虞书》，就知道中华的历史记录有多么远、这个传统有多么好。那既然大舜时期的历史记录为《虞书》，那尧呢？尧作为天子的朝代，或者他那个时期的国号为陶唐，有没有《唐书》？或者《陶唐书》？

《尚书》注解，重要发现

为了取信于人，我拿来中国台湾商务版的《〈尚书〉今注今译》，这本书是屈万里先生注解的。这里面的体例是把《虞书》跟《夏书》合为一篇，他解释为什么这么做，我念给大家听：

"孔颖达《〈尚书〉正义》（孔颖达是孔子的第三十一代孙，有一本《〈尚书〉正义》就是他对《尚书》进行解读）说，马融（这是汉代的经学大家，因为他的弟子郑玄超过他，曾经在长亭设宴要毒死郑玄。我们以前讲课跟大家说过，就是这个羡慕嫉妒恨能达到什么程度！但据说郑玄喝了三百杯没醉，把所有人全部撂倒之后全身而退）、王肃这些人，他们在整理《尚书》的时候都题为《虞夏书》（就是把《虞书》跟《夏书》合为一体叫《虞夏书》，连在一块儿了，也就是把舜那个时期的事儿和禹那个时期的事儿，包括夏朝的历史记录合为《虞夏书》），《说文》两引《尧典》之语（《说文》就是《说文解字》，在中国历史上鼎鼎大名，作者许慎是个了不起的人物，在中华文化史上有重要地位。他引《尧典》之语），皆谓之《唐书》（就是汉代有学者在很重要很重要的典籍当中，引用《尧典》的时候谓之《唐书》）。"

本来我在写《中华经典十二部浅说》的时候，在序言里面曾经讲过这个思路，该书里面写《尚书》的时候也提过，就是说我们按照中华史学的传统，从《新唐书》、《旧唐书》往上推，《隋书》、《晋书》、《太史公书》、《周书》、《商书》、《夏书》往上推，因为还有《虞书》，那么还有没有《陶唐书》？就是尧那个时候的历史记录有没有？当时以为仅仅是自己的一个猜测，结果在历史上真的有学者这么记录。那么他看的是哪一个版本的《尚书》？我们不知道啊！

我们往下看，"伏生《〈尚书〉大传》于《唐传》、《虞传》、《夏传》之前（我们今天能够看到《尚书》要感谢这位伏生，他原名叫'伏胜'，但后世尊称他为'伏生'，就像我们今天在老师的姓之后冠以'老师'的称呼一样，是一种尊称）各题'虞夏书'三字。唯孔题曰'虞书'。今据马融、郑玄本题曰'虞夏书'"。

这是这本书（《〈尚书〉今注今译》）采取的一个体例，言外之意，在历史上曾经有过《唐书》这种称呼。那我们追本溯源，如果尧的时候称为《唐书》，那尧之前呢？尧是接了他哥哥的天子位，叫帝挚，因为帝挚德行不行，没过多久被废掉了，所以忽略了，在历史记录里一般不提，但《史记》里面写了。真正被大家记录下来的五帝之一是帝喾，实际上就叫一个字"喾"。

喾是什么角色呢？喾是黄帝的曾孙，第四代，帝喾往上叫颛顼帝，黄帝的孙子，但是颛顼和帝喾之间不是父子关系，是伯父和侄儿的关系。黄帝的两个儿子都没有得天子位，因为黄帝太伟大，活得太长，他老了儿子也老了，传位的是孙子。今天的历史上也有活生生的例证，比如英女王老了，要传位了，当了一辈子王子、胡子都白了的查尔斯王子没有顺位获得王位的传承，传到他的儿子、女王的孙子那里了。

合理推测，真心祈祷

而我们追述这段历史是为了追查《唐书》之前，就是帝喾的国号为"高辛"，我们就会问，有没有《高辛书》？显然，大家没听说过，现在所看的《尚书》里也找不到；帝喾之前的天子国号为"高阳"，那么有没有《高阳书》？显然，也看不到；再往前就是伟大的黄帝轩辕氏，公孙轩辕（说同姓嘛，如果黄帝姓公孙的话，后面这一串应该都姓公孙哪，怎么姓氏就变了呢？这又是一个历史的议题），黄帝的国号叫"有熊"，那我们就说，在历史上有没有《有熊书》？我们没见到；见到的是《黄帝内经》和《黄帝外经》。《外经》是真是假别人搞不清楚，《内经》对中华医学极其重要，经过我们现在重新整理中国的传统经济学，它对经济学也极其重要，但问题是大家认为它是战国时期成的书，不是以前历史记录，而且显然它也不是历史书。那么《有熊书》呢，只能作为一种推论猜想存在，我们没看到。可是这种推论猜想并非没有道理。

我们接着看《尚书》的介绍，无论你拿到哪一个版本的《尚书》，序言里面一定会介绍这个《尚书》的传承。现在大家看到的《尚书》，如果你拿到的是一本只有二十八篇或二十九篇的《尚书》，那就是伏生当年保存下来的；如果看到的是五十八篇的或者四十几篇的《尚书》，那显然掺进去了一些被历史学家争论为伪《尚书》的一些历史记录。不管哪一个版本，我们今天看到的《尚书》弥足珍贵。

按照历史上的传承说法，《尚书》的原始规模是三千多篇，我们今天只能看到大约百分之一的规模。那我们就有更大的想象空间，也就是说我们推论的《虞书》往上的那些朝代的历史，叫《虞书》、《唐书》、《高辛书》、《高阳书》、《有熊书》，在原始的《尚书》当中应该存在！这是我们历史逻辑的一个猜想，或者说叫推论。这个推论有没有道理呢？有没有依据呢？因为你要是做历史的记录，它需要有文字对吧？我们现在认为中国最古的文字就是甲骨文，甲骨文是现代人的命名，因为它刻在龟甲、兽骨之上，被称呼为甲骨文，那当时我们商代的那些祖先，绝不会称呼它为甲骨文。就像我们今天称呼文字叫"汉文"、"中文"、"汉字"，所以我们看历史上的一些名称，要历史地看，才能慢慢地梳理清楚它真正的源头。

黄帝定了天下之后，发生了一件伟大的事情，叫仓颉造字。仓颉造字按照我们现在综合历史文献得出来的结论，并不是说以前没有文字，要完全创始，不是这样。就相当于我们新中国成立之后，有一段时间要跟"先进"的文化接轨，兴起各种自以为"先进"其实"过于激进"的思潮，例如，要取消中医、取消汉字，学世界语、融入西方字母文字等，尤其是悲观地认为计算机的普及——计算机最适合用字母输入——不适合用方块字输入，所以这些人认为"未来的发展趋势是方块字可以淘汰了"云云。年龄比我长的同胞可能经历过那段历史，比我年轻的呢，可能听到这段历史稍稍奇怪一点：这些奇葩的事情怎么会发生？怎么会想出来？但当时确实如此！

那我们有理由推测一下，仓颉造字是在古文化基础之上进行的一次大规模的文化梳理、总结和提高工作。那个时候中华文化的文字进入了所谓的高度成熟阶段，只是现在出土的文物还没有证明到那个阶段，只能证明到商代。我去河南讲座的过程当中，有意了解这方面的历史，在登封县一位女士给我介绍历史的时候说，最新发现的资料显示是八千年以前的，我问有没有文字，得到的答案竟然说有！我说那是石破天惊的东西啊，为什么现在我们根本就不知道？！我还得找机会去河南，再去看，再去深入调查研究。

我在河南洛阳博物馆，看到了夏朝的一个文物，叫"华夏第一爵"的宝物，是镇馆之宝之一，大家也去看一下。它上面已经有了非常精美的乳钉，能把那个东西铸造出来，那么在青铜器上铸造出以前那种类似篆体的文字不是不可能；类似的甲骨文的文字也不是不可能，就是在工艺上已经完全具备这个书写铭文的能力了。而且传说黄帝平定天下之后曾经铸过鼎，到大禹时期大禹也铸过鼎，叫传国宝鼎。凡是做天子的最后拿这个传国的宝鼎为信物，传到什么时候传不见了呢？就是传到秦朝初期，传国宝鼎的下落搞不清楚了。我认为那么大规模的宝鼎被毁坏的可能性好像是不大，很可能就沉在了我们中华大地上。我祈祷在我去世之前，它能出土一个，只要有一个图案对得上，因为历史上有记录，大禹重新划分了九州，他把九州有代表性的图案，包括鸟啊、兽啊，各方有代表性的风物都刻到鼎上了，所以只要出土一个能和《尚书·禹贡》里面记载的内容相吻合，那么就可以以此推证其他的历史事实是存在的。那我们的历史瞬间就往前推进好多年，中华的历史就再一次得到印证。现在，甘肃天水泰安县大地湾出土彩陶上的文字，已经可以帮我们把中华文字的历史上推到八千年。只不过这件事情本身对于世界史学界来说，过于石破天惊，还要等待更多的证据，才能在他们的头脑中改变关于中华文明史的认知观念。

太昊伏羲，中华始祖

按照现在大家可以承认的历史资料来说，那黄帝就是我们历史的源头了吗？司马迁写《史记》从黄帝开始，为什么从黄帝开始呢？他也有一个说明。《史记》第一篇里面"太史公曰"，他是这样讲的："学者多称五帝，尚矣。然《尚书》独载尧以来（就是《尚书》偏偏从尧开始，以前的喾、颛顼、轩辕黄帝在《尚书》里面都见不到）；而百家言黄帝（就是各史家说起黄帝），其文不雅驯（就是你说的那个东西在司马迁看来有江湖气，就像我们现在说的，你写的文章不算是学术论文，大概有这个意思），荐绅先生难言之（就是所谓受过了学历教育的人，有点儿历史地位的人，朝廷封了称号的人，很难把这些东西拿出来，有没有呢？有！）。孔子所传《宰予问五帝德》及《帝系姓》，儒者或不传。"宰予，就是《论语》里面记载大白天睡觉的那位，就是宰我，他请教孔子，孔子给他讲《五帝德》、《帝系姓》。"儒者或不传"，为什么不传？这也是我们要问的。宰予问孔子的，孔子回答的为什么儒者不传？莫名其妙！这很可惜。所以《论语》中我们没看到宰予问孔子五帝什么问题，没记录下来。或者是说在当时整理《论语》的时候，有另外专门的著作已经做了这方面的记录，《论语》当中不必再记录。就像我们说，你研究的这个问题，已经有人出了一堆专著了，解决得很通透了，你再进去研究意义不大，不需要提，我们只能这样想。可是对于我们今天来讲，因为《论语》记录的是可信的，他不传我们就看不到，非常可惜。同时我们要意识到：看不到可不等于没有啊！

这样使得黄帝以前的历史就更加渺茫，今天之所以特意把《汉书》带来，除了证明我们的史学名称的推论，就是《汉书》作为朝代史，可以作为物证帮助我们推论，正史里没有《秦书》，有《周书》、《商书》、《夏书》、《虞书》，接下来我们就顺理成章地问，有没有《唐书》、《高辛书》、《高阳书》？推论到黄帝了，当然黄帝以前还有历史。另外，《汉书》里面还有一个帮我们推论历史、提供参考资料的重要内容，就是《古今人物表》。虽然它是汉朝的所谓一个朝代的断代史，但是班固给我们保留下来《古今人物表》，在其他著作当中看不到。如果你承认《汉书》是一部可靠的史书，那么他在《古今人物表》里面所列的这些古代天子的名称，那就是历史真实记录流传下来的。所以大家稍微凝神听一下，因为对于大多数同胞来讲，这些名称可能都是平生第一次听到。

在黄帝以前，按照《史记》的记录，有八代神农氏，在神农氏以前一直到伏羲中间间隔了十九位天子的名称，我念给大家听。伏羲氏是现在历史记录能够见到的最早的中华人文始祖，第一位就是太昊帝伏羲氏，在《古今人物表》当中，列为九等人的上上之等。表中上中下又分上中下，三三见九，九等人物，他是上上的圣人。后面这十九位得天子位传承的、有名称记录下来的，全部列入上中这个等位，就是第二等，为"仁人"，比"圣人"低一个等位，列为第二等。第二位是女娲氏，大家听说过，一点儿都不陌生。共工氏也听说过，神话传说中撞不周山的那个共工。我怀疑那个"共"是洪水的"洪"，是洪工，就像很多甲骨文的字跟我们今天的字对应缺少偏旁一样。这是怀疑呀，因为女娲那个时候发大水，她为了救人于水火，曾经补过天。水怎么发的呢？说天漏了，所以补天。在她之后是共工。也有说之所以天漏了，是那个共工拿脑袋撞了不周山，把柱子撞塌一根，所以天塌了。第三位是容成氏，包容的容，成功的成。第四位是大廷氏，大小的大、朝廷的廷。第五位是柏皇氏，柏树的柏，皇帝的皇。第六位是中央氏。第七位是粟陆氏，有的写的是栗陆氏，粟是粟米的粟，栗是栗子的栗，这两字为通假字，所以你可以说是粟陆氏，陆是大陆的陆，也可以说是栗陆氏。第八位是骊连氏，马字旁加美丽的丽，骊山的骊，连是大连的连。第九位是赫胥氏，就是赫胥黎的前两个字，赫胥黎听说过吗？赫赫有名的赫，胥是伍子胥的胥。第十位是尊卢氏，尊是尊敬的尊，卢是姓卢的卢。第十一位是浑浑氏，把浑浑调过来。第十二位是昊英氏，昊是一个日一个天，英是英雄的英。第十三位是有巢氏，这个大家听说过。第十四位是朱襄氏，朱是姓朱的朱，朱元璋的朱，襄是襄阳的襄。第十五位是葛天氏，诸葛亮的葛，天地的天。第十六位是阴康氏，阴阳的阴，健康的康。第十七是位亡怀氏，死亡的亡，南怀瑾的怀。第十八是位东扈氏，东方的东，扈三娘的扈。第十九是位帝鸿氏，这位帝鸿氏相对来说稍微有名一些，可能有人听说过，黄帝的帝，鸿门宴的鸿。这是第十九位，再往下就是炎帝神农氏。也就是说伏羲氏之后传十九代，天下归神农，号炎帝。我们称呼自己为炎黄子孙，那显然炎帝在黄帝之前，炎帝是黄帝的长辈。

《古今人物表》里神农没有列出那么多代，只是说神农八代，好像只有一代，我们看一下他和黄帝是什么关系。黄帝在史书中有清晰的记载，是少典之子。在《古今人物表》当中，这个少典是什么身份呢？"炎帝妃生黄帝"，大家能明白吗？黄帝是炎帝和少典的孩子，炎帝是爸爸，少典是妈妈，他们两个人生的黄帝，而在《史记》当中清晰地记载有三大战役，说炎帝和黄帝打起来了，最后黄帝"得其志"，这让我们莫名其妙，就是儿子跟老子打起来了，而且打的规模还很大。真是这样吗？还要考证，还要存疑，就是亲生儿子跟亲生爹打起来了，然后这个儿子还那么伟大，把中华文化的文明程度大大地向前推进，划时代地推进。

这是我们按照历史往上推，推出我们如何看待《尚书》。现在传的《尚书》从尧开始，尧以前看不到，看不到不是以前没有记录，而是"其文不雅驯"，互有争论，最后没写入史书，这就是一个遗憾。最糟糕的是本来秦以前《尚书》有百篇，有一些历史比较详尽地做了记录，但是由于秦始皇焚书，就没保留下来。伏生呢，是把自己的百篇《尚书》藏到自己家的墙壁里面然后逃命去了，战乱结束以后回来挖，只得到二十九篇，就是这样的一个历史。

我们今天拿到的《尚书》，不包括后世学者考订的、证明为伪《尚书》的那些篇，所谓没有争议的《尚书》就二十九篇。大家也可能看到二十八篇的说法，什么道理呢？后来有一个河内的女子，献了《秦誓》那一篇，加入进来，这是汉代的事情。加入进来以后不就变成三十篇了嘛，但是汉代人呢，觉得加入进来以后，我们原来承认的《尚书》二十九篇，数就变了，我不知道当时那些人什么心理，就非得保持《尚书》一定是二十九篇，就把里面的《康王之诰》和《顾命》这两篇合为一篇，还是保留了二十九篇。这就是我们今天能够见到的《尚书》。

慎终追远，民德归厚

为什么在开讲之前，要把这段历史告诉给大家，就是看待中华的历史要有自己的标准，这是第一。第二，中华的历史不用其他史观（西方中心论的历史观）来衡量。第三，再等待出土文物给我们证明，夏朝确实存在；大禹是人，确实存在；尧、舜确实存在，而且有历史记录；不光他们存在，帝喾、颛顼、黄帝一直到伏羲，也都存在；不能说看不着确切的历史记录和他们用过的器物，就说他们不存在。

比如说，现在请大家帮我一个忙，在座的各位同胞能够记得自己曾祖姓名的请举手，曾祖就是爷爷的爸爸，你能记得他姓名的请举手，一位、两位，好三位；记得自己高祖姓名的请举手，就是爷爷的爷爷，一位。很好啊，如果在古代参加科举，那我们今天能报上名的只有一位（众笑）。科举考试要把高祖、曾祖、祖父、父亲的名称写到答卷上，介绍一下自己的家史。这个都写不出来说明你不能"慎终追远"，民德不厚。我们都不合格啊！

为什么中华文化能够传承那么久远，就是有一些基本的传承和规矩、制度保证着。孩子们说我不能做缺德事，否则给先祖丢人。而古代人或者一部分古代人认为，不一定我这一辈子完了之后就万事大吉永远拉倒，万一真的有祖先在天之灵，那无颜以见啊，不能丢人！所以宁可死，不就是早死早见面嘛，他也不会干缺德事。而我们简单的一句话，根据天人合一观的道理，或者说我们论证了广义相对论的道理，做了缺德事就等于找病，缺德到一定程度就早亡嘛！所以积德到一定程度就源远流长，所谓"积善之家必有余庆，积不善之家必有余殃"。有些老先生说应该读"余殃（qiāng）"，大家可以留意一下。

中华民族多灾多难，显然祖先有一些事情没做好，导致整个民族有难。可是尽管有难，我们源远流长，这个文化始终还是能够整理整理的，再一次发扬光大！说明什么？厚德载物。"积善之家必有余庆"，就是说还是能够兴旺发达起来，说明总有那么一部分中华先祖宁可死，舍生取义也不干缺德事！这就是中华文化核心的传承精神，是我们的道统、是我们的正统、是我们的真传，传统文化"传"的主要就是这个东西。

伏羲贡献，一画开天

追溯到伏羲那儿，才是中华文化演变到今天，历史的源头，再往前有多长时间那更不可考。伏羲有什么贡献呢？就是一画开天的贡献。"一画开天"是什么贡献呢？我们说《易经》是中华文化的经中之经、典中之典、群经之首，起于伏羲画卦。人做任何事情，就是你的手动、眼珠子动，是因为你的脑动对不对？你的脑子念头在动，指挥着身体在动。他要画呢，不管画第一笔是阴爻还是阳爻，要画的过程当中他脑子里要表达一个观念、要表达一个理念、要表达一个精神，要表达一个他明白之后的那个道理，他才能动不管叫笔还是刀，还是棍子，反正他要有一个指导性的思想，拿起那个东西在石头上、在土地上或是在龟甲兽骨上，他要画第一画的时候，是我们华夏文明的开篇，也就是开天辟地的大事，是这么形容他。所以第一笔"一画开天"就这么来的。大家现在去甘肃天水伏羲庙就能看到这个匾额，叫"一画开天"。也叫盘古开天。盘子是圆的，我们今天看，说一个圆起点在哪儿，你能说清楚吗？任何一点都是起点。盘古，古，是指以前的，那么盘古开天就是在无始当中选择一个开始，叫"盘古开天"。能明白吧？不是一个叫盘古的人睡在一个鸡蛋壳当中，不知道从哪里来，摸了一把斧子一劈，开天辟地了，阴阳划分了，不是！那都是误传。传着传着，就传成哄孩子都哄不圆的一种说法。他会问斧子从哪里来？是桃木的斧子，还是石头的斧子，还是青铜的斧子？如果是青铜的，谁冶炼的？那时候不能指望他有一把锋利的铁斧子，铁具大规模的使用据说是在战国，那铁斧子有没有木头把儿？木匠有没有？这你往下回答小孩儿的问题，或者像我这种幼稚头脑的问题，肯定最后能把你问得理屈词穷，就是你不能自圆其说。然后说他睡在鸡蛋里，这个鸡蛋是哪个鸡下的（众笑）？多大的一个蛋？多大的一把斧子，"啪"一劈，天地被劈开了？你回答完，假如你能说服我，说这个蛋是哪个鸡下的，那我会问这只鸡谁养的？吃玉米还是吃谷子？谷子谁种的？那显然要有人，这人从哪里来？以前还没开天辟地呢！没有天地哪来的人？那人从哪里来？所以分析下来一看呢，这种幼稚的所谓神话也好、童话也好，叫人一看，中国古代就充满了这种孩子都不相信的传说，那中华的历史就说不清楚了。

所以，把隐藏在各种寓言、神话里面的史实揭示出来，是我们现在这一次讲《尚书》的一个重要使命，至于考证的功夫留给史学界。我们可以提出一个《尚书》假说，中华历史朴素的文化源头的推论，它不是胡乱的猜想。"盘古开天"是说在那个不容易考证清楚到底哪一天哪一刻开始的时候，伏羲悟明天地宇宙之间运转的规律，也就是我们后世所说的天道，现在所说的自然规律，或者是真理，悟明白之后通过画卦的方式传递了出来。他悟通世间的任何现象有两种力量互相演化，一种肉眼可见，凝重下沉，被称为"阴"；一种能量可以温化，可以有精神，可以转化，被称为"阳"，和有形质的物质形象互相配合，形成天、地、人、事、万物。这是文明的肇始。"一画开天"是文明历史上开天辟地的大事，所以伏羲才是我们追查华夏文明的源头。

中华的历史以前有过一种说法，就是太长了，浩浩的历史，大概百万年。那以前没有文字，人生活在那个历史当中，跟动物是一样的，但到伏羲那儿不一样了，开始有自己的文化，或者说文明开始了。为什么？因为他把天地运转的道理搞清楚了。去河南你去看一下伏羲台，就是阴阳转换的情形；再就是看河水，泾渭分明，泾水、渭水一个黄一个清，一个象征阴一个代表阳，打着漩涡画出那个形象就是阴阳鱼。看到这个形象的旋转，今天的我们可能就简单地觉得挺漂亮，拍张照片发一下朋友圈，然后拉倒了（众笑）。但是当年那个老人家呢，看着宇宙之间出现的形象，就是伏羲看到"河出图"，黄河里面出了龙马，驮着一张图，据此他画下了先天之卦；大禹看到"洛出书"，洛河里面一只神奇的白龟出来，背上有充满玄机的数理，大禹据此制定《范》，记录下来，后来尊称《洪范》。《洪范》是我们讲《尚书》必定要重点解读的一篇经典文献。那伏羲当年的这个记录呢？在《尚书》里面就看不到，但看不到我们有《易经》啊，有《易经》的传承啊！现在我们能看到中华书局出版的中英版本的《周易》，上面说大约七千年前伏羲画卦，那顺着《尚书》我们自己推，推到哪儿去了？至少七千年左右。在道家的一本书里面说伏羲画卦至少六千四百年以前，它为什么会推出六千四百年以前，那应该不是胡讲的说法。也就是伏羲给我们把那个"文"——"文"就是"道"，"文"就是规律，"文"就是真相，"文"就是天地宇宙万事万物的那个核心法则——揭示出来，叫"文明"。所以叫"文明肇启"，也叫文明肇端。

中华的历史从哪里开始？从伏羲画卦开始。他画卦表示的是阴阳。阴阳呢，在孔子写《易传》里面有一句话，"一阴一阳之谓道"。道，就是规律，揭示的就是天地、宇宙、人、事、物运转的规律；化为两仪叫阴阳，这就是二；二产生阴阳以后化生人，天、地、人为三才，上有天，下有地，中间有人，这个文明就活了。人为天心，这个天心要是圆明，那人世间产生的一切制度、政策、方法、文章都是文明里面的正向产物，源远流长。也就是道统传承，传到今天。

认清传统，德全不危

所以说中华传统文化，传的是什么？传的是那个"文"，我们可以叫文统；传的是那个"道"，可以叫道统；传的是那个"真"，可以叫真统；传的是那个"正"，叫正统；传的是那个"中"，河南人说的"中（zhǒng）"，就是"正好"、"恰恰是那个"的意思，但是我们不能说"中统"，因为"中统"这个词在国民党统治时期已经臭了（众笑），它成为那个时代的一个专有名词。但这个意思本身说明一定要抓到那个正统，传承下来，不能偏斜，这才是我们学习中华优秀传统文化必须要理解的一个基本观点，所秉持的一个基本立场。这样才能不走偏，才能跟西方文明包括其他的各种文明交流互鉴，否则的话，很容易被湮没。要么湮没在自己文明当中，不见外方文明的好处，这就是故步自封；要么就是湮没在其他文明当中，看不到自己文明的正传，这就是数典忘祖，都不对。要兼收并蓄。

因为文明达到核心，没有界限，没有区分。我们现在应该从明道、明阴阳，就是"法于阴阳，和于术数"，《黄帝内经》开篇的五句话，"法于阴阳，和于术数，食饮有节，起居有常，不妄作劳"，开始涵养自己的身心，争取早日入道，明白世间运转的规律，做正确的事情，摒弃错误的做法、想法，然后去看待史书、经文，就会明白中华的历史确实是独一无二的。它为什么能够源远流长？因为不缺德！要明白啊！任何一个人做到这一点就是德行圆满，正大光明，圆觉无碍，本身就是"德全不危"。这就是《上古天真论》里面四个关键的字——"德全不危"，没有危险。那它的传承就不会断灭，至少千年、万年不会断灭，只要有人肯按照这个思路去修正自己错误的想法，他就会进入传承，往下传。所谓传承断灭，不是这个理本身自己断灭，而是没有人肯把它学明白变成真实的人世间的行为和语言，所以断灭了。我不知道说清楚没有，就是这个理本身永远存在，可是不被揭示出来的话人们不知道，所以断灭了。伏羲画卦所揭示的那个道、那个天理、那个"文"，要让世间"明"的这个本质、核心、精神、道理一直都在。不是他发明的，是他发现的。我们说的这个文明，是他把隐藏在现象当中的那个背后的道理，通过画卦的方式解读出来让大家明白，我们才进入了文明的时代，是这么一个意思，这叫"文明肇始，一画开天"，从这里面开启了华夏文明的序幕。这是传承，这是正道。我们学《尚书》不要以为尧那个时候太古老了，好像中华的源头就从那儿开始了，其实不是这个样子。再往前，能够从典籍当中追查到源头的，还有将近三千年。那伏羲以前就不必再往前查了。

这是《尚书·虞夏书》开讲之前，我们对整个《尚书》的历史背景，传承的一些过程、史实，我们应该在这个时代秉持的基本观念，做一个比较简单的梳理。

曰若稽古，如是我闻

现在请大家看《尚书·虞夏书》或者是《虞书》第一篇《尧典》。

尧典

曰若稽古，帝尧曰放勋。钦明文思安安，允恭克让，光被四表，格于上下。克明俊德，以亲九族。九族既睦，平章百姓。百姓昭明，协和万邦。黎民于变时雍。

《说文》里面说，"典，大册也"，大小的大，经典册页的册，能称呼为"典"的，是比较大的册页。古代没有纸，汉以前没有纸，用的都是竹简、木简。竹简、木简有长有短，那个特别长的，用我们现在的话叫"开本"，就是一本书多大的开本，有的是口袋书，小的，能装到口袋里；有的书呢，像这个书（举书示意）算是比较大的开本。古代称呼"典"都是大册，能够这么做的是非常重要的内容。你想，记载圣王、天子他们的事迹那显然是最高的了，所以称呼为《尧典》，是记录尧的言语、行为的大册。

《孟子·万章篇》引述本篇就称为《尧典》，《大学》里面引用称为《帝典》。"《帝典》曰"，有没有能背出来的？《帝典》曰了什么？"克明俊德"。

"曰若稽古"，看开篇这四个字，很多经文解释，这个"曰若"与昭告的"越若"和广东的简称那个"粤若"都是发语词，我反对！

不是这个意思，它相当于是写这个《尧典》的史官或者记录者，为了取信于后代的读者，说我下面的记录是通过"稽古"，考核古代的史实基础上记录的。翻译成白话文就是说，"通过对古代历史事实详尽细致地考核研究后，我记录如下内容"，"曰若稽古"是这个意思。就算"粤若"是发语词，仅仅"稽古"两个字本身也有"慎重考核，记录如下"的含义。

晋唐期间翻译外来的佛家经典，翻译出四个字"如是我闻"，这是中国本土的大学者，修行有证的高人、圣人、贤人翻译当时的经文选取的这样一种文式，非常精到，它既表示叙述内容的人对自己的所听、所述负责，也表示信成就，取信于人。"如是"说的"是"呢，不是瞎说、不是乱说、不是臆想，而是根据事实本身，"我听到老师这样讲"，叫"如是我闻"。同样的精神，"曰若稽古"，我这样讲是对古代史实进行详细稽核之后才写下来的，表示史官或记录者的信成就。就是你不要怀疑，也不要猜想，我不是随便去写的，这是事先的一种声明。

我曾经有一种感受，如果读到"如是我闻"你流下眼泪了，或者是读到"曰若稽古"流下眼泪，证明你很可能已经进入这个传承。有一丝的怀疑，进不去，就得不到那个精神。就像一个做学生的不管老师讲什么，他都不喜欢，所以爱屋及乌的反面是恨屋及乌，就是你不喜欢他，对他述说的内容也会讨厌，这是比较麻烦的一件事情。同样的道理，必须相合，完全融入进去，才能够得到真义。

这是"曰若稽古"，说"曰若"这两个字有发语词的作用我不反对，但是仅仅就说它是发语词，我不同意。如果你说我这种解释不符合以前的经文，你也可以不采用，聊备一说。说错了我来负责。但万一将来全本《尚书》从哪一个古墓里面被挖出来，有很多篇开头都带着这个"曰若稽古"，那就等于是我自己的这个学术考证进入中国历史了，因为它是一种文体的通则，"曰若稽古"。

"帝"号已久，家谱传承

"帝尧"，大家注意，在那个时候，已经称天子为"帝"，所以有些人说秦始皇是始皇帝，他是第一个，我也不同意。说明秦始皇没啥文化，对历史知道的也不多，他不知道以前那些天子都是称帝，《尚书》这种说法就是证明。所谓的始皇帝，是把自己定义为第一，自己划时代这样开始，但不能否认以前就有这个"帝"。"之中国，践天子位"，是《五帝本纪》里面对大舜的形容。"践天子位"，那后世的皇帝不一直就称呼为天子嘛，怎么就从秦始皇开始了？这也是一个大家要注意的问题。

"曰放勋"，这是他的名字。名字，我们没法做过多的解释，但想一想他姓什么？在《史记》里面清晰地记述，从"黄帝至舜、禹，皆同姓而异其国号"，那么黄帝姓什么？黄帝姓公孙啊，"黄帝二十五子，其得姓者十四人"，另外十一个孩子没有得到黄帝的姓，自己有姓，取了自己的姓，传到今天。

我是在电视上看到一个消息，在安徽有一家姓徐的，家谱显示他们家是黄帝的第二个儿子昌意的后代，传到今天一百三十七代。我就想这是一件伟大的事情，有机会我一定要见到这份家谱，把它印出来，然后根据这份家谱作为研究的开端，去寻找整个中华民族的血脉基因图谱。因为把基因序列描画清楚之后，彼此之间的血液传承族群之间的通婚状况，都能通过现代的科学检测手段得到验证，会把我们中华的历史确切地验证出来。这个家谱不间断地传承到今天，那是国宝啊！世间的瑰宝啊！

上一周没有开讲是因为湖北省高教工委、教育厅、团省委还有省广播电视台，联合举办"中华优秀传统文化孝道进校园"的活动，我被安排去给华中科技大学、华中农业大学、湖北经济学院、湖北中医药大学等几家单位做讲座。其中在华中农业大学讲座的时候，他们的论坛名称叫"狮子山讲坛"，当晚我那一讲排在第二百四十八讲。"狮子山讲坛"，非常的有蕴意，我非常喜欢这个名字；不过"二百四十八"这个排号也让我惊出一身冷汗！因为按照东北的习俗，再过两讲那就出名了（老师笑、听众笑，"二百五"在东北方言中有骂人傻、笨、蠢、呆、木的意思）。关键是主持人是他们自己的学生，穿得很"夏天"，当时天气有点儿凉了，跟我介绍说她姓徐，我立即就跟她讲：徐姓是黄帝第二个儿子昌意的后代，你有没有家谱？她说不知道，我说要是知道的话，我希望能够看到，或者能查到家谱，归到祖谱上去，就能够知道自己的来历。一旦知道这个来历，你对中华传统文化的感觉立即就变了，所谓"不听老人言，吃亏在眼前"，你会发现原来经典里面记录的不是别人的事情，是我们自己祖先的事情，有血脉的联系。

就像我查自己的姓氏，我跟大家报告过，姥姥、奶奶都姓王，那好，钟姓先不查了，查王姓，一查，查到姬晋那儿去，周朝天子繁衍出一个"王"姓来，他的血液图谱里面是文王姬昌的后代，那姬昌从哪里来？再往上查，查到黄帝那个时候，全都有血脉联系。所以，也劝大家，或者说帮我一下在工作和生活之余，把自己家里的族谱往上追一追，查一查，考证一下，然后看看自己跟黄帝到底是什么关系，为什么我们说炎黄子孙。所以你跟人家讲我们是炎黄子孙，人家说这什么意思？哪儿来的？你能不能从家谱中姓氏的源头上去证明？一旦查到了以后，你才会发现，再说我们是炎黄子孙的时候，那就不是别人教你说我就跟着也不思考地学，就不是了。就像现在我被称为是钟氏子孙一样的，这个家族的血液传承到了这一代，但实际上就是一家吗？怎么可能啊！在我们血液里往上数"张王李赵遍地刘"，那里面的基因血统都是互相交叉灌注下来的。

在古代，只要不同姓就可以成婚，再往前我发现对氏也有要求。中华的老祖宗发现近亲不能结婚，这也是一个伟大的生理发现，它保证着我们子孙的质量。那后世呢？忘了这一点的，就给你反向的证明。就是发展到中古，我们现在所说的封建时代，一般都是外甥啊、表妹呀、堂兄弟姐妹之间进行婚配，然后生出来一些痴傻呆儿，身体不健康、智力低下的一些后代，这是有过惨痛教训的。为什么在四五千年以前那么古老的年代我们的祖先就能有这样的智慧？怎么得来的？这是非常值得探讨的问题。中华民族能繁衍到今天，也要感谢他们，有这样的一些常识和规矩。但是现在族群这么多，几乎都出了五服，所以同姓为婚也是经常见到的。比如说，有时候我们去酒店参加婚礼，新郎姓张，新娘姓张，我一想这在古代是不可以的。那现代呢？往上查十辈家谱，发现两家一点儿关系都没有，只是同姓，大概查五百年前才可能是一家的，那个微乎其微所谓的影响已经不重要了。可是另外的一个现象呢，让我觉得尽管微乎其微它还是有作用的，有什么作用呢？我就发现到第三代、第四代的混血儿，有中国的血统也有国外的某一个血统的孩子，身体长得高大健硕，人也漂亮，是不是就跟这种基因比较远有关系，懂生物的、学生物的可以进一步地去考察，我们现在有些事情还只能是存疑。

圣人境界，帝尧德行

帝尧叫放勋，为什么取这个名字不太清楚，他的名字就是这样，他有名，有天子位。后面这几个字是形容他的德行，"钦、明、文、思、安安"，有的版本注释成"晏晏"，然后怎么解释也都各不相同。大家可以自己慢慢地体会，就是形容一个人的德行伟大，光芒四射，光照天地，可以自己去琢磨琢磨这几个词。

"钦明"，这个"钦"后来专门用于皇帝，我们看电影念圣旨，最后都是"钦此……"拉个长音，才表示完事儿了，然后下面跪着的人接旨。这个"钦"呢，书中解释是敬和谨，尊敬和谨慎的意思，这是训诂学派生出来的解释。到底怎么解释大家可以去想，一个人格很伟大、修行达到圣人境界的人，用这个词去形容他是什么意思。

"明"，真要解释这个"明"，花一整节的时间也不够，就是说他到底明什么？他是个明白人，"主明则下安"，那他明白到什么程度呢？我们往下看。他有"思"。有的解释是"钦明、文思、安安"或者是"晏晏"，我这个版本是"钦、明、文、思、安安"就是全部一个字一个字地去形容，但后面这两个"安安"是连起来的，表示柔和。如果不明白你想象一下可靠的，弟子对孔子的形容，君子望之俨然，即之也温，温良恭俭让，因为孔子达到圣人境界那是公认的。

"允恭克让"，"允"，允执其中的允，有诚然的意思；"克"，是能够，"允恭"，诚然能够对人恭敬，能够达到谦让的地步，就是他没有那种颐指气使、飞扬跋扈或者是天子那样的踌躇满志，是很平和的一个人，看上去安详、淡定、自在。

我有一个方法可以跟大家分享，就是读古书尤其是《尚书》这种，出了名的文字太古奥，您看我问一个年轻的学生，听没听说过《尚书》？听说过。《尚书》是什么样的书呢？拗曲难解。大概是他看资料说字也难以认识，意也难以懂。

可是，我们得了一个方法，就是"人经合一，以经解经"和"体会"的方法，不用直接去琢磨这个字到底是什么意思，就看现在的人。如果说现在找不着那样的人，那就找和他类似的人。尧如果太古老了，那孔子离我们近一点儿，你说孔子的境界到底什么样还有争论，那就找一个几乎没有争论的人，去看他或者看他的照片。比如说虚云大师，大家听说过没有？活了一百二十岁，跟尧的年纪应该是相当的。因为尧显然是在一百岁以上的，被公认为天子圣人，是《黄帝内经》里形容的百岁而动作不衰的人。那我们就找现在这种境界的人，您看虚云大师，通常来讲无论是站或是坐，他传达出来什么样的信息？那南先生面对大众讲出来的，说我们几个弟子就愿意在他老人家身边打坐，感觉特别舒服。我们解释过这件事情，因为他那种和谐的场能显然会让人觉得舒适，像有一种柔和的光散出来一样。我们用物理的频率去解释，就是他那种频率让周围的人宁静下来、平和下来，你就感觉到场能舒适，所以愿意接触，叫亲和。还有，他一个人得到五家禅宗的传承，那就是被各种祖师全部认同，他达到圣人的境界，到底是什么境界呢？我们也没法妄猜，可是看着他静静地往那一坐，那我就想"钦、明、文、思、安安，允恭克让，光被四表"行不行？我认为没问题。所以如果解释不通，或者你觉得这种解释我根本

29

就不理解，找一个活人看看他能做到什么程度，然后你漂移一下，漂过来移过来，试一下看看能不能理解，我认为就很容易让我们理解当初选择这几个字去形容的那个人是什么状态。

时间过得很快，我们下一讲再见！

（二）

丁酉年十月初八　2017年11月25日

《尚书》要被作为中华正史来对待，了解上古史至关重要！我们有悠久的华夏文明，我们的祖先是人！作者将《尚书》与《史记》互相参照讲解，让我们更容易理解。

学习《尚书》，增强自信

尊敬的各位同胞、各位同人：

大家上午好！

我们接着讲《尚书》，今天是第二讲。第一讲当中，我们给大家介绍了一下为什么要讲《尚书》，《尚书》的重要性，尤其是对于当前这个新时代，我们增强文化自信，了解自己的民族史，特别是上古史，了解中华文化的政治传统、核心精神都至关重要。因为长时间以来，我们的历史被虚无、被短化、被丑化，一个很重要的原因就是《尚书》没有被列为中华正史来对待。

我们看到的介绍性的文字，都是说《尚书》是一种古代的"史料"，而我们通过现在被列为正史的二十四史书名上的逻辑，也就是唐以前的朝代，正式的朝代史都称作"书"，比如说《唐书》、《隋书》、《汉书》，按这个脉络追溯回去，一直到《周书》、《商书》、《夏书》、《虞书》乃至于《陶唐书》。然后我们再追问，有没有可能根据上古天子他们的国号或者年号，在原本的《尚书》当中存在着《高辛书》、《高阳书》、《有熊书》乃至于《神农书》？甚至于从伏羲画卦以后，从女娲开始一直到帝鸿氏这十九代都有历史的记载，但是由于时间过于久远，我们还没有看到。

我们现在呼唤历史文物的出土，我有一种感觉，随着我们文化的复兴，有一些埋藏在地下的文物也会陆续地出土。就像有人讲司马迁没看过甲骨文，但是司马迁看过甲骨文传下来的当年那些史料，我们今天也看不到。那么很可能在地下埋藏着一些我们先祖没看到的夏朝的文字乃至于黄帝时期的文字，通过青铜器流传下来，这是我的一个想法。以前一些历史学家也期望全本的《尚书》出土，出土以后经过整理出版，传遍世间。这对于恢复中华上古史具有重要的作用！

我们现在学习的是残存的《尚书》版本。我现在手里面的岳麓书社的这个版本介绍说，根据《汉书·艺文志》里面的"纬书"介绍，是三千两百四十篇。而我们今天看到的没有争议的《尚书》仅仅二十九篇，加上有争议的《尚书》也不过就是四十五六篇的规模，言外之意，百分之九十九以上的历史都见不着了。所以这段历史就极其珍贵。恰恰是因为它的很多历史记录没有太多系统性的参考，所以读《尚书》就显得相对困难一点儿。

长时间以来，很少能见到一个令大家读起来比较顺畅的读本。我自己学习《尚书》的时候也感觉到很困难，但是有一些篇目又觉得很清晰。所以有必要用白话、口语把它的主要历史脉络所蕴含的文化精神跟大家叙述出来。而且我也开始用论文的方式去探索后世那些确切存在的经典，比如说《大学》、《论语》这些经典和《尚书》之间的传承关系。

全面介绍，尧之德行

上一讲我们讲到《尧典》的开篇是对尧这个人德行的介绍，其中"允恭克让"这四个字在历史上大概仅见于对尧的描述。虽然说后世我们对一些所谓的圣王、君主有过一些很美妙的赞颂，但这四个字，我们从典籍上来看，好像仅用到尧的身上。体会这四个字是什么意思呢？书上解释"允"，有诚有信这两个很关键的意思。那恭敬的"恭"，放在今天大家仍然常用，所以不需要解释。

我自己的体会和有些版本的讲解不同。有些讲解呢，说"允"是一个品德，"恭"是一个品德，"克"是一个，"让"是一个，就是这四个字描述的是尧四个方面的德行。但我体会完之后，感觉好像分成两个方面更好让人理解。怎么分呢？就是前两个字"允恭"为一个词，后面"克让"为一个词，重点词在于"恭"和"让"，然后前面的"允"和"克"可以当作形容词的作用来理解。

为什么这样说？我们想一下自己在日常生活当中和其他人交往，大家是不是能够体会到一种情况，就是他在言语上、态度上、身体语言上好像是恭敬，但是你还是能够通过自己的内心觉察到那种微妙的感觉，就是他不是像他自己说的那样真诚，像他自己表白得那么忠诚、那么恭敬。不知道大家是不是有亲身的体会，说得严重一点儿，就是说一套做一套，或者是他嘴上那么说，但是他心里并不那么想，也就是没有达到表里如一的状态。这就不是"允恭"，所谓的"允恭"就是极其真诚地恭敬，极其真诚地忠诚。用《道德经》上的话说，就是"修之于身，其德乃真"。他的这种真诚恭敬的德行已经完完全全落实到身上，他的表现和他的内心是一致的，叫"允恭"。

后面的那个"让"，我们把它解释成谦让，就是《易经·谦卦》里面的那个含义，谦退。做最高领导人，仍然是需要戒骄戒躁，不颐指气使，甚至能谦让。大家要知道，地位达到那样的程度——元首、天子、最高领导人——他能够真正地谦让、退让、谦虚是不容易做到的。所以前面加上一个"克"字，就表明尧的这种德行是难能可贵的。所以这四个字我们这样解释，"允恭、克让"。

那后面我们说非常容易理解，"光被四表，格于上下"，四方上下，"上下"通常指天地，也就是在六合之间，大家都体会到他德行的感召，光明。注意这个"格"字，因为从字相上看，它和《大学》里面那个"格物致知"是同一个字。大家注意这个字，我们先接着往下看，这一段讲完了，回过头去再来分析一下。

"克明俊德"，第二次出现这个"克"，书上解释都是"能够"的意思。"以亲九族"，如果能够背诵《大学》原文的，现在就回想一下第一段，"大学之道，在明明德，在亲民，在止于至善"，这三句是逻辑层层递进的关系。还是不解释，接着往下看。"九族既睦，平章百姓"，古注那个"平"都解释成"辨"，所以应该读"辨"，像我这样读会被老先生们耻笑，字都读不准，还要讲。平天下的"平"，在这里面解释成"辨"，辨别的辨。"章"，是"表彰"的意思、彰明的意思。还有的注音说它应该读成"商"，就是商朝的商，叫"辨商百姓"。这就让我们初读《尚书》的人莫名其妙，看着这个字不读那个音，然后还得追查古代的含义，所以通常这种情况一多，就容易读着读着就把《尚书》撂下了，读其他古书也有类似的情况。那我的经验就是，如果说一个字的读音，马学者说这样讲，郑学者说那样说，那你可以先不看，先往下，去读自己能够读得懂的部分。然后天长日久，慢慢地体会、慢慢地品味，时间长了，其义自见，你也能够去判别哪一个学者解释得能够更加合理一点儿，更加符合古代与现实。因为人毕竟都是活在天地之间，古代的人面临着五伦十义，我们今天的人一样面临着五伦十义。也就是说我们今天的所思所想，面临的局限条件，大概跟两千年前面临的局限条件在五伦关系上、在思想方法上，有非常大的相似之处。我们变化最大的是物质环境，而为人的本性大体上没有什么变化。

再往下看，"百姓昭明"，就是《昭明文选》那个昭明，昭明太子那个昭明。"百姓昭明，协和万邦"，"协和"很有名，你要是看教育部公布的医学的目录，通常协和医院在临床医学大概是排全国的第一位。然后全国各地的人都跑到协和医院去看病，所以挂一个号很困难，就是那个"协和"。这都是后世借用的，你要找出处，找到《尚书》，通常我们就可以直接宣布，这个词来源于《尚书》。

"黎民于变时雍"，黎民百姓这个"黎民"，这个"于"，在这里面据说是更替的意思。"变"，变化的变。"时雍"，"时"被解释成善；"雍"是和睦，也是当和讲。北京到现在还有雍和宫。我们解释过《论语》的第六篇《雍也第六》，就是这个字。后世写史书的，比如说班固描写《尚书》中的内容，用过什么词呢？就是尧的政治达到什么程度？叫"时雍之政，和睦之治"。政治、政治，古代把这两个词分开，我们今天的政治通常都是合在一块儿变成一个词汇。现代汉语的特征或者说白话文的特征通常来讲要讲词汇，它和古代文言文一个字就表达一个很精准的意思有所区分。今天要是通常就说一个字的话，那你在沟通的时候就很成问题。所以我们都是什么慵懒、懒惰、变化，你不能说变、化，这个人慵。但是有些词可以单用，比如说这人懒。有一些重点的词汇，单用还可以，但有一些词不配合的话，就没法进行现代的白话交流。

格物致知，诚意正心

这第一段我们简单地读过之后，大家有没有一个大概的印象？就是你再想一下《大学》，《大学》前三段如果能背下来，回想一下，从"格物致知，诚意正心，修身"，到这儿先暂停一下。就是说一个人生出来以后慢慢地懂事了，然后识字了，看书了，受教化了，有老师引导了，这个人就开始接受了现代的文化教育观念和理念，也有一些他会认为老师给我解释的并不能让我特别服气，书上解释的有一部分好像能看懂，但是我也不赞同它解释的，也就是说充满了疑问。如果他是一个喜欢研究的人、喜欢思考的人，通常他就会开始探索，这叫"格物致知"。有的说这个"格物"就相当于探究；有的把那个"格"说成隔开的隔，把所有的物象隔开，然后把自己闭关，眼耳鼻舌身，包括身体的感触都放下，关闭自己的感知，探索内心世界，去"致其知"。最近又流行王阳明的学问，致良知。

玄奘大师到天竺国去取经，当时他们正面临着一场大辩论，就是这个"知"是什么知？玄奘大师到那里以后说了一句："如人饮水，冷暖自知。"这场争论"哗"的一下就停止了。就是你天生本来就有这种"知"，这种"本觉"，它是不生不灭、不增不减也不垢不净的，你自己就知道，只是需要体会。但是因为我们每天的心思全都向外驰求，把自己心性上的学问给切断了、遮盖了。所以子贡就注意到这个现象，他说我们这个老师（就是指孔子）他谈文章方面的事情，我们还听得懂，他要谈性与天道，不可得而闻。可能老师也很少谈，几乎不谈，所以听不着，叫不可得而闻。另外一种意思就是说，他说了好像我们也得不着、听不懂。

比如说今天早上我一转身，阳光灿烂，就在东方，很欣喜地向那个方向看去。但没有几秒钟，发现旁边有一块很重的云彩，十几秒钟之后它把太阳光遮住了，整个云彩边上射出万道霞光。随着云彩向东运行，阳光被遮蔽的程度越来越重。这告诉我们什么道理？是阳光不照吗？根本就不是。它是恒星，恒星的作用就是自己能发光、能发热。它不像月亮，要靠反射的光芒才能被我们地球人看得见。那恒星的作用就相当于是如如不动，它一直在放射着热和光芒，可是我们经常看不见。问题在它那儿吗？不是啊！问题在我们自己。我们自己起乌云，我们自己起雾霾，我们自己起一些不良情绪，然后把我们自己的本性遮盖，你的灵感就不能来。因为我们要写书、写论文，要找一个最好的表达，甚至找一个最好的词汇来形容。为什么有些时候就追，老是追不着，就想找的时候它不来；无意当中的时候，就是你不知道是在干什么，倒一杯水，出去正在散步，甚至坐在火车上看着外面的景色发呆，突然之间一下子那个灵感就来了，问题就想通了，答案就有了。怎么来的？就是当你空灵的时候，心里没有被一些杂七杂八的事情填满，你的思绪变空了，灵感就来了，所以叫空灵。大家可以试一下。

这不是听别人说，听别人说得天花乱坠，您可以自己去体会一下，要解决一个事情，把万缘放下，先把这乱乱糟糟的思绪，管它对与错、是与非、好与坏、美与丑、妍与媸，通通先撂下，直接放下，然后看一下自己发呆、发怔、发愣的那一个状态，能呈现什么东西——"格物致知"。所以这是第二种，有人说把物格开。那我们现在相当于理解成把那个云拨开，拨云见日，阳光瞬间就透过来。是阳光才来吗？不是，它一直在发射着，没停过。而是因为我们的角度站错了，我站在这个位置，正好能看到有云彩遮挡在我和太阳之间，所以那一刻我看不见阳光。可是你换一个位置呢，你换到海事大学的校园里，这个云彩的遮挡面积显然就未必有那么大了，你当场就能看到阳光，你可能站在新华书店这一块，角度一错开，阳光也来了。

所以"格物"是怎么"格"？它有两种解释，一种是直接探究，另一种就是隔开，这是能够致知的途径。通过自己去内求反思，来"致其知"。这个"知"不是我们自己编出来的，它是本有的，天地间本有的，然后是通过人的认知，运用语言加上观念表述出来，变成人类文化，人类文明。对不对呢？还是得需要事实的验证。怎么验证呢？通过身体。它是有一个既定的标准，就是对了以后，人的身心会起根本性的变化。

所以"格物致知"下一步叫"诚意正心"。一旦你"致其知"，真的知道了，它的结果就是你的心意一定会诚。心不诚是因为那个知没到，一以贯之。当你心意诚到极点，那个知几乎跟着就会来。比如说经文上有说"知幻即离"，"知见立，知即无明本"，"知见立知，即无明本"，就是标点符号的不同。你知道那一刻，妄念已经消除，你看到阳光那一刻，说明乌云已经被拨开，几乎是同时的。而"同时"这个概念从现代物理学上来讲几乎又是不存在的，是我们人类假定在既定的时空之下，来假定它是那样的。在范围很小的时空之内，它是很精确的；一旦大到宇宙的尺度，它到底应该怎样，还在探究，是不一定的。那我们"格物致知"就应该永远抱着谦卑、谦诚、谦虚、谦退的态度，留有一份戒心，就是永远不要自以为是——认知已经达到极致了——永远不要这样想。

宇宙之浩瀚，人类所能见的太小了。包括我们说可见光，只有这么短短的七色这一小段的光波，紫外、红外到现在我们的肉眼都看不见。但是它不是不存在啊，这在宇宙当中，它是大量的存在。将来或许有一天我们的子孙发明出更精妙的仪器，一下子让我们打开一个未知的世界。比如说我们居然能够看得见暗物质的世界，那你想象一下今天的世界观是不是就完全得到了修正？如果我们今天认为人类已经了不起了，物理学已经发展到极致了，那不就是很局限了？所以心诚也包括谦虚的意思，也包括对自己所知保持警戒的、怀疑的意思，只有达到这一点，人的心才能基本上居于正位；否则的话，自以为是，那个心就不等于归正。

修身非空，重在体会

再往下来，就是修身。身一修，光芒就会透出来。我们说物质的能量随着它能量级别的提高会呈现出不同的光色，这个大家能够知道，那人体是一样的，人体也在这个三维的物理世界的空间。如果你现在的身体很虚弱，通常别人就会说，你这两天是不是没太休息好，为什么看上去印堂也不亮，眼神暗淡无光，和人逢喜事精神爽的人一比，显然眼珠的亮光都不一样，这大家都有感触。把这个道理推广一下，我们说现在红外的仪器能够探测到体温在三十六七度的正常人有一圈红外光，就是热源嘛，红色的，说明我们这个能量还比较低。一旦到了七八百度，或者炼钢炉那个温度，我们古代叫炉火纯青。这个词从哪里来的？如果没有体会，你打开自己家里面那个煤气阀，你观察一下火的颜色，然后再看一下科普读物，那个温度是多少，慢慢地去想。我们体会呢，没有那么高的温度，但是变化过程会有。老子给我们证明他的修为，能看见的部分是紫色的，我们说这是可见光中能量最高的，紫外看不见了；再高可能是还能见到金色的；再高，更看不着，就是所谓能量特别高的看不见；能量低的，我们也看不见。

就像我们耳音，高出一定的分贝，大音希声，你听不见，但打坐的人能够感知。所以老子在《道德经》当中跟我们说"大音希声"，听不着。他没说"大音无声"，"希声"呢，我体会这个意思，还是有稀稀拉拉么几个人能够听得见，说明有人修到了，心里静到一定的程度可以达到那个状态。你能够听得见天地自然的那种天籁，天籁的声音。我们人类形容呢，比如说某著名歌星声音好听，形容她的声音是天籁。我们说真正的天籁是宇宙之音，现在人类不是已经通过仪器测量到那叫什么引力波的声音，大家是不是在网上听过？它有现象，就会有能量，有能量的就有可能测到它的声音，甚至它的光色。

我们人体也是这样，我们自己本身就有声音，您自己听到了吗？没修炼的人估计也能听到过。比如说你晚上失眠，一两点钟还睡不着，捧着脑袋钻到被窝里辗转反侧，在那儿"烙饼"，听没听到自己心跳的声音？"嘣、嘣"，这种声音会知道。但是其实自己身体里除了这种声音还有其他的声音，那里面有声有色，"远看山有色，近听水无声"。我们自己粗大得连自己身体运行的声音，上行气、下行气、转圈的带脉的横气到底怎么走，都不清楚，就一塌糊涂。那你看中国古代，尤其是上古，道家正传的典籍，只有一个结果：看不懂，不知道。然后别人说了还怀疑。

为什么我们特别强调读古书要体会呢？用身体去明白呢？就是我们得证明一次。古代探索外部世界相对简单，古人是反求诸己，看自己内心世界。中华文化内外贯通，但最关键的是把人与自然打通了。了解到这一点以后，我们回过头来看对尧的形容，他格物致知、诚意正心的过程就是身修了。身修以后，后世作史书的人给他的形容词叫"钦明、文思、安安，允恭克让"，注意后面这八个字："光被四表，格于上下"，那个"被"有的注音读成"披"，披衣服的披，你愿意读"被"也无所谓。光被四表，格于上下，这就是六合呀！四表加上上下，我们说"六合"。

"六合"是什么意思？也可以说十方，也可以说整个儿一个圆，你自己身外的全部世界。而中国古代文化是天人合一的文化，一个人修身成功的重要标志就是他和他周围的身心世界是一体的。一个修身成功的人，他给大家展现的是一个道德世界，我们说那个德光、性光透露出来。古代画壁画有一个规矩，也是一个秘密，就是头后面的那个光不是随便画的。不但中国古代那些壁画圣贤头上有光，你看西方给那些天使、圣母画像也有头后面带光的吧？这是什么意思？就说明这个人破了一关，性光透露出来。

我们自己身体是阴阳和合的，前面中间的叫任脉，是阴脉；后面叫督脉，是阳脉。按照道家的叙述，在泥丸宫下来，搭个桥，阴阳相交，就像我们说电路开关一搭上，电流就通过，这个灯就亮了；一关，断了，这个灯就灭了，对吧？那人体呢？你要是能够搭个桥，把这个阴脉阳脉的能量连接起来，就相当于……

我们这是打比方，你得自己通过打坐去训练。我们打比方什么呢？本来这个能量在身体里是有的，可是你一闭眼睛是不是两眼黑漆漆的？能够看到一个黑漆漆的样子，这个都能听懂是不是？我们闭上眼睛不是看不见！今天这个观念一定要去除，闭上眼睛，你是看到一个黑漆漆的，有光能感受到光的颜色。比如说别人拿个电棒在你眼前这么一晃，你还是能够感觉到有个光影在扫，对不对？那就意味着你的眼睛还是能看见嘛，只不过被个肉皮挡住了，看不见外面这些，这能明白吧？也就是说我们能看的那个功能始终都在，对不对？明白它就好说了。那也就是说我们里边欠了一种光是吧？这能不能明白？我们现在在这个讲堂里面上面有灯，尽管是大白天，但是因为有窗帘，要想彼此都能看得见，就要打开灯。按照现代物理学说的，你身上的物质，包括衣服，因为它的性状不同，反射出来的光也不同，我们才能够看到这些七彩的世界，是这样来的。但实际上都不是它本身所有的，这就是物理的分析，分析到最后它没有了，只是呈现的，我们自己的眼睛会合成，呈现了这么一个状态。

那你就想象一下，假如说你身体健康，然后现在又涵养身心，能量具足，这个时候阴阳脉相交，学会"搭桥"，就是把能量接通，一接通不就有光的作用吗？然后你身体里边会不会有一种明亮出来？看见自己身内的景象？这在古代是常识，今天讲起来就让人大眼瞪小眼，真的吗？你糊弄我吧？我反复地跟大家说，从日本传回来的《黄帝内经》里面的经络图不叫经络图，叫"内照图"！它从哪里来的？X光不过才一百二十年不到的历史，伦琴射线嘛，伦琴发现的。我们这个手在X光下一照，大家都看过吧？拍的那个片子像"白骨精"，居然能看到骨头，大家都有这个经验，这才一百多年的历史。在那以前呢？什么叫"内照"啊？它凭什么"照"啊？那光哪儿来的？怎么射进去的？所以看中华文化的典籍，它是我们要把自己的物理知识、生理知识、心理知识综合在一块儿，而且要拿自己的身体做实验室，亲身去验证一下，这哥们儿说的是骗人的还是真的。

　　我通过看书，看来看去呢，突然发现里面可能良莠不齐，可能有一些后人附会的东西，但看到一些靠谱儿的道藏，这应该是编不出来的。然后你要自己体会，别人扎你一针，瞬间那个经络的走向一下子让你体会出来。我为了体会，什么中医的方法都去试。听说有会砭石的，就是拿着那种石头，在体外按照经络的走向给你刮，好，去试验一下；有人说这个人的针法比较好，就是针灸，好，我就到那儿去体会一下，偶尔呢他一针下去，扎到一个穴道，"嗷"的一嗓子，因为整个脉络全通啦！体会、体会嘛，你想我们这个身体如果是一块儿里面一塌糊涂、没有线路的死肉，怎么能具备现在这些莫名其妙的功能啊？它多奇妙啊！肉做的那个体内零件，能让你看到世界，还能听、还能尝、还能想，无所不能。怎么来的？不很奇妙吗？它一定得通电，是不是？就是体内有生物电。一提生物电，大家能点头，这是现在科学有的词汇。一提古代的词汇就大眼儿瞪小眼儿，不科学吧？迷信吧？确实有浑水摸鱼的、沽名钓誉的、滥竽充数的。但是我们像叶圣陶先生说的，动用天君哪，把你自己的脑袋拿出来，好好地想一想，哪一些可能是真的，哪一些是人故弄玄虚编出来的，有个区分，再加上自己去验证，就能够去伪存真、去粗取精。有一些内容我们看书的时候就会知道，他要编是不可能编出来的。他要真能仅凭着臆想就能把人体的十二经、三百六十五络，所有的穴道功能全部编出来，能编到这种程度，那我见面都给他磕头。天才！就是撒谎能撒到你验证是真的，他验证也是真的，验证了三四千年、四五千年还是真的，那不是天才吗？所以，最关键的是我们要体会。

重塑史观，弘扬尧德

"光被四表"，尽管按照现在人说，只不过就是对一个政治领袖加上一些形容词。但是尧在位多少年呢？他活了一百多岁啊！大家以为那是纯粹臆想出来的吗？我把《竹书纪年》里面（尽管有争议）列的上古天子的确切的纪年念给大家听，我们再看一下尧到底是个什么样的人物？

《竹书纪年》上面写黄帝元年是从公元前2394年（丁卯年）开始的，就是兔年。颛顼元年，也就是黄帝孙子，公元前2294年（丁未年）开始的，午马未羊，是从羊年开始的，从公元前2394年到公元前2294年，正好说明黄帝在位100年。注意啊！在位100年。帝喾，黄帝的曾孙，帝喾元年，公元前2216年（乙丑年），就是牛年。帝挚，要注意，《史记》上也记载了，帝喾之后，接天子位的是帝挚，也就是尧的兄弟。公元前2153年（戊辰年），是龙年，大概这个人的德行不好，八年以后就被替掉了，大名鼎鼎的尧就出现了，就是我们讲《尚书》第一个主角——尧就出现了。

帝尧的元年，从这儿开始没有争议，就是信史的阶段。以前是有争议的，就是那个年代你这样讲会有史家不同意，不同意呢，他又拿不出否定的确切证据，所以就存疑。帝尧的元年是公元前2145年（丙子年），是鼠年。帝舜元年是公元前2042年（乙未年），又是羊年。从公元前2145年到公元前2042年，大家看多少年？2145减去2042，103年，对吧？也就是说尧元年到舜元年，中间差了103年。那尧多大岁数？我们现在在座的有没有说我肯定能活103年？好，我们承认你的预言是正确的，你肯定能活103年。那我们再问一下，活103年，你敢不敢保证自己活到103岁的时候还可以正常地讲话，还可以安排后事，还可以考察别人的德行好与不好？也就是说正常的工作敢不敢承当？而不是风烛残年、耳聋眼花，甚至满身插满管子，在一个叫什么ICU的箱子里面度日如年，甚至不知道自己度日如年，因为人事不省，只是人体有生命的迹象存在，靠着输氧、输液、输药延续着生命。那说明尧是个什么样的人？非常地健康长寿，而且神志清醒、思路清晰。最关键的是他那位兄弟做了八年天子之后，他接天子位。他总不能一岁接天子位吧？他要处理政事。那我们现在能够知道的康熙八岁接皇位，15岁的时候或者16岁的时候干掉鳌拜，亲政，那起码还是一个16岁的少年。我们就拿这个来比较一下的话，那尧是不是起码应该活120岁？

近代有确切纪年记载，而且又被所有人都承认的活120岁的虚云大师是个什么样的状态，现在还有一百一十八九岁的时候打坐的照片，你看一下什么状态，那我们就知道了，人家是修行成就。

什么是修行成就呢？就是身体一直是很健康的状态。大师为了让弟子们珍惜，所以经常说自己是在老病苦当中煎熬着，这是提醒众人有个觉醒之心。我们看没看见过有一些虚云大师的画，脑子后面有一圈光出来？我看见过。这是距离我们现代最近的被画上画像，脑子后面给了一圈光的。什么意思？性光透出。怎么透出的？人体前面任脉后面督脉，中间还有一个中脉，在海底轮上来之后，这个光往上走，一直透出梵穴轮，从头顶打出，打出那个状态要看道家的典籍，因为我也没达到那种程度，我是按经文上人家告诉我的道理转述给大家。您可以自己去试。说不定哪一天我真的就证到了道书上说的那样，光也出来了，那我就可以更详细地跟大家讲，那就不叫讲《尚书》，就讲生命科学。

我告诉你一步一步地怎么走，什么半升铛内煮山川啊，然后一个小童子赶着个牛车呀，然后在体内怎么样进行女娲那种炼五色石补自己的先天后天，气足了，轻清上浮为天，它往上走，就通过自己体内中脉，梵穴百会上方弹射出来，光就出来了。会看光的人，他直接就看到。因为你这相出来了，是真是假，那就不一样了。这个时候，这个人就可以说"光被四表，格于上下，格物致知，诚意正心，修身……"往后我们不提，修身成就了，那是真成就，不是假的。

尧他老人家到底是道家的、儒家的？我们不知道，但他一定是中华文化的正传，天子嘛！

黄帝修成是有历史记载的，因为他老师广成子是修身成就的，教他那个秘诀，我们也跟大家说过吧？讲《论语》的时候跟大家说好几遍了。黄帝向广成子求教，广成子一开始不搭理他，然后老人家回去斋戒沐浴、诚意正心，最后跪着爬过去，以示诚心。噢，孺子可教，广成子才教他怎么样修心：必静必清，无劳汝形，无摇汝精，乃可以长生。"长生久视"被写入老子《道德经》。"长生"大家明白，"久视"呢？那个"视"是看的意思、观的意思。请问往哪儿看呢？大众话说你天天寻摸啥呢？往哪儿看？"久视"视的是什么？经文里面通常就是透露个消息，让我们自己去找，你自己不找，别人教一点儿用都没有。通过这一段，我们就能够知道尧到底达到了什么样的境界。

个人扩展，贯通天下

后面很好理解了，"克明俊德"，能不明嘛，光都透出来了。"俊德"，俊是美的意思。那是真的，就是修身成功了。《大学》里面说修身成功以后是齐家，这里面是"以亲九族"。"九族"，按照郑玄的说法，从高祖往下数，高祖、曾祖、祖、父、我（就是我们每一个人），往下数，子、孙、曾孙、玄孙，九个了吧？有九世同堂的吗？可能有。但世间四世同堂已经了不起了，我们在座各位能见到自己的曾孙已经不错了。再碰上一个贪玩儿的子孙，过二人世界过上瘾了，就是不给你要小孩儿，急得你直蹦高儿也没有用。古代观念不一样，孝顺，到了年纪，好，娶妻生子，成家立业，代代相传，光大门楣，是这样的。所以五世同堂也不稀奇。那大家努力看看能不能做到九世同堂哈，试试看。要活160岁，差不多，要活到210岁的话那不止九代。

"以亲九族"还有一种解释说，一般人都活不了那么长时间，"九族"泛指亲人、族人，古代是大家族。"以亲九族"，亲人、族人这是有分别的。我们自己说这是直系血亲，这是五服以内的，家谱里能够查出来的。家谱能显示五服之外，叫族人。比如说都姓王、都姓李、都姓张、都姓刘，那就是同一族，还有那个宗祠、祠堂，一个族的人。尧使这个九族之人都很亲密、亲切，就是关系好、融洽的意思，没矛盾。

"九族既睦"，注意后面这个，"平章百姓"。我们先按照"老先生"的解释跟大家说，那个"平"就是辨别的意思，通"辨"，分别。"章"是彰明。"百姓"，有一种解释说，这个"百姓"指的是百官族姓，姑妄言之，姑妄听之。反正"百姓"这个词已经是到现在为止耳熟能详的一个大众化的词汇。什么意思呢？自己的家族已经很亲密了，那家族之外呢？比如我姓钟的要跟姓王的、姓李的、姓张的、姓刘的相处，怎么处啊？就要有法，要有规矩，要有度，要公平起见。所以我认为用这个平字有平字本身的意思。亲人之间好处理，你是我长辈，我恭敬你，听你的，相对好处理。不同姓之间就要有法，要公平地处理。所以面向社会就公平、正义。"平章百姓"，"章"是彰明，这样的话能使各个姓他们本身的德行都能够得到表彰、表扬、表现，而不是一族遮盖。假如尧把自己的亲族和睦了以后，把其他的那些非尧一个姓的全给遮盖了，那就不是"平章百姓"，那叫"压章百姓"，给压住了，不公平了，就说你自己尊，对方卑，那是不行的。

分析了很长时间，体会了很长时间，我认为这个词读成"平（音平）章百姓"也可以解释得通。就是面对百姓的时候，以公平、正义去处理，法律面前人人平等，在规矩面前放平，这也是后代写文章叫治国平天下的一个依据，用了这个字。所以按照古注说它是分辨的意思，那百姓当然要区分开，李家的、张家的、王家的，有这个意思。但分辨开以后，紧跟着来的就是要公平，平等对待，有功的一定要赏，有罪的一定要罚，否则这个社会就乱了，因为他是做天子的。

"百姓昭明"，各家各姓的祖德、现德都已经得到了公正的对待，得到了表彰，没有被不公正对待的。"协和万邦"，古代那个"万邦"到底是什么意思？这里面有一个重中之重的关键点，也就是写这部书的时候应该是舜的史官来写尧的事情，就是后一代写前朝的正史，他用的是"协和万邦"。"邦"，我们都很清楚，指国的意思，也就是各个诸侯国。那么大家都学过初中的历史、高中的历史，有没有一种印象，教给学生的历史当中称呼我们古代叫部落？什么尧的部落、禹的部落。您看一看《尚书》里面用的词是什么？"邦"啊！有族，有百姓，然后是万邦和谐、万邦和睦。也就是那个时候已经有诸侯国的概念、邦国的概念。

我们说的"重中之重"在哪里呢？重要的一点，就是华夏的历史在尧的时候已经有天子的概念，很清晰，早已经存在，存在了好几千年了，这是天子的概念。第二，天子下面已经有国家的概念、邦国的概念，它不是所说那种原始的部落的概念。这就是为什么我们要讲《尚书》，讲清楚中华文化有自己的中华史观，绝不能够用西欧的那种机械的史观来套中国的历史的重要原因所在。一旦我们发现在距离我们4100年以前的中国华夏大地上已经有了邦国的概念，那意味着什么？意味着现在的格局在那个时候已经就有了。所谓的秦始皇，他是自己以为自己是第一个皇帝，他起名叫秦始皇，不意味着以前没有天子，只不过这个天子的名称叫什么而已，这是其一。其二，他把夏、商、周早就存在的那种分封建国的体制变成郡县制，作为一种管理的政治体制变革。现在认为是一种开创，但实际上在中国历史的上古，天子之下管理着不同的诸侯国是一种长期的存在。要把这个历史事实向我们自己的孩子、现在的老师、现在的学生讲述清楚，跟西方的历史区分开，只有这样，才能恢复我们中国的文化自信。因为它本身就存在那里面，只是没有被很好地认识和解读。

讲到"万邦"，几乎就把整个当时华夏所能控制的统一的地区全都包括了，所有的黎民怎么样？过着一种什么样的生活？"时雍"，取得了"时雍之政"。这在当时的条件下，和睦相处，用我们现在的话说，和谐社会。人民安居乐业、物富民丰、国泰民安、风调雨顺。后来又有考验，什么考验？突然来了大水，对整个国家的执政，对整个华夏民族的生存，提出了严峻的考验。然后就开始找接班人，找完接班人，再找一个能治理水的。所以出现了一个大舜，以孝闻名天下，而且是真的。又涌现出一个大禹，把洪水控制住，重新划分九州，奠定了中华农业帝国几千年的这么一个格局。到今天还受这个影响，我们现在仍然使用的一些地名，就是从当初那一次划定九州而来的。这是我们的历史源头。

这几句话由尧自己一身慢慢向外扩展，扩展到九族，扩展到百姓，扩展到万邦，扩展到天下。您看一下，整个的过程是不是就是《大学》里面说的"诚意，正心，修身，齐家，治国，平天下"？

《尧典》、《坤卦》，《大学》之源

所以，我在论文当中说，《尚书·尧典》是《大学》思想的文献来源之一，这是有依据的。为什么这样说？《尚书》是孔子教学的主要课本之一，这是历史铭记的，那么孔子的弟子熟知《尚书》的内容是很正常的。不可能老师都讲了，还说我完全不知道，那绝对不是孔子的弟子，尤其绝不可能是孔子杰出弟子的学习状况！他一定对《尚书》、对《尧典》耳熟能详，天天背诵，天天去体会，对自己后面的"写作文"会不会有一种影响呢？很显然吧！我们说一种书背熟了，要表达某一个场景，那个语句自然不自然地就会引用出来。就像苏轼写的文章，说读到孔子跟弟子之间的谈话，自然地就引用到文章当中，夫子曰："'匪兕匪虎，率彼旷野'，吾道非邪，吾何为于此？"《诗经》上的话自然地就出来了。这个也是呀，天天读《尧典》，耳熟能详，那写《大学》的时候就出来了。

除了这样的一个文献来源，《大学》还有一个来源，有没有记得是哪一个了？《易经·坤卦·文言》。我们也多次说过，"君子黄中通理，正位居体，美在其中，畅于四肢，发于事业，美之至也"。"君子黄中通理"这一句话，就是说明他格物致知，诚意正心的过程，已经通了，已经居中了。"黄中通理"那个黄，古代的五行，中央中宫是属黄色的，相对应。"黄中通理"，他已经达到了通达天下道理的那样一个境界。"正位居体"，我们说意诚一定心正，那个知一旦"致"到了，因为看到真相，证到真相，人的"意"自动地就会变得"诚"。不知道才会以为自己聪明，才会干一些以为天不知、地不知、你不知只有我知的事情，这是蒙昧之人的特点。明白人是什么呢？明白人是明白一件事情：任何事情"若要人不知，除非己莫为"。

东汉杨震，我们以前举过这个例子，他提拔一个人叫王密，经过他的举荐，王密当了县令，我们说县太爷。然后他到莱州去做太守，就是等于轮岗，从一个太守的职位到另外一个地方去做太守，变动的过程当中，这位王县令为了感恩杨震，带了十斤黄金去看他。一个是感恩，另外一个是什么意思呢？就是他还是王密的上司，太守嘛，一定要管着县令。可能有既感恩，然后又联络感情的意思，甚至有巴结的意思吧！但是杨震不接受。不接受的话，这个王县令就说，其实我今天晚上来，没人知道，您收下这个黄金不会有人知道。然后杨震就告诉他："天知、地知、你知、我知，怎说无知？"这么多人知道，怎么能说谁都不知道？然后这个王县令就惭愧而去。这是历史上很有名的一件事情，不知道谁传出来的。这个王密为了自己的面子，我估计他不能说吧，或者说只有死前跟自己的儿孙说一下，因为人之将死，其言也善，大概有这种过程。

那么对于杨震来讲，他就属于光明磊落，这是一个很好的例子。也就是我们能够认定杨震是一个明白人。为什么？所谓天地明明白白地看着你在做事情，如果你能相信天人合一的道理，那么你自己做的事情天一定知道。你说天在哪儿呢？我们又回到《黄帝内经》上，找天找不到，在一个人身上看到德行，就看到了天，无所不在。所以有的老师把众人解释成天，群众的眼睛是雪亮的，你只要做就有人知道。我们自己不那么考虑，假如说就是相信了天人合一，既然是合一的，那我想也是人想，天知不知道？合一的怎么能不知道呢！就像上网连线现场直播，它是一体的。你现在这样想，就有人知道嘛！大家要注意，我们在解释什么是明白人，你要明白这一点，当下就能成为"明白人"了。就不再把自己封闭起来，以为关着门、关着窗帘，我自己在这里面干什么事情别人不知道，有这样的想法就是蒙昧之人。所以古代有四个字叫"君子慎独"，一个人的时候也不要以为别人不知道。"君子慎独"，只有这种文化才能培养出表里一致、堂堂正正、内外和谐、一以贯之的文化人，真正的君子！

好了，我们通过第一段的介绍，知道尧的修身的境界，大体上知道他的寿数，距离我们的具体年代，而且由于他的影响，曾子写了《大学》。《大学》影响中国两千多年，尤其是宋以后，形成四书五经的说法，成为科举取士必读书目。直到今天，您到任何一个国学课堂上，背诵的经典篇目，几乎都要包括《大学》。那它的来源从哪里来呢？我们说至少有两个，一个是《尚书·尧典》，一个是《易经·坤卦·文言》。说的都是以自己修身为核心，修身然后家齐，家齐然后族睦，族睦然后百姓昭明，百姓昭明之后万邦和谐、天下太平。整个这个过程取决于谁？取决于我们自己，这就是"天人合一"！你自己希望自己面临一个什么样的世界，就往哪一个心路历程上走，时间长了，世界因你而转化。不要以为自己力量小，不要以为自己人微言轻，每一个人都可以转变世界，都可以让天地之间那一个正念，最后"光被四表，格于上下"。这是《尧典》的第一段，我们接着往下看。

深论《尧典》，正解神话

乃命羲和，钦若昊天，历象日月星辰，敬授民时。分命羲仲，宅嵎夷，曰旸谷。寅宾出日，平秩东作。日中星鸟，以殷仲春。厥民析，鸟兽孳尾。申命羲叔，宅南交。平秩南讹，敬致。日永星火，以正仲夏。厥民因，鸟兽希革。分命和仲，宅西，曰昧谷。寅饯纳日，平秩西成。宵中星虚，以殷仲秋。厥民夷，鸟兽毛毨。申命和叔，宅朔方，曰幽都。平在朔易。日短星昴，以正仲冬。厥民隩，鸟兽氄毛。帝曰："咨！汝羲暨和。期三百有六旬有六日，以闰月定四时，成岁。允厘百工，庶绩咸熙。"

下面这一段通常被忽略了，帝尧元年，公元前2145年，也就是公元前22世纪，我们的先祖就根据天文制定了非常科学的历法，到今天也没有改变这个格局，仅仅是精度提高了而已。但是这段经文读起来极其困难，因为你要懂得二十八星宿的道理，懂得南方朱雀、东方青龙、西方白虎、北方玄武二十八星宿的道理和天象之间的关系。我们都缺乏这样的训练。而且《史记》上的记载和我拿到的两个版本的《尚书》之间，词语有相当程度上的不同。为了大家能够听得明白，我先读简单的，就是先读《史记》上的这个版本。

《史记》上的记载："能明驯德，以亲九族。九族既睦，便章百姓（那个平就直接使用了方便的便）。百姓昭明，合和万国。"注意，已经不一样了，"合和万国"，《尚书》是"协和万邦"，"黎民于变时雍"那句话根本就没有，到"合和万国"司马迁的引用就结束了。他也没有说自己引用到《尚书》，《五帝本纪》里面直接就这么写的，司马迁干脆就把那个"邦"换成了"国"。他为什么这么换？是有一个另外版本的《尚书》就这么写，还是说他自己读古书读熟了，按照自己的记忆、理解去叙述？我们不知道。但他这种用词更加能帮我们理解，在尧的时候，底下已经有相当众多的"诸侯国"，而不是所谓茹毛饮血非常落后的"原始部落"。

那时候已经有国家诸侯国的建制，而且诸侯国会推举出一位天子管理整个国家时政，管理天下。这套体制从什么时候开始呢？从伏羲就已经开始了。伏羲作为天子往下传，传了十九代，经过女娲，经过帝鸿氏，然后传到神农氏，神农氏又传了八代，管不了了，底下诸侯又开始打仗，又出了一个伟大的天子，叫轩辕黄帝，就是公孙轩辕。他把这些造乱的诸侯国全部打平了，重新统一华夏，再一次创制华夏文明。这才有了《五帝本纪》的开端，从黄帝开始，然后颛顼、帝喾、尧这么传下来。什么意思呢？华夏的历史，真正的创世纪是哪里？从伏羲开始。他那个画卦是"一画开天，文明肇始"，是中华文明的"创世纪"。而我拿到北京大学出版社出版的一位先生解读《尚书》的这本书，开篇第一句话居然是这样写的："《尧典》是《尚书》的首篇，相当于《圣经》中的《创世纪》。"我说这第一句话就错得离谱儿！

首先我对《圣经》的翻译有极大的意见，谁让他把《Holy Bible》就翻译成《圣经》了？这是一个。第二个，西方怎么解读他们的历史，那是他们的事情，《创世纪》带有着纯粹的神话色彩，因为上帝要创造天地宇宙、日月星辰，我们现在说，根本不是那么来的！

现在的物理学研究，大概150亿年以前由一次时空曲率无限大、密度无限大的那么一点，爆炸而来。到底怎么去理解它，我们还要等物理学的解释。

而中华古代的上古史是非常朴素而真切的，人人可以验证。伏羲画卦的道理到今天我们任何一位在座的活人，包括将来看视频的炎黄子孙同胞们，都可以验证伏羲所要传达的道理，也就是《易经》的道理，中国道家的道理，人人可以通过自己的身体落实，这也是为什么我这两年把上古神话蕴含的道家修行秘密直接用文字揭示出来的一个主要原因。就是把中华文化的源头从神话故事的泥潭里面拉出来，还原它朴素的、科学的、能够用生理验证的本来面目，这才是华夏正史的源头！怎么跟《创世纪》就混到一块儿了？！你要说是相当于《创世纪》从哪儿开始，也得从伏羲画卦开始啊，怎么能从《尧典》开始？那置这本《史记》于何地位呢？尧是创世纪，那他爷爷呢？他曾祖呢？高祖呢？往哪儿摆呀？他的天子位从哪儿传来的？庙堂之上的学者说话，不小心一点儿吗？现在教我们的孩童念《三字经》、《弟子规》，里面都有"见未真，勿轻言"啊，没研究到一定程度，没有确切的史学依据、出土文物依据，你就是猜测推论也要有个谱儿，也要跟大家说清楚，这是根据什么样的资料、什么样的逻辑，我们推论出什么样的结果。如果是历史上的圣贤要交代出来，以备后人去查。如果是我们当下感知到的应该有的结果，那要说清楚，这句话是我现在读史书慢慢总结出来的一个结论，错了由我们自己负责，这要交代清楚。否则的话，整个中国古代历史不是被虚无就是被丑化，要么就争吵得一团糟、一锅粥，不可落实，公说公有理，婆说婆有理，让我们的孩子们怎么产生文化自信？！

可是如果你跟他解释清楚，首先女娲是中国古代的一位天子，第二，她是一位道家的修行大师，不论怎么称呼，她是一位圣贤。她看到天下人民因为不懂得道家的道理、生命的道理，已经把自己的先天元精、元神、元气耗得差不多了，沉浸在欲望之中，欲望属水，所以就相当于天下洪水滔滔。她为了让人们能够把身体修好，告诉人们通过五色、五行、五藏之间相生相克的道理，好好地锻炼，就练那个五行，把自己的五藏弄好，一片空明，补自己先天元气的不足，补自己后天元气的渗漏，叫补天哪！这才是中华文化的源头，中华文化的核心精神，中华文化的秘密！才把人民从大水当中、水深火热当中拯救出来。慎终追远，民德归厚。这个道理你不知道，你为什么身体不好？为什么德行薄？为什么会遭罪？为什么会被人瞧不起？不是你把最宝贵的道理扔了吗？

精卫填海，填的哪个海？在你的欲望之海里生出一个欲念，就叫作"北冥有鱼"，就是庄子《逍遥游》的秘密嘛、这个能量在底下要往上升，欲望它也是能量啊，化而为鹏，向南飞。身体的位置，上面心火为南，往"南海"那边跑。所以整个道家的叙述就像神话故事、寓言故事一样，把我们身体里面那种波澜壮阔的精气神演化的过程描述出来，你自己看不懂，反而说古代没文化，落后愚昧，到底谁落后？谁愚昧？只有讲清楚这个道理，把它继承下来，把我们自己的身体修好、事业做好，这才叫真传承！这才能将来"王师北定中原日，家祭无忘告乃翁"。家祭的时候才能告诉先祖，我完成了这一代的任务。才能代代往下传嘛！要不你传什么？传袈裟呀？传衣钵呀？传镯子？传个翡翠下去。那个破铜烂铁早晚有一天它会化掉的，有什么用？真正万古长青的是文化的精神！

源远流长，流出弊端

"乃命羲和，敬顺昊天"，第二句就不一样了，我们看《尚书》是"钦若昊天"吧！司马迁这里面就是"敬顺昊天，数法日月星辰"。您看到的《尚书》版本应该是"历象日月星辰，敬授民时"或者叫"敬授人时"，那知不知道为什么有这种"敬授人时"和"民时"的区分呢？

中华很伟大，历史源远流长，但是因为源远流长，也就流出了一些流弊，在流传的过程当中出现了一些弊端。什么弊端呢？我们有一个好的传统，叫"为尊者讳"。假如说我们现在在座的都在唐朝，正好是贞观年间，那天子叫什么？不能随便说啊，可不得了，不能随便提的，这是当时的"为尊者讳"。叫当今圣上，或者叫上、皇上、天子，不能直呼其名，直呼其名叫大不敬。比如说有个二乎乎的人读《尚书》或读《史记》，"乃命羲和，敬顺昊天，数法日月星辰，敬授民时"，旁边有人说了，不对啊，你这把皇帝的字说出来了。这个"民"字是不准说的，包括印刷书都得改。那怎么办？"敬授民时"，人民人民，好，"敬授人时"就这么来的。改完了以后呢，后世通常以祖宗为大、为尊，唐代改了，后代呢？比如宋代、明代、今天，古代就如此，你算老几！你把经文给改了。就是一旦错了之后呢，变成了

58

对的了，后世再想恢复原来的原始状态就很不容易！

这个还好说一点儿，最麻烦的就是《道德经》。流传得时间长，然后往下传呢，那个时候还没有纸，大家知道《道德经》那个时候是竹简、木简的时代，到底这一卷跟下一卷谁摆在前面，除非你是老子那一脉的正传，师父传徒弟的时候，告诉你就是这个版本，你就背下了。三年的功夫，滚瓜烂熟，好了，我不用稿本，已经在我脑子里，人经合体了，人经合一了，这还靠谱儿一点儿。一旦他没找到合适的传人，后世光看着这种稿本来学，就麻烦了。比如说，"道可道，非常道。名可名，非常名"，念了多少年了，马王堆突然出土个"帛书"，坏了，念错了。"道，可道也，非恒道也。名，可名也，非恒名也。"那怎么就变成了后世的"道可道，非常道。名可名，非常名"呢？

我们现在要把一位皇帝搬上大银幕，就是"文景之治"的开创者汉文帝。有没有人知道他叫什么名？刘恒。就是这个"道可道也，非恒道也"的"恒"，为尊者讳，这是当今圣上的名字，你背《道德经》也不能说"非恒道也"，这个"恒"字不能用了。这怎么办？就是换字吧？就像把那个"敬授民时"因为李世民的关系换成"敬授人时"一样，那当时"恒"不能说，同一个字义的换一个吧！恒常，恒就是常，常就是恒，行吧？"道可道也，非恒道也"就变成了"非常道也"。然后我们现在看到的版本"也"字也没有了，"道可道，非常道。名可名非常名"。什么意思？不知道。就是前面这几句话的解释，您就看吧，从古到今，众说纷纭。如果按照传说当中的老子一直就没死，那我估计他老人家到现在牙剩不下几颗了，看到后世子孙的这种胡乱的解释，笑掉大牙！

为什么我们解释《道德经》的时候也勉强做解释，但采取了通解的办法，就是把同一个意思的不同章节的经文撮合到一块儿，合并同类项，然后用身体去验证。拿吕洞宾祖师、陈抟祖师他们修道的验证，强调我们说的有可能错，哪个对呢？哪个都不一定对。谁最后对了呢？你拿自己的身体验证出来的那个道对了，这才是对的。这是我们强调的。绝不是那种义理训诂、考据辞章那一套，说这个词、这个字就这么解释。因为原文都错了，都不是那个词，你去考证它说这个是什么意思，那么就是以讹传讹，错上加错，莫辨雌雄，到后来就是一塌糊涂嘛！所以《尚书》难懂，就有这个原因在。《尚书》是比老子《道德经》还要古老的书。唐朝的时候因为李世民的关系，把"民"换成了"人"，那汉朝呢？代代都有皇帝，代代都有为尊者讳，改动了多少字？不知道啊！所以源远流长，好不好？好啊！那如果没有一个正确的认知标准，文献保存的制度，我们不知道哪一句是因为这个制度被改动过之后的表达。所以读任何经文都要以体会为最终标准，就是说你身体能够验证它对还是不对，才可以。

《尚书》、《史记》，互参互鉴

接着往下看："分命羲仲，居郁夷"，司马迁在《五帝本纪》里面用的是"居郁夷"，《尚书》是"分命羲仲，宅嵎夷"，那个"居"变成了住宅的"宅"。反正意思确实差不多。现在说"宅男宅女"，宅在家里，面对着屏幕胡思乱想的那一拨人也特别多，那也可以说居住在家里。"嵎"呢，一个山，一个寓言的寓去掉那个宝字盖儿。但是司马迁这里面用的是有字一个耳刀。"居郁夷，曰旸谷。""旸谷"就是个地名。"敬道日出"，我们看到的《尚书》原本是"寅宾出日"。"便程东作"，《尚书》这里是"平秩东作"。"日中，星鸟，以殷仲春。其民析，鸟兽字微。"那《尚书》原本里是"日中，星鸟，以殷种春"。这个"种"是播种的种。

"厥民析"，那个"厥"我们以前说过，就直接把它替换成其实的其，意思更好懂。比如说"允执厥中"，就是"允执其中"。古代的那个突厥族实际上是Turkey，土耳其。"厥民析，鸟兽字微。"司马迁这里面是"鸟兽字微"，汉字的字，微乎其微的微。读来读去，我就发现，如果我只看司马迁《五帝本纪》，就是中华书局的这个版本，想读懂《尚书》这一段，几乎就是不可能。所以，它有好的作用，帮我们简单地理解一些论述的过程。但是关键的一些词汇确实已经找不着原词的那个味，一点儿影子都没有。这个"鸟兽孳尾"是什么呢？就是繁殖的意思，"尾"是交尾，就是雌雄交合的意思，繁衍。而这个"字微"，"鸟兽字微"，除了音有点儿相近以外，完全看不出来那个意思。原文里面的"孳"，上面一个"兹"底下一个"子"表示的是生息。"孳息"现在还是一个法律术语，比如说你的物业可以生息，就可以说是孳息。这在法律的判定上，就是你这一部分收入来源是从哪一个母体里生出来的，叫孳息。可是你看这个"字微"，就完全读不出来这个意思。

我们还是往下念，我估计这一讲讲不完，下一讲重点说这一段。下一讲能把这一段讲明白了就不错了。因为它涉及天时、天象还有地理之间的相配合，比如说在那一天傍晚的时分，南天空出现的这个星象就证明着在天文上此时正是夏至或正是冬至、正是春分、正是秋分，很精确的，这是中国古代的智慧。我们现在所谓的天文观测，用很先进的望远镜去观测天象，然后测定说今天下午某时某刻某一分这个节气开始，比以前要精确。以前能精确到天，我认为已经是惊为天人，很了不起了！

所以，这一讲讲不完没关系，大家回去哪怕从网上查一查二十八星宿叫什么名，在什么位置，怎么运转的。然后回来再看这一段，大体上就明白了。我们先把这一段的字词先掠一遍，就是司马迁是怎么讲的，然后《尚书》这一版本怎么讲的。

"申命羲叔，居南交"，大家看到的《尚书》是"申命羲叔，宅南交"。凡是"宅"字，司马迁全都换成了"居"字。凡是那个"平"字、"秩"字，司马迁都换成了"便、程"。怎么造成这个现象不知道。是正体字、简体字之间变换造成的？也不太清楚。这个我还得慢慢地考察探究。

"便程南为"，原本是"平秩南讹"是吧？那个"讹"解释成"为"。"敬致"，这个"致"有的人说是指夏至，后面接着是"日永"，"日永"就是日长的意思，天最长了，长至。"敬致，日永，星火，以正仲夏。其民因，鸟兽希革。"夏天的时候天气热，鸟兽冬天的厚毛褪去，变得稀薄，以适应夏天。夏天我们人穿薄的、穿短的，跟鸟兽同一个道理，就是为了散热。

"申命和仲，居西土"，《尚书》里面叫"宅西"，那个"土"还没有。"曰昧谷，敬道日入，便程西城。"《尚书》里面叫"寅饯纳日"是吧！"纳"，是收纳，表示完成，就是太阳要落下去的意思。"平秩西成，宵中"，那个"宵"，夜宵，我们有的过夜生活去吃夜宵，夜和宵放在一块。我们看到《尚书》原文叫"宵中"，司马迁的引文叫"夜中"。给我什么感觉呢？凡是我们现在常用的两个词在一块儿的那个词汇，司马迁选用的都是很方便我们理解的，直接写入《五帝本纪》。

"星虚，以正中秋"，原文那个"正"统一的都是"殷"，殷朝的那个殷，也就是正的意思。"其民夷易"，《尚书》原文里是"厥民夷"，没有那个"易"字，就是《易经》的易。"鸟兽毛毨，申命和叔，居北方"，《尚书》原文里是"宅朔方"，"朔气传金柝"，记得这句诗吗？《木兰诗》里面的，"朔气"就是寒气、冬气。

"居北方，曰幽都。"所谓的"都"和古代的那个州是同一个意思，幽都就是幽州。幽州是哪儿？北京附近是吧？你看一下。有的说那个"南交"就是南面的交趾，在今天的什么位置？越南北部。幽都达到了今天的北京。那旸谷呢？在东方，好像位于东部沿海地区。西面的西土，这里面并没有说西土所在的昧谷到底是哪一个地方，是不是昆仑山，我们不知道，还得存疑。反正说中国古代在尧的时候，疆土已经非常的广袤，当时没有任何所谓现代化的工具，估计最快的还都是马。至于黄帝有那种龙车到底是不是真的存在，不知道，反正是很了不起。南先生在讲解经文的时候，有一次提到，大禹治水所跑过的范围不可想象，他到底跑多远不知道。甚至更离谱的，有人说现在北极那个地方还留下了大禹治水的痕迹。他怎么考察的呢？或者从哪儿传来的？简直是匪夷所思！

"申命和叔，居北方，曰幽都，便在伏物"，这句话又是差别很大，《尚书》原文叫"平在朔易"。"日短，星昴，以正中冬。其民燠，鸟兽氄毛。"到冬天了，"燠"，就是大家要取暖，生炉子。鸟兽在长毛中间要生出那个又厚又密、又细又软的那种绒毛。养过狗的一定有这种经历，要到夏天的时候那个毛掉得哪儿都是，尤其是有一些女士对那个毛要是过敏、敏感的话可遭罪了；但是到冬天的时候，如果这个狗的营养好，长出的那个皮毛确实是非常的绒厚。这就是天人合一，狗和天也合一，天狗也合一。那您就明白世间万事万物和我们的自然环境是不是合一的？都是合一的。你顺从它，过得就好；逆着它来，那你就遭罪，所谓遭罪就是得病。还回到《黄帝内经》那四个字，"德全不危"。"德全"，就是你完全按照天道运行，对人来说就是"得道"、就是"德全"，然后就不会发生危险。你只要违反了这个天时运转规律，就会发生危险，也就是说会闹毛病，身体会出现病象。

后面，"岁三百六十六日，以闰月正四时"。读到这儿我们就知道，司马迁肯定是读《尚书》以后，根据自己的理解进行转述。因为《尚书》的原文"鸟兽氄毛"之后出现了"帝曰"，就是尧开始说话了。我们现在可见的正史里面，谁第一个说话？说的第一句话是什么？就是尧啊！从历史上看，被记录下来的历史人物，最早说话，在信史当中可查的，就是尧。你说《黄帝内经》里面，黄帝问岐伯，那个东西不被看作史书，所以那个说话不能当作历史记载。我们现在所说的尧一开口说话，就是史书上史官记载下来的，它可能就是真的。

"帝曰：'咨！汝羲暨和，期三百有六旬有六日'"，说明约四千两百年前的时候，中国的先祖通过观测天象，测定一年已经是366天。"以闰月定四时，成岁"，它和真正的那个365又1/4天，有个误差，他居然懂得用闰月来弥补。比如说十九年间，有四年要加一个闰年，然后闰年里面有闰月，以保持这个天象过四年以后纠正一下，在那个时候就已经开始了。如果我们把这一段历史详细地讲清楚，大家看一下，我们的先祖聪明不聪明？我们在文化上会不会真正地有自信？然后我们今天会不会感觉到惭愧？你只是精度上多了一点儿，没有出大格。假如当时说一年568天，我们今天矫正到365天，你会说那差太远了，那几乎就不算数。那个时候有什么东西啊？一年能测算到366天，然后还知道有误差，这个误差我还可以用闰月来弥补。你想一下，这得经过多少年的测定才能那么精确！怎么中华的信史就从尧就开始了，以前就没有了？100年的时光都未必能达到那么精确，很可能就是上千年的观测积累，慢慢地才能有这样的天文成就。所以根据史书上转述的伏羲画卦的时候，就已经开始造字，我认为可信，只不过那时候可能很初级。更多的像图画，而我们就是一种象形文字嘛！

（三）

丁酉年十月十五　　2017年12月2日

　　帝尧命羲和，历象日月星辰，敬授民时，使我们惊叹于四千多年前尧时期的天文学研究竟然如此精准、先进！本篇作者启发式的讲解，让我们发现了许多文字背后的意蕴。在人事提拔任用的时候，四岳三次推荐三次被帝尧否决，到最后勉强同意，也让我们看到帝尧当时的处境。

服务天下，古今贯通

尊敬的各位同胞、各位同人：

大家上午好！

我们接着学习《尚书》，今天是第三讲，前两讲我们用比较大的篇幅介绍《尚书》的一些背景，以及我们为什么要在当下这个时点上重点地解读学习和贯彻《尚书》的文化精神。

春秋时期，孔子评价齐国，齐桓公在管仲的辅佐之下，叫"九合诸侯，不以兵车"。把天下主要的力量，可以说是管理天下的力量、建设天下的力量（如果走向反面呢，也可以说是破坏天下的力量），用道义、用自己的经济实力聚集在一起，"兴灭国，继绝世"。这是在古代春秋时期，距离我们现在两千七百年前发生的事情。孔子的评价非常高，给管仲的评价是"如其仁，如其仁"，让天下达到这样的一个状态不是以强权和军力做到的。而且孔子说如果没有管仲的努力，那么他现在可能还是个没有受到教化的野人，这是非常高的评价。

我昨天又温习《汉书》里面的《古今人物表》，从伏羲开始一直到战国时期，也就是在汉朝之前，应该说四五千年间的时间，能够被列入《古今人物表》九种人物当中第一等的，也就是圣人，屈指可数。伏羲是圣人，后面从女娲氏开始到帝鸿氏十九位天子都是仁人。我们熟知的大名鼎鼎的范蠡，做到了那样的功业，也仅仅列为第三等，为智人。我看一下管仲在《古今人物表》当中列在第二等仁人，就是仁义礼智信的仁，这是非常非常高的评价。我们所熟知的"亚圣"孟子也不过就是仁人，孔子的诸多弟子，包括颜回也不过就是仁人。

所以看功业，不能凭一面之词。听评价时，我们要想一想小学的时候学过的那篇课文，就是《小马过河》，话到底是谁说的，在什么背景下说的，他想表达的是什么意思，皆有深意。高人和高人对话，有些时候其实一个眼神、一个表情、一个暗示足够了。有一些人跟人接触，说三天不知道对方什么意图，这是很麻烦的事情。所以读《论语》要读出弦外之音，读古书要读出古文当中隐藏的文化精神。

在修学过程当中，我们曾经体会到一件事儿，也是老师经常叮嘱我们的，就是不要"死在文字上"。如果你看唐以后禅宗的一些叙述，这种说法特别普遍，例如"一道白云横谷口，几多飞鸟迷归途"，障碍在文字相上。应该离这个文字相，离言说相，离有缘相，离攀缘相。包括我们现在学《尚书》，对于任何一本你拿到的《尚书》，不论它是哪一家权威出版社出版的，都要小心谨慎地对待，就像尧所说的那两个字——钦哉！要谨敬地对待。一方面尊重它可能是表达了历史上真正要传达的那一个意思；另一方面，还要保持一颗警觉心。

我们的文化流传时间太久远了，造纸的时间也不过两千年。在东汉以前没有像样的纸，像我们今天这样方便地记录、传承，都是"汗青"，也就是竹简、木简。出土文物显示，商代大规模地用龟甲兽骨，在上面刻文字，通过读《黄帝内经》知道，当时会把文字刻在玉石上。还有道家的典籍，给我们提供了一条思路，也很可能把文字铸造在青铜器上面。可是除了商代，我们暂时还看不到夏朝的文字，还要等待历史的出土。也就是说因为流传时间过于久远，所使用的媒介过于多，可能是青铜的、可能是拓片的、可能是竹简的，竹简放时间长了还有脱简的情况，就是烂掉，然后前后顺序有颠倒，到底谁先谁后、谁是谁非，很可能莫衷一是。

我们学习的一个方法，就是当你一头雾水的时候，把它放在当下，以最纯净的仁心去考虑，应该是什么样的思路，结果往往会有意外的收获。包括我们现在讲《尚书》，我对《尚书》用功也不下十几年。今天着重要谈的这个段落，就是"乃命羲和"这一段，读了十几年，刚刚有点儿悟处，确实不容易读。不是说文字不懂，文字可以很快地两个小时之内，上网查呀，查字典哪，都可以知道大体是什么意思，可背后隐藏的、真实的、当时的科学知识、人文观念，我们都不太清楚。那这样是不是说明在中国古代就很古老、很落后、很原始？其实不是。我觉得孔子表扬管仲的那段话其实就是《尚书》精神在春秋时代的一种落实现象之一。中国共产党一切活动，也是《尚书》里面记载的为天下人服务的精神的再现。

目前真正是"天下"了，因为包括了全球。古代所说的"天下"是四岳之间，至少《尚书》尧的时代就是四岳之内，四岳大家都很清楚：东岳泰山；南岳衡山，在湖南，平衡的衡；西岳华（huà）山，或者说华（huá）山，也就是我们华夏族以前称呼的来源之一——华山，里面也隐藏着修行的秘密，那个华，其实就是"化"，就是"花"；北岳恒山，在山西，恒长的恒。古代的天下范围、地理范围大约就在这四岳的范围之内。所以我们说古代的天下观，为整个天下人民百姓、万邦、万国做服务，让大家和睦相处的精神，在当下的北京正在争取落实，只不过是天下的范围扩大到全球。这是学习《尚书》古今贯通的一个想法，一个精神所在。

多方考量，审慎解析

请大家看《尚书·尧典》第二段。上一讲我们举着司马迁的《五帝本纪》，是中华书局版的简体横排版。由繁体字变为简体字不知道有多少原义会缺失，我们读多少遍，还是无法把握。上一讲在对比的时候，我也能感觉出来这种跟大家进行文字上的对比，对于讲座来讲，气氛是比较沉闷的。有书的呢，即使两个版本对照着看，也可能搞不清楚。它就像学者做训诂、做考据，很枯燥的功夫。而且这两个版本比较完了之后，你仍然发现不知道哪个是更有道理的。更何况手里还没有两个版本的，光听我这样叙述，可能更加困难一点儿。

每一次读有每一次的收获，比如说这两天，我还是觉得《尚书·尧典》第一篇，很多古今一直在流传的说法，未必就是像权威出版社注解的那样。比如说"钦明文思安安"，或者是"晏晏"，到底怎么断句，第一次我们就说了，有的版本把它断成四句，几乎是一个字一个字地断开，然后去解释每一个字是什么意思；也有两个字两个字地分开，比如说"钦明、文思、晏晏"。可是《大学》这个版本，也就是我们说从《礼记》里面抽出来，在宋代作为四书之一，成为考试教材的《大学》，这个版本相对来说还可靠。我们从来背《大学》的时候，没有说"知止而后有定，定而后能静，静而后能安（yàn）"，就是把那个"安"注解为通假字"晏"，对吧？我估计大家没听说过，曾子尽管比孔子小了四十多岁，孙子辈的学生，但他还是春秋时代的人。也就是说，他是在秦始皇焚书之前几百年，看过至少百篇本《尚书》的人。如果他写文章，做引用或者是做传承，为什么他把那个"安"不用"晏"来写呢？或者后世注释《大学》的人，没有人把那个"安"解释成通假字，是上边一个日底下一个安的那个"晏"字呢？所以我认为《尚书·尧典》这个"钦明文思安安"，很可能不读"晏晏"，就是"安安"。"钦"，可以单独解释，"明"，可以单独解释，"文、思、安"也都可以，但为什么就是多了一个"安"呢？

现在我们所说的普通话，在历史上是不是有这样的发音，那还需要考证。比如说唐代发音，据说是现在广东闽南那边的发音，而且各个地区又有不同。这些因素都考虑出来，我们再读古书，它到底是哪一种字，就变得稍微复杂一点儿，考虑来考虑去，我还是觉得"钦明文思"后面就是"安安"。因为《大学》考证起来，它应该是对《尧典》、对《易经·坤卦·文言》都有传承，为什么没有显示"安"同"晏"？这是一种想法。

接下来往后，"克明俊德"，有人把"俊"解释成大，而在《大学》里面"大学之道，在明明德"，我们今天《尚书》里面还会学到"明明"两个字，"明明扬侧陋"，两个明连在一块儿用，怎么解释？很有可能通过《大学》的用字去反推《尚书》的用字，哪一种是更可能的历史真实的用意，是一种比较可靠的研究思路。

"黎民于变时雍"，标点符号怎么点？"黎民"没有问题，"于变"，逗号，"时雍"。因为"时雍"这两个字被班固截出来作为尧为政的总体评价，叫"时雍之政"。那为什么我们现在看到的版本，这六个字变成了一句话？也就是断句的问题反映着你的思路是什么样的。这个反思给大家做一个参考。就是即使我们讲过的，对比过多个版本的，得出一个相对可靠的结论，也未必真的可靠。

比如，很多人说，你讲《道德经》，就算你讲得头头是道，但是你参考的版本不是长沙马王堆帛书的《老子》的版本，很可能就全错了。我认为全错不可能，个别语句有变化，非常可能；有一些语句，我们发生错解、误解也非常可能。当时我们就跟大家强调，把握住基本的原则，就是体会，以经解经，人经合一，这三点是相对比较可靠的。如果这段经文怎么读都读不通，那就放下它，用身体去考量它的原义是什么。所以为什么更多地参考吕洞宾祖师的注解，道理就在那里面，就是不服气你也成为一个吕洞宾。他能够修身成就，当下活到一百岁、二百岁还是三百岁，到底多大？不知道。反正史书评价他"百岁童颜"。我们能不能活到一百岁看起来像个孩子、青年人的面容？能做到这一点说明修的就是真的，得到的方法是管用的。所以，对于历史版本抱以警觉之心，既尊重又要警觉。

研究星宿，寻找规律

为了说清楚"乃命羲和"整个这一段，我回去还是做功课了。上一讲也提到让大家回去查一下中国古代二十八星宿的问题，就是你找一张稍微大一点儿的纸，把这二十八星宿，分东南西北、叫什么名、哪几颗星、什么形状，串联在一起，画一下，然后看一下中国古代典籍里面所叙述、依据、对照的一些词句背后所隐含的真实的天象，也就是天文的运转规律，那就叫天道，就是自然规律。

为什么要这么做？因为只有这样做你才能真正地理解中国的传统文化到底哪一个是正统的文化，她不是圣人编出来的，她是以真实的天文现象为基础，然后观察出规律，为人间立法，就是那个律历。她是以天时科学规律为基础，不是人为的臆造，而这个"历法"，就是"立法"，在人间，它就成为法律的源头。任何一个国家一个朝代建立，首先就要对历法进行确认、更改、修正，这是最为重要的事情。从《尚书》里面我们就能够体会出，尧在当时做的最重要的事情之一，就是让国家的专属官员，或者今天所说的天文观测部门、科技部门、教育部门、文化部门联合起来，做天文观测。一年春夏秋冬，把这个时刻校准，然后颁布历法，让天下的人民按照天时来生活、工作、生产，这就是天人合一真正的来源。

按照我的经验，你在上面无论说多少遍，大家回去呢，没时间去查，查了，可能查一段时间，也觉得查不懂，或者比较吃力，算了，还有其他更重要的事情要做，就撂下了。所以莫不如就利用讲的时间直接读给大家听，稍微解释一下，从此对二十八星宿这件事情有一个概念性的感知，按照东南西北四个方向来解读，也就是对应着春夏秋冬。有些规律，你不动笔，不长时间地去摸索，根本就发现不了，你会觉得它好像是杂乱无章。可是一旦花点儿心思在上面琢磨琢磨、思考思考，当它慢慢地把规律呈现给你的时候，你就会发现，世间有公理在，有一次的用功就有一次的收获。比如说，这二十八星宿分四个方面，平均起来一方有七宿，对吧？有没有规律？什么规律？按照什么方向运转？你只有画着画着才发现，这怎么是一样的？然后你会发现四个方向全都是这个规律，你就知道，这绝不是人为的臆造！

经典做主，即是入道

我们从东方开始，东方七宿叫青龙是吧？听没听说过，左青龙右白虎，前朱雀后玄武。注意，在东方叫青龙。在人体上，我们反复地强调过，人体的东方，属木的，哪一脏？肝。什么颜色？色青。为什么是青色？是哪个祖先给我们编出来的吗？他说我是老大，我说青色就是青色，是那样吗？不是，都是观察出来的，本来如此！那你说我没观察着，你没观察着不等于别人没观察着啊；你自己不打坐，有人打坐啊；你打坐漆黑一团，有人打坐就是一团光啊；你的眼睛倍儿亮，视力一点五，我摘下眼镜来可能就模糊一点儿。就是人人不同嘛！我们以前把这件事情用天人合一观和广义相对论结合起来论述过，也反复地跟大家推荐过，你把《广义相对论·导论》，就是爱因斯坦本人写的，北京大学出版社翻译过来的那本书和《维摩诘经》第一品对照起来读，然后得出什么结论呢？就是什么人什么世界，真的就是一人一世界。人是物质，决定时空，这就是广义相对论的结论，非常朴素。

但人还是一个特殊的物质，他能动，能动的物质，能转化的物质，所以你的世界是时时刻刻在变的。那么有人心，人世界；有善心，善世界；有恶心，那你的世界接触的全都是狐朋狗友。以此类推。所以谁是那个王？就是你自己嘛！但你在不在王位上？据老师说，绝大多数人不在王位上，全都拱手让人了。让人的话，你像尧一样，能找一个好人让出去也可以，没有！随便提溜一个念头，就可以让它做主，然后把自己折腾得要死要活，疲惫不堪，还怨东怨西，这就是活着的现实。

怎么找人呢？实在找不着，就是我们以前所说的，把自己的念头放空，让谁做主？让经典替我们做主！就读经文，读我们中华先祖流传下来的、经过代代检验的这些个经典，让她在我们脑子里去做主。读得多了，遇到一件事儿不知道怎么办，那你就试一下，这件事情如果按照《论语》、《道德经》、《黄帝内经》上的提法这么做、这么想对不对？那不对，不能那么做。这就入道嘛，拼命地想得道，这就是入道！念经的过程就是入道，自己修的过程就是修道，还往哪儿找？不用跑出去。为什么祖师说道不在我这里在你那里，这句话我琢磨了二三十年了，最后发现他说得千真万确！一人一条道儿，你到他那里讨，他可以给你讲，帮助我们明白，可是你自己不入，自甘卑劣，不敢承当，永远在门之外！他没办法。

一提这个"青"字，弄出这么多牢骚来，无非就是劝大家自己坐一坐，不打坐，想一想也行啊，静一静也行啊！我想静静，有人说静静是谁？静下来，看见自己的内心，那才是拯救自己！才真正的是自立。

我就琢磨为什么老师说我们活得颠倒，就是不拯救自己，老以为说我要拯救天下，天下用你拯救吗？一个人安好，天下太平，不信你试试看。一花一世界，是真的；一叶一菩提，也是真的。那菩提是什么？一提菩提马上就想得歪七歪八的，觉悟、明白、知道怎么做嘛！好不容易父母把我们生出来，而且生得健康，还聪明，那就好好地利用一次。光听别人，记录，是那回事儿吗？还怀疑，怀疑完，还不做，真是莫名其妙！

东方七宿，"心月"为要

东方七宿，第一个叫角木蛟，注意，从木开始；第二宿，亢金龙，第二个就是金了，亢金龙形象就像北斗星那个勺子，四颗星连起来像个碗似的，口儿朝上；第三宿，氐土貉，星象就是四颗星连起来类似长方形一样；第四宿，房日兔，也是四颗星，比勺子那个形状扁一点儿；注意下面第五个非常关键，心月狐，狐狸的狐。七宿的名称前面的一个字都是七宿的代表字，第二字是金木水火土加上日和月，第三个字都是一种动物，可能是用来帮助说形象的，还有一种可能，那就是在另外的状态下"观"，它就呈现出那样的形象。什么状态？还是那句话，你不打坐，说也是白说。

为啥重点说这个心月狐呢？因为通过这一个词你就知道中华文化的来源。为什么我们反复强调中华文化是天人合一的，不举一个能接受的例子，都是听来就那么回事儿吧，也不当回事儿，然后自己在生活当中该干嘛还干嘛，就因循那么活着，无可奈何，莫名其妙，不知所以。

心月狐，三颗星，大约是这样一颗，这样一颗，这样一颗，然后这么一连（从左上到右下向上凸起的弧形），叫心月狐。为什么重点说它呢？大家可以早上观一下，现在时间可能不大合适了，《尚书》里面说"寅宾出日"，春天包括夏天，都可以。就是春分到夏至早上，早一点儿起，实在不行，闹钟叫一下，你就印证一下中国老祖宗发明一些文字怎么来的，文化的意义怎么来的，人间的规律是怎么从天象上观出来的。你起一次早，给自己一点儿信心还不行吗？这都做不到，那就算了。他用的是"心"，我们写汉字心要点几点儿？一弧旁边上点几点儿？三点儿。为什么点三点儿，不是两点儿和四点儿？你以为老祖宗造字随便造的吗？观天象来的！就是心月狐这三颗星连起来，连在一块儿，形象很像的，你望一下地平线，三颗星。

还有《西游记》，如果读过的想一想；没读过的，今天回去翻一翻；家里没《西游记》的，干脆到楼下去买一套。我今天给新华书店卖书做一次广告，缺什么书就在这里买。说网上更便宜，新华书店给我们这个讲堂几年了，全是免费的，人家管你要过钱吗？在这里买本书有什么不好，多做点儿贡献，也就多花个十块八块的，为的是自己好啊！

所以，"心月狐"是从天象上来的，《西游记》里面称"斜月三星洞"，记不记得这个名？显然都没怎么看过，就哈呼（大连方言，呵斥的意思）自己小孩子能耐：你怎么不好好看书！那我们自己认真看了吗？"斜月三星洞"说的是天象啊，就是《西游记》里面给孙大圣写故事的时候起的名，你看他跑哪儿去了？跑到斜月三星洞，那说的就是心哪。斜月三星，一个斜月，你看那个月牙，是这样的吧？三颗星点上，这不是颗心吗？然后悟空是什么？是个猴子，因为心猿嘛，师父是本觉，从如来那里来的，从如来那里来的不就是我们本来嘛！所以师父领着心猿和意马，带着贪、嗔、痴三个徒弟一起上路，经过磨难去修。说的就是我们自己，带着自己天生的小臭脾气、禀性、性格上路，瞅这个不顺眼，瞅那个不顺眼，这也像妖怪，那也像妖怪，一句话不服就跟你战，天王老子玉皇大帝也不管，跟你打。最后呢，事实是心猿压在五行山下。"天布五行，以运万类"，五行山说的不是别的，是我们肉做的这个身体，这就是五行。我们用眼睛给大家做过例子，中间是水，克制水的是土，克制土的是木，克制木的是金，克制金的是火，你这眼珠子从里面那一汪水，一圈一圈的，五行相生相克全在里面。放大你这一张脸，也是五行，什么左面肝，右面肺，左面木，这边金，上面是心，对应着火，底下这对应着水，肾。

我前两天去雄安和中央电视台厉导讲的时候，就知道心气、精气都受伤，回来这个地方就开始鼓包。因为正气削弱，控制不住，它就难受，修养这几天，基本上差不多了。不经过实践，不经过体会，不经过点儿挫折，体会得确实不深。所以，修行在哪里修？就在自己的本位上。《西游记》写的是那么多场景，是吗？不是。就是一个人从一个不懂事的状态，一直修到彻底明白，就那样简单。但是光给你讲理，不听啊！讲故事，愿意听。但听着听着把理忘了，迷在故事本身。为什么祖师说"一道白云横谷口"，光看着白云，忘了回去了。所以现在这也奇怪，我去北京电影学院商量拍电影，人家告诉我一定要把故事讲出来，让我讲故事；去中央电视台拍摄，编导也劝我，你一定相信我们，一定要向电视妥协，学会讲故事；道理太凝重了，大家不爱听，讲故事还好一点儿。

所以这个心月狐，在未来的春天，那一天起早，尤其春分夏至的时候，在寅时（"寅宾出日，平秩东作"嘛，或者"便程东作"嘛，"东作"就是东方出来），去观察一下，由此可能对中国的传统文化产生震撼性的认识、认知，有亲近感，愿意学，这就是拯救自己的过程。所以这"心月狐"非常重要。这一宿搞清楚了，以此类推，其他七宿您就知道，绝不是编的，绝不是蒙的，绝不是臆想的，它有真实的天文现象和规律在。

往下说，尾火虎，尾巴的尾，水火的火，老虎的虎，还是四颗星。四颗星呢，上面这一颗往下来，底下这三颗几乎是平的。

箕水豹，这个相当于是青龙的尾巴，而且说观天象的时候，如果观到这个箕水豹明亮起来，预示着什么？要起风了。为什么我们看小说或者是历史上著名的人物说夜观天象，因为后半夜寅时到了的时候，天也是不怎么亮，还有夜色在，所以说夜观天象，然后预知未来。像诸葛亮借东风，卖的是什么关子？他早就通过观天象知道这个风向要转，但周瑜不知道啊，所以他就唬这个周瑜，把大家要得，以为这卧龙先生跟神人一样。其实他就是掌握了天象的一个规律，他肯定是有老师教，这种天象一旦显现，就一定意味着一个确定的结果。天的规律你个人能够改变吗？改变不了。就说大事已成，这个相一存在，只要是箕水豹这几颗星突然比往常明亮，就意味着要起风了。那二十八星宿，每一宿的变动位置，都可以预示着一种未来的气候转化，天气变化，这是规律性的东西。

能不能记住七宿的顺序？记不住我说一遍，就是从木开始，然后是金、土、日、月、火、水。其他每一方的七宿，全都是这个顺序，木、金、土、日、月、火、水。注意啊，这个规律一般是不告诉的，你自己读明白了是自己读明白了，直接告诉大家，也不知道将来会不会骂我：就你嘴欠，我自己悟明白不好吗？非得你说出来。说出来呢，给大家增加点儿趣味性，有点儿信心。后面的事情自己去琢磨，就是当时为什么这么取名？为什么是这个顺序？然后他取那些动物，换一个不行吗？为什么叫箕水豹？叫箕水虎、箕水狐、箕水兔、箕水猪不行吗？多考虑考虑这样的问题。好，这是青龙，东方七宿。

北方七宿，獬豸断案

我们正常情况下，应该说南，可是画出图来呢，北在上方，那么逆时针旋转的话，现在就应该说哪一方？北方。北方第一行，就是五大行星在五行当中，第一星还是木，叫斗木獬，獬是反犬旁加一个解放的解，这个斗，形状特别像北斗七星，但是它是六个，我第一次画的时候，我说这不画错了嘛，丢一颗星，再仔细一读，不是那样，它就是六颗星。这个獬是一个什么样的动物呢？就是独角兽。独角兽大家知道吧？现在独角兽是一个专有的称呼，是不是清楚？在经济上称呼一个企业为"独角兽"，规模多大知道吗？十亿美元以上的公司叫独角兽公司。所以再读网上一篇文章，说独角兽怎么怎么回事儿，你就知道它是指规模达到十亿美元了，这样规模的公司才有资格叫"独角兽"。

但是历史上这个獬，还可以加上那个豸，叫獬豸，它是一种什么样的兽呢？就是天生能辨是非曲直。人说话他有假呀，隔着肚皮我们不知道他说的是真是假，但这独角兽可能是有一种显微镜，能把你心灵的真实情况显示出来，它可以判断你说的是非曲直、对与不对。当您说假的时候，编瞎话的时候，它就用那个角去顶你，所以历史上它就起这么一个作用，用它来判案。

据传说，在尧的时候，像皋陶断案，人断不清楚，就用这个东西。也有说那就是一头羊，把羊牵到现场，两个人开始论辩，一辩、二辩、三辩，抗辩，这些程序不等走完，那个羊顶向谁，谁就是输的。听起来好像是胡扯一样，但是呢，我们说你无法证伪，还是姑妄听之。这个兽未必就是编出来的，尽管现在见不到，我认为有很多兽，是灭绝了，就是现在这个空气质量它活不下来。我们人是很强大的，能在目前这个PM几点五的时代活下来，很不容易。有很多这种神兽，可能必须是纯净的自然状态它才存在，一花一世界，目前的环境不适合，所以就灭绝，大批量地灭绝。

第一个斗木獬；下一个叫牛金牛；第三个为女土蝠，男女的女，金木水火土的土，蝙蝠的蝠；虚日鼠；危月燕；室火猪；壁水貐，貐是不常见的动物，反犬旁加上一个俞。古书上说，在黄帝的时候有一种神兽，叫猰貐，就是这个貐。可以参看一下黄帝的传说，有个叫二负的，有人鼓动他把另外一个家伙给杀掉，然后黄帝惩罚他，这段故事大家可以找来读一下。这是北方玄武七宿，玄武的状态，像一条蛇围绕着一只龟。

灿烂星空，与人相应

北方说完了，转下来到西方，西方七宿，还是按照木金土日月火水的顺序。注意这个顺序，我还是念出来给大家听，奎木狼、娄金狗、胃土雉（就是雉鸡那个雉）、昴日鸡、毕月乌、觜火猴（上面一个此地的此，下面加上一个角，牛角的角）、参水猿，这是西方七宿。至于每一宿怎么出现，什么图形，网上都有。不过网上，大家要注意，有一些未必可靠，所以多看几个版本。最可靠的就是自己起来，通过未来一年的春夏秋冬，观测一遍，观测完了之后，自己就在脑子里有图形。然后你也可以变成神人，像诸葛亮似的，一看这个图形，它明亮起来了，就知道随后要发生什么样的天气转化。

西方还拿这个东西来断人的性格，断未来事情的发展，古印度也有，所以星相学说在全世界范围之内，都很有市场。包括今天，男孩子找女孩子，有的就神秘兮兮的，你什么星座、什么性格。这种东西呢，一定要运用得成熟、圆融，而且要不动声色。别狗肚子撑不了二两荤油，还没等记下全名呢，就开始卖弄，就开始显摆，说又说不清楚，像我这种，最好是闭嘴。什么时候用呢，就是你在心里印证十年八年的，每一次判断全都对，可以用，可以教别人用，告诉别人用。这样才是真正的传承，你对得起祖宗，对得起自己。

剩下的是南方七宿，井木犴，观天相它就像个梯子一样，就是竖排的、两侧对照的一组星星连起来，就像一个井字，所以叫井木犴（这个犴是古代的一种兽，反犬旁加上一个干字，多音字，还念hān，在这里应该念àn）；鬼金羊，鬼金羊是五颗星，四颗中间兜一颗；柳土獐，柳树的柳，金木水火土的土，獐子岛的那个獐，反犬旁加上一个文章的章，它应该是八颗星，底下一连串的那么七颗，最上面一颗兜回来。

注意观察，实在不行的话，买一个简易的天文望远镜，古代的空气比我们现在要纯净得多，人的视力也要好得多。像我这种可能就是只有特别明亮的几颗星才能看得清楚，更深远的天空里面微弱的星光现在都看不太清楚。在城市里面就更不容易看见。网上偶尔看到有人跑到北极那种地方拍回来的照片，就那种星空。可能看到那样的照片，才能稍稍体会一下康德说的话：使人真正激动的只有两件事情，头顶上灿烂的星空和内心崇高的道德法则。

光看星星就会有感觉，为什么有感觉？自己要琢磨一下。就是为什么看星空你会有一种感动，感动感动，什么东西动了你，要琢磨一下。

实在不行，我再推荐一遍，看一看广西师范大学出版社出版的《内证观察笔记》。自己观察一下，这宇宙天空当中，你看不见的那些星体跟我们息息相关，一年四季，它都在给我们做着交通交流，输送着营养，输送着物质，交换着信息与能量。可是你完全切断，完全不知道，完全没有体会，就是人天分离，也不知道什么是人天合一，那和母体分离得早也是正常现象——意思就是人死得快也是正常现象。

你能人经合一、人天合一，能量始终很自然地跟大自然做着交流和沟通，那你的身形自然饱满健康，像老子、吕洞宾、张三丰那样活得很长，是很自然的现象。

下一个，星日马，上面四颗星像菱形，底下垂直缀着三颗星；张月鹿，中间是菱形，两面各挂着一颗星；翼火蛇，这个太复杂了，就是一大堆星星。简单地说：上面五颗，中间五颗，底下也可以说五颗也可以说六颗，上面那五颗星是用三颗有点儿折成角的星连着，中间这五颗和底下这五颗是由五颗星连在一块儿，打着折。这颗是所有二十八星宿里面星星最多的一颗，图案也最复杂的一颗。你只有到网上去查到图形或者现场在观测的时候观测到它，才能知道我形容的是个什么样的形状。叫翼火蛇，羽翼的翼、水火的火、长蛇的蛇。

轸水蚓，这个图形比较简单，就像是一个音乐符号一样，写出来很像是那个五线谱反过来，像个"F"翻过去。在《滕王阁序》里面有一句话叫"星分翼轸，地接衡庐"，"翼轸"指的就是南方七宿。

二十八星宿在四方分布的名称和金木水火土日月的位置顺序，简单地跟大家报告了一下，我们从面部表情上看，大家可能也是听得一头雾水。但是起码经过了这一关，您能知道它有既定的顺序，有既定的方位，有出现的既定的时间，而且每一星宿有每一星宿的天文作用，用到人间也可以帮助我们决定事物。按照刚才说的，一看到箕水豹明亮起来，那要起风了；起风了，你就不要做那些在起风的天气不适合做的事情，不要这么安排。提前一观，这显然是要下大雪，那好，就不要做自驾游的这种事情，被封在外面回不来。观看天象，预知未来，就掌握了规律。

还有，它为什么叫青龙、白虎、朱雀、玄武？所有的这七宿合在一块儿构成一个大的图形，它们自己有自己的小图形，合在一块儿构成一个大的图形。比如说东方七宿合在一块儿就是青龙，以此类推，另外的三个七宿分别是玄武形、白虎形和朱雀形。要注意，除了显示形状，它还带着颜色，青、黑（也就是玄）、白和赤（也就是朱，红色）是不一样的，然后跟五行的方位正好定下来。

尧命羲和，敬授民时

这样回过头来看，相对就简单了。尧就命羲和，"羲和"说是两个人，一个羲氏一个和氏，他们是掌管天官的，也就是一年四时，这在古代是非常非常重要的职位。"钦若昊天"，尊敬天时，"历象日月星辰"，我们所谈论的规律不是人编的，是根据天上的日月和五大行星金木水火土运转的现象记录下来，形成人间的规律。"敬授人时"，就是把历法颁布给天下，这么来的。

具体怎么做的呢？"分命羲仲"、"申命羲叔"、"分命和仲"、"申命和叔"，四个吧？"羲和"，前两个，一个叫"羲仲"一个叫"羲叔"，"分命羲仲"、"申命羲叔"；后两个那就是和氏了，"分命和仲"、"申命和叔"。我们说老大叫什么？伯或者叫泰，泰伯，对吧？泰伯、虞仲，伯夷、叔齐，孔子行二，是二哥，所以叫仲尼，一看这个字就知道他在家里面排第几。

那我们就可以来琢磨，他怎么会有这么个规律？这个羲氏派出的是老二和老三，是吧？伯、仲、叔、季，他怎么没说这个羲季呢？是第二个和第三个，应该说这是一家人都在做这件事情。

这个里面我们有两种想法：第一种，就是他们家兄弟几个都在做这个天文观测的工作，这是第一种情况；第二种，他就是做这个职位的，他是第一把手，他是第二把手，他是第三把手。是靠"顺序"来标明官位官阶的，两种情况到底是哪一种，我到现在没查明白。

在《汉书》里面，班固称呼刘向的儿子刘歆为"羲和"，那是汉代呀，你说汉代还把这个负责观天象的、记录历史的史官仍然叫"羲和"，哪里的传统？尧时代的传统。那我们现在管理天时天象的是不是中国科学院紫金山天文台？称呼不一样，但起的作用应该是类似的，为我们观测天象，校正二十四节气，校正历法。

后面这些那就不用解释了，我们详细地对比过经文。也就是羲仲干吗的？让他到东方去，观察一下早上日出的时候，然后看日中。"日中"是指什么呢？昼夜长短相等，在春分的时候出现在东方，就是东方七宿，我们刚才给大家说的这个角、亢、氐、房、心、尾、箕这七宿，出现在东方地平线上构成一个青龙的图形，出现以后把它作为春分的准确时间。后面的以此类推，有人在西方，有人在北方，有人在南方。

文殊借石，五爷听戏

把天时准确地校订以后，还告诉我们人们是怎么做的，比如春天的时候人都分散开，为什么？耕种啊！夏天的时候为了凉快，跑到高地上去。我们现在为了消暑，大连也不那么凉快了，往北面跑，或者往山上跑，山上清凉，还有人说去五台山，为什么去五台山呢？五台山清凉。它为什么清凉呢？它叫清凉山。同样是山，为什么它又清凉了呢？传说以前也是很热的，后来文殊菩萨在那儿，听说龙宫里面有一宝，叫清凉石，放在哪个地方哪个地方就清凉，所以到龙宫去借，那菩萨借肯定得借呀，就把这清凉石放在了五台山，所以五台山变成了清凉山，以后呢，它就不热了。不热，就容易使人的心清净下来，有利于反省自己的过错，有利于修行。

龙宫里面的太子因为这个机缘也跟着菩萨来到五台山，他是五太子，所以民间称呼他为五爷，据说香火非常非常的鼎盛。很多人到那里面去上香：保证我下一次竞聘的时候一定要提上；保佑我的孩子一定要考个好大学；今年年景比较艰难，股票等了很长时间了……跑到那儿去许愿，有的说非常灵。灵了之后，就要给五爷唱戏，说五爷就喜欢传统的戏班子，一唱起来大家都高兴。怎么来的呢？说有一年请了一些花枝招展的女明星到那儿去，还没等演呢，天下了一阵大雹子，全给打跑了。就是不喜欢那种搔首弄姿的形象，还是喜欢比较传统的表演，大家从此就知道了规矩，表示感谢就请戏班子。我也不知道是五爷真有这种偏好，还是当地的戏班子为了生意编出来的故事，反正戏班子是很红火。时间长了，它变成一种文化现象，文化现象一追查源头呢，查不到源头，谁见过菩萨呀？那块清凉石在哪儿呢？要是能抓到的话，很多人可能想能不能拿到我家里去。所以就把这个真正的、正经的文化弄得莫辨雌雄，到底哪一个是真的不清楚。中华文化的源头也是这样，女娲和伏羲到底是不是人呢？要是人的话怎么长成那样？

所以，我现在这几年做的最重要的工作，就是把中华文化的源头传说，恢复为朴素的道家修行方法和修行秘诀。先贤们不直接告诉你的东西，借用神话和寓言讲出来，既生动又容易理解，而且有些场景是真的在修行状态下才会出现的境界，它不是瞎编。那为什么不直接说？就像现在导演都告诉我说：钟老师，你可千万学会讲故事，别直接给大家讲道理，电视上没人听道理，听故事还凑合。这不是一样吗？所以《庄子》就是讲故事，第一篇就是《逍遥游》。以前我看不懂啊，现在好像有点儿懂了，这要感恩谁？感恩周元邠先生，那是道家的高人。他做医生嘛，是不是高人能检验啊！然后告诉我修行的秘诀就两个字——气化，说就在《庄子·逍遥游》里面。我回来找，找不到嘛，哪儿有"气化"两个字？后来才明白，"北冥有鱼"那个鱼叫什么名？叫鲲——日比鱼，是这么条鱼，"化而为鸟"，这不就化了嘛！就是我们炼精化气、炼气化神，然后把这个精气神从"海底"下蒸腾起来，这就是道家修行的过程。让他老人家一写，写得真漂亮，写成《庄子·逍遥游》第一篇，给我们的感觉这篇文字汪洋浩瀚，太美了！中国这个散文的境界太美了！这就是中国的文化，把道理写在寓言当中，写在故事当中，写在神话当中。像女娲炼石补天，炼什么石？五色石。为什么是五色的？因为五色和五行相配。补什么？补天。补什么天啊？人的"先天"和"后天"啊！这不非常清晰嘛！

你说人长得什么样？有人说，她长得像花一样。可是谁的脸是一朵花呀？我就发现，现在的同胞看古文，看着看着就变成了执着文字相，结果智慧死在文字相上。"形容"人的脸是一朵花，那脸就是花吗？换个说法，形容这个小孩子脸长得像个红苹果一样可爱，孩子的脸就真是一个苹果呀？形容这一个人强壮，说他是虎背熊腰，现在这种说法还用吧？难道一千年以后，我们的子孙说，当年有个姓钟的长着老虎的背、熊的腰？这里的问题能听懂吗？我们形容古代一些怪兽，人家就是"形容"一下，它不是真的！什么叫"形容"不懂吗？

第一，中华的祖先是人，是华胥国或者华夏国的一个姑娘生的。我们的祖先是人，我反复地说，西方有人说他们的祖先是猴子，那就让他们认猴子为祖先去。我们一定要立住这个朴素的信念，我们就是人生的。

第二，我们的源头，记载的那些故事，都是《道藏》里面可以追查到具体修行方法的故事性解说，这就是我们的文化。怎么体会呢？跟天象进行沟通合一弄出来的，个人如此，国家也是如此。

四时成岁，精准历法

所以，尧派自己的官员到天地四方，四个地方去观察天象，校准时刻，颁布历法，大家就这么生活，就这么安排农时。这能听懂吧？你再一看这个经文，已经是非常的浅显了。一个字一个字地抠，然后不理解五行的观念，不理解天象的构成，这看起来实在太痛苦了！就不知所云。什么是鸟啊，什么是火啊，它为什么在这个时间出现，为什么是北方不是西方啊？这个就需要考虑一下。实际上现在已经变得非常的简单，夏天的时候"鸟兽希革"，人穿的衣服短，鸟兽几乎把肉的皮露出来，就是那个毛很薄；到冬天，人开始住进暖气的屋子，然后鸟兽开始生出特别厚的氄毛，天地、人、动物全都是合一的。

做完这一点，尧又发话了，他一发话就是一个感叹词，这个感叹词《论语》上也用，就是"咨！汝羲暨和"，其实这句话到现在我还是没读懂，羲和嘛，"汝羲暨和"，他又不是指人的。"期三百有六旬有六日"，当时的天文观测已经知道一年有366日。上一讲我们强调过，尧居然知道"以闰月定四时成岁"，那个时候已经知道人观测的历法有误差，就是隔十九年就要校正一次。

我从小到现在，妈妈给我过生日，从来都是按照农历的日期，俗称阴历的，不过公历的生日。一开始我也不明白，年纪小嘛，管它阴历阳历的，有单饼卷鸡蛋吃就行。这是山东老家高密的一种食物，就是烙得很干的一张大饼，不加油，然后把鸡蛋卷在里面。据说山东人喜欢放葱，但我就是不喜欢放那个生葱，也许上辈子做过道士，反正就是把那个饼卷点儿豆芽菜也可以，放上鸡蛋，这是生日里面要吃的食物。年年都是这个样子，就是按农历来过。但大家有没有注意到，好像不知道过了多长时间，你的阳历生日跟农历生日会重合一次。多长时间重复一次？十九年，隔十九年。所以你十九岁，乘二，三十八岁；乘三，五十七岁；五十七再加十九，多少了？七十六了；七十六再加十九，九十五；九十五哪完了，一百二十岁才是天年呢！所以大家能过几次阴历阳历合一的生日？起码得过个五次六次的吧，多体会一下。这说明什么？说明距今四千两百年以前，中华的先祖通过观天象，已经比较精准地知道了一年的精确时间。就这一件事情，您看一下，我们古代有很多的记录，是那么不可相信吗？这一段就可以做非常精准的证明。

讨论人事，三荐三否

接下来要讨论人事问题。据我所听说的，现在一个单位最重要的、大家背后喊喊喳喳的、小声嘀咕的、最多的就是人事问题。谁调哪儿去啦，谁又琢磨了一个好位置，天天是这种事情。那古代呢，这也是重要的内容之一。

帝曰："畴咨若时？登庸。"放齐曰："胤子朱启明。"帝曰："吁！嚚讼可乎？"

帝曰："畴咨若予采？"骥兜曰："都！共工方鸠僝功。"帝曰："吁！静言庸违，象恭滔天。"

帝曰："咨！四岳，汤汤洪水方割，荡荡怀山襄陵，浩浩滔天。下民其咨，有能俾乂？"佥曰："於！鲧哉。"帝曰："吁！咈哉，方命圮族。"岳曰："异哉！试可乃已。"帝曰："往，钦哉！"九载，绩用弗成。

尧就说了，"畴咨若时？登庸"，我第一次看这句话的时候，一个字都不理解。所以有人说《尚书》很难读，它不像其他的一些古书，看一看字面的意思好像也能猜个八九不离十，这句话如果没看古书的解释好像完全不知道这是什么意思。因为各种版本的注解都是按照汉代以来的注解写下来的，所以从这一讲开始，我们不再过多地在字词上费劲儿，前面这三讲足够了，该说的态度、该表达的观点大家都已经清楚。看不懂的没关系，放下，往后看，先把看得懂的记下来，掌握了，回头慢慢琢磨。

尧说的什么意思？谁能够管理天地四时，做得好的值得提拔任用。后面出来一个人叫放齐，解放的放，整齐的齐，我这本书上说，就是人名，尧的臣子。尧叫什么？放勋。有可能是他同族的，很相像。

就像我们"永"字辈儿的，我们家这一代男子，取名字都是"永"字，跟我们平辈儿的，按照老的家谱的传统，我们碰到一块儿不论年纪比我大多少，都按照家谱辈分称呼。比如我在长春就有一个老大哥，他的孩子都比我大，在辈分上呢，我们都是"永"字，他叫钟永道，我叫钟永圣，他一见到我，那山东人的口音就出来了，非常亲切，"二弟呀"（模仿山东口音），好多年没见了。为什么我对这个口音有些时候就觉得很亲切，因为这是中原文化记录下来，那种方言、土语、古音，到现在还使用着。

这个放齐就说，您的宝贝儿子丹朱开明。注意呀！尧说：谁比较杰出能管理这方面呢？然后就有人说，你儿子不错。这有点儿像我们现代了，知道领导心里喜欢谁，一问他就推荐谁，有没有那种味道？往下看，尧又说了，"吁！"叹词，或者"唉"！就是一提自己那个不争气的孩子，这当父母往往"唉！可咋办呢"。怎么形容的呢？叫"嚚讼可乎？"

这个"嚚"的注解就是不说忠信的话。这个字挺怪，大家仔细看，上下四个口，中间一个臣，你琢磨琢磨这个字就不像是什么好字。

"讼"呢，就是现在打官司诉讼那个讼，争辩的意思。《论语》上孔子说："争讼，吾犹人也，必也使无讼乎？"丹朱就喜欢争辩。我们说人修行成就的一个标志之一就是他不跟你争讼，即使你给他编派的故事完全错误，他都不跟你争辩。你这么说那是你的事儿，没时间跟你争辩。

"可乎？"他怎么能行呢？您儿子不错！哎呀！可别提他了，这小子，也不听话，整天说一些不着调的话，就爱与人辩论，不行！他怎么行？用不了。就是把自己儿子否了。

然后他又问："畴咨若予采？"跟上一句的问话前三个字"畴咨若"相同，所以体会这个问句。谁能把我们的事业做得更好呢？来管理好我们这个国家。然后另外一个臣子骦兜出场了。这些人出场之前，他总要有一个叹词、发语词，这就是当时的一个特点。我还是表示怀疑，当时记录多么难啊，刻一个字要拿刀子在龟甲兽骨上操作很长时间，为什么要记这么多的语气词？这是我的疑问，但现在没答案。也许中国古文化在这里面也能找出一条发展的路数来，就是为什么要这么记。我从我们"国学大讲堂"的出版初衷来体会，口语化的表达容易被理解，可是记录成书面语言出版的时候，就发现其中有很多语气词，如果去掉这些语气词，似乎不影响意思的表达，但是有些地方就不那么惟妙惟肖了。所以我猜想，《尚书》中保留众多的语气词，或许是因为，这些语气词能够比较准确地传达当时的情境和说话人的真实意图。

我们有些同人，现在给领导整理讲稿，那些"嗯，这个，哦，啊"这些东西全都删掉了，全都是比较清晰整洁的言语，最好还是帮他整理出逻辑来。有一些领导知道自己讲话的时候中间"哦、这个、啊、嗯"这些东西比较多了以后不太好，所以就是念稿子，怎么给我写我就怎么念，他也不犯错误、不犯毛病。但做老师这样不行，做老师这样上讲台，一评选，几票就给打掉了，不合格。

不能要这个东西，那为什么这么重要的史书，记载历史要把这些语气词留下来？如果不是上面猜想的原因，我始终没想通为什么。因为记录成本是很高的，这一篇一共才几个字啊，这么多的叹词。您就看这一段经文，几乎每个人讲话前面不是"吁"，就是"咨"，就是"都"，什么意思呢？如果有更好的原因，等我琢磨明白以后再跟大家报告。

我们接着往下看，这驩兜就来了一个"都！"这个音，我这里面解释就是说语气词，表赞美。表赞美，他赞美的是谁呢？"共工方鸠僝功。"是这么几个字，然后注音说是fǎng jiù zhuàn gōng，我还是有一点儿表示怀疑。但我们先姑且按照他这种解释说一下，然后再说我为什么表示怀疑。他推荐了一个人，说共工去救这个大水已经立功了，挺了不起的，他应该成为提拔的对象，组织部重点考察的对象。

他推荐完以后，你再看这个尧又是感叹，"吁！"这个词古音就这么注音。按照我们现在可能是尧也觉得实在没办法，"哎呀！"怎么每次推荐的人都是这种人呢！叹气。"静言庸违"，这人不行，"象恭滔天"，你看着表象他好像是挺恭敬的，但实际上他内心怀疑上天，也就是怀疑科学规律，而且对自然现象有轻慢的态度，"滔天"嘛！然后没下文了，就好像是电影的桥段又开始转了。就是讨论一下，他一开始要找这样的一个官，人家推荐他儿子，他说不行；然后又推荐共工，他也说不行。

接下来你看他说了什么事情，先感叹，先"咨"一下，《论语·尧曰》里面，"咨！尔舜，天之历数在尔躬"，这我们耳熟能详。这里面这个"咨"又出现了，"咨！四岳"，"四岳"就是我们刚才提到的南岳衡山、西岳华山、北岳恒山、东岳泰山管理祭祀的长官。古代只有两件事儿是大事儿，一个祭祀，一个军队。军队的重要不用说了，那在古代祭祀为什么那么重要？

他跟四位首领就讲现在什么情况，"汤汤洪水方割"，那个"割"有人说是"害"，可是我们读《道德经》没有这样的注解，我还是表示怀疑，暂时先这么姑妄听之。"荡荡怀山襄陵，浩浩滔天"，这几句话《史记》里也有引用。我们看其他的文章谈到尧的时候，说尧面临的局势，这几句话是最常被提出来、被引用，说当时发大水，弥漫了田野山川，很危险，他一直想找一个能够治水的人。

"下民其咨，有能俾乂？"老百姓都很感叹，渴求有一个能人出来把这个水患治好。大家不要以为那个时候落后，国民党时期黄河就决过堤，淹死了好多人。为什么王姓的祖先搬到山西晋祠那个地方？就是王子乔祠堂？姬晋开创王姓也是因为大水围困了周朝的都城，王想放水，太子不同意。现在每年到汛期，我们通过新闻联播也都看到，年年防汛，年年有冲毁的房屋，淹死的人。我们今天不先进吗？机械动力不强大吗？但对于水，有些时候还是没有办法。大禹治水为什么到现在，就是四千一百年以后，仍然被人记得？非常不容易！伟大的功绩！

尧说有没有人能够把水患治理得好，这回不是哪一个臣子说了，叫"佥曰"，节俭的俭去掉单立人那个字，"佥曰"就表示大伙儿众口一词，同声说："於！鲧哉。"谁能治理呢？说鲧能治理。然后尧就说，"吁！"又来了，又长叹一声，要注意这三个"吁"，就是一个口加一个于。"咈哉，方命圮族"，"圮"，解释成毁坏。"族"，就是他自己的族类。

这个"方命"，我们现在都在东北，我不知道大家听没听到一种说法，就是一个人假如说命不好，方人，这句话听没听过？（听众回答：听过。）还用吧，对不对？我小的时候就经常听我母亲说，比如谁家要娶媳妇儿，这个媳妇儿到人家以后，被人认为"方"得人家不好，事儿处处不顺，就叫"方"。小时候也不懂是哪个字，反正这个"方"就是妨害的意思，不好的意思。现在看来呢，这个用法在四千两百年以前就已经笔之于书。我认为从古到今，这个意思一直在用，方命，方人。如果一个女孩子要嫁人的时候，说她要方人家，也就是说对这个要嫁入的人家不起好作用，那就比较凄惨，这婚事就黄了。黄了，就是这婚事就拉倒了，我们现在说叫分手了。

四岳就说，他也没说到底是哪一个岳，岳曰："异哉！试可乃已。"问了三次，找人，都是想找能人，三次推荐，尧都不满意。大家注意到了吗？推荐他儿子，他儿子有什么毛病他很清楚，知子莫若父；然后推荐共工，他也知道共工为人不行；推荐鲧，他也认为鲧不足以担当此任。而且历史事实也证明了尧的判断是对的，就是尧对人的认识还是非常准确的。但是为什么在征询大家意见的时候，居然能闹出这样的现象，这三个人能获得其他人的推荐？他们当时在尧的周围是不是形成了一种势力？"君子和而不同"，小人同流合污，同而不和。这些人是不是暗地里形成了利益集团？不知道。

事不过三，帝尧妥协

但事不过三，所以当第三次有人推荐，尧说不行，然后这个四岳管祭祀的长官就说，哎呀，让他试试呗，说不定能行，不试哪知道啊！就逼着天子尧做了妥协、退让，说那行，去吧！然后叮嘱了一句，

"钦哉！"等于是我们学习英语的，要走的时候打招呼，"Mind how you go"，你要小心你怎么走，这是直译。实际上就是说走好，或者是祝一切平安、一切吉祥、一切顺利。"钦哉"，就有这个意思。后世的宣读圣旨，念完了，"钦此"，就是这个事儿要很谨慎地办的，是不是从《尚书》来的，也需要考察。钦，钦此，就是皇帝说的、天子说的。

尧这个人对后世行政、整个政治格局影响非常非常大。你看什么结果，九年，"绩用弗成"，给没给他机会？给他机会。多长时间？九年。"试玉要烧三日满，辨材须待七年期"，给了他九年时间，这个事儿没干成。谁看得准？尧看得准。那尧看得准为什么不能直接找一个自己看好的人呢？那我们就知道，尧想找人，可是作为天子，他不一定能够真正发现一个合适的人才。今天就容易吗？今天也不容易。所以为什么我们反复强调，秉公办事，把自己的事情做好，对得起天地良心。因为这个是对自己、对天下最佳的方案。推荐了鲧去治理水，九年，没成功，那这九年等于水患一直存在。国家得救济吧？人民的生命财产一直受到洪水的威胁吧？为了私利，造成国家的损失，天下的损失，人民的损失。所以读《尚书》除了慢慢地把字搞清楚什么意思，把语义搞清楚以外，我们还要考察它的环境，放到今天来看一下，尤其是放在自己身边来看一下，这才能把它学活。

所以识人是做领导第一关键的事情。人选对了，事情就会对；人选错了，事情就会败。当年赵国如果继续用廉颇这样的将领，不会有长平之战，如果赵王一直听信赵括的父亲赵奢临死之前的忠告，包括告诉他的夫人，千万让赵王别用咱们的儿子。他这是当父亲的，自己的孩子成为赵国的首屈一指的大将军不好吗？但是他知道那会误国啊！结果怎么样？长平一战露馅儿了。只会纸上谈兵，坑杀四十万赵军，等于一个国家的武装力量完全被消灭！多惨！

我就想当年我们党的政策，印象最深的就是聂荣臻元帅手里牵着一个日本小女孩儿，那个时候两国两军在交战。按照古代，那你们的父辈到我们国土上烧杀掳掠，你的子孙能让你活吗？那个时候已经发生了南京大屠杀，为了报仇无所不用其极。你们的士兵挑着我们中华民族的婴儿在刺刀上，我凭什么救你呀？当时看到这个我也很震惊啊，那是在中学的时候看到的。现在慢慢明白了，就是当他放下武器投降的时候，就不能再杀他。而两军交战的士兵，我的一个老师说，交战的士兵为国战死，无论在哪一种角度，他都死得其所，无杀人的后顾之忧。这也是老师教我，我才知道的道理。

虞舜登场，湘妃竹泪

所以这一段实际上是告诉我们很多很多的言外之意，找一个合适的人不容易，一个领导人很可能被周围的利益集团托起来，找不着。所以才会发生后面这一段，也就是第三段。

帝曰：“咨！四岳。朕在位七十载，汝能庸命，巽朕位？”岳曰：“否德忝帝位。”曰：“明明扬侧陋。”师锡帝曰：“有鳏在下，曰虞舜。”帝曰：“俞！予闻，如何？”岳曰：“瞽子，父顽，母嚚，象傲；克谐以孝，烝烝乂，不格奸。”帝曰：“我其试哉！女于时，观厥刑于二女。”厘降二女于妫汭，嫔于虞。帝曰：“钦哉！”

帝又开始讲，还是对四岳说的，哎呀，我在位已经七十年了，这么长时间了，你们几个谁能接替我的职位，继续管理这个国家？这四位显然德高望重，可是说呢，"否德忝帝位"，我们这个德行鄙陋，不行，不足以做天子。

尧就说："明明扬侧陋"，大家就开始向尧禀报，"有鳏在下，曰虞舜"。啊，我也听说了，怎么样？他父亲眼瞎，他就是这个瞎眼父亲的儿子，是后母，母亲对他非常差，他那个弟弟非常顽劣，这一家人对他没有好的，可是在他的处理之下，家庭和谐。大孝子，"以孝烝烝"。现在要找的不是处理某一个方位的问题，某一个职位的问题，而是说谁能替代我。最后，在民间举起来一个孝子。他为了检验这个孝子，您看，这个做了七十年天子的人付出了多大的代价。就是说让自己的孩子跟他一块行政，把自己的两个女儿嫁过去做他的太太，看他如何齐家。考察了相当一段时间才说，不错，确实合格，把帝位让给他。这就是那段历史。

南方有一种竹子，据说就是娥皇女英哭舜帝南巡死于衡山（就在湖南地界死的）留下的眼泪，滴到竹子上，然后形成"湘妃竹"。那个竹子非常漂亮，但是那是当年尧帝的两个女儿的眼泪。这就成了传说，传了很久的事情，传着传着就成了传说，传说里面有真义，也有以讹传讹的，需要我们提高警惕，到底哪一个是真的。

好，时间到了，下一讲接着讲。

（四）

丁酉正十月廿二　2017年12月9日

　　本篇是进入冬至前的最后一讲，作者提醒我们一定要注意冬至开始后三十六天的保精期。尧舜禅让，千古佳话，从作者细致的讲述中，我们了解尧对舜从推举、考察、培养直至帝位交接，可以说尽在帝尧的掌控之中，体现出了尧高度成熟的政治智慧。

冬季养精，重在收藏

尊敬的各位同胞、各位同人：

大家上午好！

我们这一讲是《尚书》第四讲，也是进入冬至之前最后一讲，再开讲，就应该是快到春节了，具体的时间我们和书店的同人再商量。正常情况下应该是到二十三日，也就是冬至二十二日第二天，那一讲讲完，然后我们正式地进入冬季三十六天的保精期，这些年每年都这样。今年之所以提前两周，是因为我个人的事务堆积到一块儿，为了更好地把必须要做的工作，起码完成任务，所以就提前两周进入冬天的"休眠期"，东北叫"猫冬儿"，我们叫"养精期"。

从冬至开始往后三十六天，也就是五周的时间，大家都应该以极大的重视程度来对待养精这件事情。天有三宝，古代说是日月星；人有三宝，就是精气神。而精是最主要的人体能量，我们所说的气、所具有的神，都是由它转化而来，所以最根本的就是自己的元精要保护好。恰恰冬季主收藏，这一冬收藏得好，来年春天的时候就有的生，夏天的时候就有的长，然后秋天的时候就有的收，正好一年扣头儿，这一个轮回又回来，人可以和天地四时相保。

在过去四年的《论语》讲座当中，我们把《黄帝内经》的内容，把上古道家传承下来的一些内容，还有我自己修学过程当中的一些体会、经验、教训都跟大家讲过。年轻的孩子们可能不觉得有什么明显的差别，就是我现在熬一天、熬两天，网上挂一晚上或者是追什么剧一连看了几天，然后补一觉，没觉得自己有什么欠缺；可是按照《黄帝内经》的说法，女子三十五岁以后，男子四十岁以后，如果没有道家"添油续命"的传承、修炼，那可能就会感觉到自己体力不支。我们一再地警告年轻的朋友，注意一下现在整体的统计数据，老年病已经向青年人侵袭。根本的原因就是过早地在所谓的现代生活中把自己的精气神消耗了，你的库存相当于一个老年人的库存，再加上不觉得自己是老年人，青年人该做的事儿还肆无忌惮地去做，所以就发生了很多年轻人猝死的现象，就是一下子把精力耗光。

因为我这些年总是工作安排得超出自己的负担能力，我本身是学财政的，中国财政里面根本的原则就是量入而出。而我们现在往往就是现代财政，它还有一个赤字的安排方法：不够，借。那我们这个精力向谁借呀？向天借，向地借，向我们文化的修行功法来借，但终究不是长久的办法。所以这就是我跟大家报告，说这几年我一直是处于往回补、往回养的阶段。前一段时间去雄安参加一个会议，会上有人说好像我比实际的情况要年轻，要好一些。我说我很惭愧，如果我在二十六岁的时候很遵守规矩，那不会像今天这个样子，会好很多。

现在是没有办法，就是双线作战：一方面，开口讲；另一方面，长时间地校稿、写书、预备出书。今年提前半个月，已经是几件非常重要的事情聚合到一块儿了。以前一直在听讲座的同人可能有所了解，我们现在的讲座是和新华出版社合作，讲座的内容将成为以我名字命名的国学大讲堂那套书籍的出版内容，这要保证它的出版。现在出版社等着《孙子兵法》、《素书》和第二本《黄帝内经选解》的书稿，也是近期要完成的，这是第一项；第二项呢，和北京电影学院、北京青年电影制片厂要合作拍片，以电影大银幕的方式向全球传播中华优秀传统文化，这是以现代的手段讲好中国故事，那我始终欠着剧本没有交；第三项，中央电视台一个很成熟的栏目等着我的电视拍摄脚本，只要我这边写好了那面就开拍，编导说他们的栏目有几个亿的观众，就是各次调查没有低于一个亿的，那是非常大的群体，要全力以赴地去做；第四项，就是上周的事情，某研究院的某院长发出邀请，要求我交一部关于中国学派的书稿，这部丛书的作者均为海内外的华人，既然提到中国学派那我就责无旁贷，已经干了好长时间了，交一本书稿在里面也很有必要。这四件事情任何一件都需要全力以赴，而我觉得要在几个月之内同时完成，确实是一个极大的考验。那恰好赶到冬季，本来我们就要休冬、猫冬、养精，所以就提前跟大家报告一下。我们的讲座应该最快也得是明年一月下旬才能开始，如果赶到春节之前即将放假，那么跟书店的领导商量一下，看看开还是不开，如果要是不开的话，我们再见面就已经是春节之后。所以这一讲，先给大家拜新年，祝大家新的一年身体健康，身心愉悦，事业发展，家庭和睦，万事如意！在尽可能的情况下，把自己照顾好，作为一个弘扬传统文化的中坚力量，别人一看到我们的精神状态，就对中华传统文化充满了信心，祝福大家！

嫁女考察，或有玄机

我们接着看《尧典》最后一段，上一讲讲到尧帝听说舜是一个大孝子，自己的部属、臣僚也向他推荐，他就决定试一试，看看这个人到底怎么样。他试的方法，让我始终不能理解，在座各位同人，包括将来看到视频的海内外的同胞们也可以想一下：你想检验一个人品行是不是合适，能不能承担大任，假如你有两个宝贝女儿，你是否愿意把自己的宝贝女儿都嫁过去？在古代可以嫁两个人给一个男子，现代只能嫁一个，那你是不是会挑一个女儿嫁过去，说看看他怎么齐家？这件事情我们自己能不能做？我从最初看到这个经文一直到现在，我都没有很好地理解清楚尧他老人家到底是一个什么样的想法。距离我们现在四千一百年以前的历史了，这件事情本身一定是真实的，但他内心到底什么样的想法呢？

尧肯定有德行、有能力，你想他在位七十年的时候找继承人。那尧做了七十年的天子，对天下人来讲都已经习惯了，他要找一个继承人，什么人能够替代他？他说诸侯的首长四岳，在上一讲我们交代过，就是南岳衡山、西岳华山、北岳恒山和东岳泰山，古代应该是泰山的这一岳为尊为长，居东方嘛，他们说自己德行否陋，不足以继承天子位。说那就再找。找的时候大家注意看，尧有一句话记录在里面叫"明明扬侧陋"，我们翻译过来，或者按照古注，综合现在，就是说找地位高的贵族，现在就担任重要官职的可以；那些在民间地位低下的、出身很穷苦的贫下中农也可以。这是他的提示，就是什么人都可以。

那么，我们能不能够通过这句话推想一下，这不是妄猜，推论一下，尧是不是当时心中已经有数了，只不过出于政治的考虑，稳妥安全性的考虑，做得非常谨慎。因为再上溯一段经文，他说谁可以做管理四时的官员，人家推荐他儿子，他说不行，这家伙说话不可靠，还好争辩，品行不行。知子莫若父，他不同意。而《史记》里面说得更加清晰，把天子位和重要职位传给他，他自己当然得利，但天下人受病；如果把天子位传给舜这样的人，也就是有德行、有能力，使天下人福荫的大德，那么天下人得利，不愉快的（所谓那个"病"字形容一下）只有他儿子。两害相权取其轻，两利相权取其重，他只能选择利益天下人的方案，就是不给他儿子。

第二次，他说谁能解决现在这个洪水的问题，有人推荐共工，他说共工这人也不行，表面上看上去很恭敬，实际上对自然有轻慢之心，这是第二次，等于做天子的给否决了。然后底下人又推荐一个人，就是鲧，这是第三次，他也不同意，可是底下这些臣僚再一次进谏，说你试试吧，不试哪知道。事不过三，做天子的你不能一而再，再而三地把底下人的意见全部否掉，可能逼得他也没办法，那就试。还警告一下、督促一下，"钦哉！"就是一定要小心、要慎重。等了九年，这个水患也没治好。后来的事情大家也都清楚了，是由大禹来完成的那次治水。通过整个儿的这种过程，我们上一讲就分析过，尧对于周围的人认识得是不是非常清晰？是什么能力、什么缺点、能不能担任这个职务，实际上他是很了解的。

最后这一问，可不是某一方面的官员，就是谁能替代我。从当时这个情况看，他年纪是很大，但是耳聪目明、身体硬朗，或者说精神矍铄，这都没问题，他自己提出我要退了，然后跟四岳讲，你们能不能替代我，四岳说我们不行，尧也没再坚持。你看这个对话，尧没有再说我觉得你们四岳当中谁行，不要推辞，或者他应该说那我们试一试行不行，就像试用鲧来治水一样，试个三年两载的有什么不可以？不是这样。尧这一说，他们一谦退，尧也不再坚持。那我就有理由去推想，在尧的心中其实并没有真的看好这四位诸侯的首领。错了我个人负责哈，是小人之心度君子之腹。

这是读经文，品味一下，也可能是一种政治试探，看一下跟自己最接近的这四位主要领导人有没有这个想法，或者我们今天的词汇叫政治野心。如果一说，四个人都举手说"我行，我行"，就像现在民主选举似的，最后说那就开一个选举会吧，就像我们现在很多单位的竞聘上岗。你什么方案，经过组织部门考察，你具备这个竞聘资格，那好，编上号或者抽签，一二三四，上去讲，在座各位全是评委，听上面的人讲他的施政方案。这等于是进行一次现代的民主选举了，然后投票，最后由党委会讨论通过任命，这才完成一整套的选拔任命程序。我想古代也差不多，只不过形容的词汇跟我们今天不一样，其政治实质没有差别，就是要考核、考察一个人。

接下来我们再体会这段经文，他说既然你们认为不合适，那就推荐人吧，民间地位很卑微的也可以。他这么一说呢，大家还真推荐出了一个。当时已经是庶人，但是血统其实也很高贵，是轩辕黄帝的九世孙，颛顼帝的七世孙，跟尧也不是没有血缘关系，您仔细翻看司马迁《史记·五帝本纪》里面显示的内容，说明他们都是大概在刚刚要出五服的那个样子，属于远亲。然后说这个人了不起，在一个不正常的家庭里面生活，能够齐家，有孝子的美名传出来。在他居住的地方，一年成聚，聚落；二年成邑，小城市；三年成都，他在一个地方待三年的话，这个地方就会成为一个都市。就是所有人向他靠拢、向他聚集，了不起！大家注意，底下人介绍完情况，就相当于是人力资源部的总监跟老总递交了一份人才选拔的报告，说这个人行。紧接着尧就说，我也听说了。他不是不知道这个人，但是他并没有提出说我知道有这么一个孝子，你们去考察一下。他不吱声，你觉得你不行，那你觉得谁行，大家民主推荐，海选，然后推荐上来一个人，他说，这个人我也听说过。

帝尧选人，深谋远虑

我认为通过学习经文，我们能得出一个结论，他老人家绝不是没谱儿的人，能够做天子的人，怎么是心中没数对未来没有考虑的人呢？那当下要交班，一定得找一个合格的人！所以我认为这段短短的对话，体现出来尧高度成熟的政治智慧。我老了，你们四位看，商量一下，谁来把我替代了，你们接着干。他们说我们不行啊！你们不行啊，那我们大家一起找吧，哪怕是民间里面出身很卑微的人都可以，推荐一下。这就等于发话了。

尧的都城，中原地区，老家在山西地界，是吧？真应该考察。我跟大家介绍过一次，2013年，我从香港直飞太原，给山西省人民银行（大区划管理以后叫太原中心支行）去做讲座，时间安排上我没时间回大连，就从香港直接飞到太原。讲完以后，负责组织的领导说，老师讲完了，晚上吃个饭吧。吃饭当然不能全班都来，因为有纪律规定，那就找三个代表吧，他就叫了三个同学代表全班同学"陪老师吃顿饭"，据说没有什么特意的选择。结果坐下以后，一介绍，三位学生代表，分别是来自尧、舜、禹的家乡所在的人民银行，听得我目瞪口呆。我说怎么回事儿，太巧了！成心想这样安排可能都做不到。为什么前些年我突然意识到对于进入传承这件事情有一种震撼的感觉？就是很多事情的发生，事后一想，就觉得成心去安排都安排不那么妥当。所以，尧、舜、禹是在中原地区成长起来的。那么尧当时跟大家讨论，也就是说在中央的地方决定这件事情。

考察重点，齐家为政

得到意见以后，用我们现在的话说，舍不着孩子套不着狼，（现在说，那个"孩子"不是孩子，是四川话"鞋子"的意思，这是另外给我们的解释）尧真是不遗余力，按照《五帝本纪》的叙述，让自己的儿子跟他成为朋友，考察，看这人行不行，他不止丹朱一个儿子嘛！然后让自己的部下，也就是百官，和他一块儿处理政事，看看大家的民主评价。最不可思议的就是《尧典》最后这一段，就是让大家着重看的，上一讲我们也简单说了几句，"吾其试哉！"那我得试一下。试一下，我们说无非就是派出工作组、调查组侧面考察一下，或者是找人谈话，在不知情的情况下，不预先通知的情况下，派出几个小组，分别就他以前接触的各个人进行了解，这是我们今天常做的一种方式。但尧不是啊，除了让儿子跟他做朋友，让自己的部下跟他一起去处理政务，又把两个姑娘嫁过去。就这一点，我认为更加能支持我前面的推断，他老人家观察这个舜可不是一天两天，一定是说已经心里面确定了，所以把女儿嫁过去。这个人应该没问题！

他了解丹朱、了解共工、了解鲧了解得那么准确，那他看舜能看走眼哪？为自己的女儿挑女婿，他能不下点儿心思啊？起码得达到平均的认人水平吧？做天子做了七十年的人，什么人没见过，那诸侯合格不合格，他不都了解嘛！按照后面的经文，舜接班以后，五年天下巡视一遍，那尧也不会悬着呀，这个制度也不是凭空来的。他对天下的了解起码不比舜差吧？睿智的程度、德行的程度显然还高于舜。所以各方面推论，我认为尧在向部下征求意见的时候，已经对舜考察了相当长的时间。只不过就是他没有跟任何人提起过，因为找接班人这件事情要是透露消息的话，会给考察对象带来相当大的麻烦。

按照电视剧的写法，考察一个人，都不排除故意制造一些麻烦，检验这个人的品行。扔给你个美女，看你色关过不过；给你一大堆财富，让你中彩票，看你面对巨大的财富动不动心，如何保持自己的人生定力；甚至派出人故意找他麻烦，看看他是如何对待突发事件、意外事件，都有可能。那我们不知道，我这当然以小人之心度尧之腹了。但是我认为他一定是打听过、了解过，所以才这样做。否则的话哪有说把自己姑娘嫁过去，说不行，不行再收回来啊！？不行再到法院去打离婚诉讼官司吗？天子做事哪有那么不靠谱啊！所以我认为他是百分之百地认定了这个人绝对是一个大德之人，品行过关，女儿嫁过去没有问题。

所以，"吾其试哉！女于时"，这三个字呢，我比较过多个版本，其中有的说第一个"女"字是一个衍字，多出来的字，衍生出来的，没实际意义。什么意思呢？哦，这样的话，我试一下，于是，他就把两个女儿嫁过去，去观察舜如何齐家。"观厥刑"那个"厥"就是我们说的其，把它置换一下就能明白它的意思。观他的法度，仪法。那个"刑"，有的书解释成法，还有仪轨，就是立规矩，家规家风是不是有规矩。那黄帝的女儿、天子的女儿，嫁到民间，要守过去的家庭伦理的规矩。所以我特意为这事儿也看了看《郭子仪列传》里面，民间传诵的那个《打金枝》，不就是因为夫妻俩吵架，郭子仪的儿子动了皇帝的女儿嘛！夫妻俩吵架，你跟她动手，是你的妻子、太太不假，那可是皇帝家的女儿啊，在朝堂上那是君臣关系，这比较麻烦。所以我就看里面到底应该是怎么来处理这个事情。原来在家里面还是按家庭伦理，就是媳妇儿见到自己的公婆，要行见公婆之礼；可是一旦到朝堂之上，那就是君臣关系。所以这也是比较别扭的一件事情，处理起来也要很小心。就这样，尧把两个姑娘嫁过去，一试，舜齐家的工作做得也不错。所以下面就进入《舜典》。

曲折传承，汉学兴起

台湾地区这个版本没有《舜典》，就是老的版本，伏生本，传下来二十九篇，没有《舜典》，与《尧典》在一块儿。我另外这个简体横排的版本就已经截成两个部分，到"帝曰：'钦哉！'"以前为《尧典》，以后的部分就变成了《舜典》，等于是两篇文章。这是怎么来的，我们还得简单地说明一下。

《尚书》的传承不说多灾多难吧，反正是非常的曲折，我们今天能够看到《尚书》非常不容易。除了大家熟知的我们已经简单介绍过的秦末战乱，伏生（也就是那个伏胜，尊称为伏生）为了躲避战乱，把书埋到墙壁里，跑了，战乱平息政权稳定以后回来，找这个书，残垣断壁，百篇本的《尚书》只剩下二十八九篇的样子。他就以这个本子作为教材教学。这个本子是由当时的字体隶书书写的，所以叫《今文尚书》。今文，就像我们现在说的简体字，你一看就是现在的这个字，如果是繁体竖排，比如说宋代的版本，那就是古书了，古文。

《史记·儒林列传》上记载："秦时焚书，伏生壁藏之。其后兵大起，流亡。"藏起来了，他就认为这书绝不能烧了，埋藏到家的墙壁里面。后来，战乱太严重了，在家里面可能待不住，就得跑。一说古代的事情，我们往往难以想象。你想象一下当年日军攻破南京城的时候，不是很多人随着政府迁到陪都重庆嘛，所以战乱到一定程度，你想待都待不住，所以就有流亡的事儿。

"汉定（汉家政权定下来），伏生求其书，亡数十篇（数十篇没有了），独得二十九篇，即以教于齐鲁之间。"就在山东大地，包括河北那一块儿，齐鲁之间，他就用剩下来的这二十九篇教学。

后来为什么有汉学呢？就是因为焚书之后，很多经典没有了，找回来的残缺不全，为了补全这些经本，就得从残存的经里面去找，他有引用的，引用的哪一篇，慢慢地核对，把原来那个书再合起来。还有一种方式，假如说我们在座的都是那个时代的人，小的时候都念过书，都有私塾，都有老师教，我们都有童子功，你背过《论语》，他背过《尚书》，他背过《诗经》，以此类推，十三经我们在座都有能背诵的。有的只能背诵一卷、一本、一部，有的大概这十三经都能背一下。但是你知道，时间一长，会不会有忘的情况？即使是当时大家一块儿背诵，那所依据的版本也会有不同。就像我们现在讲，我手里拿着三个版本的《尚书》，大家拿的这个版本跟我拿的也不一样。字词句之间，包括注音，常常都有差别，对不对？所以一背出来说，你怎么发这个音，或者没这个词啊？这中间会发生什么情况？到底哪一个对？那我们校正一下吧！所以就是考据、训诂这一套学问发展起来，就成为汉学。所谓的汉学就是这种校正词句、校对经本的学问，结果被当作中华民族文化的核心文化，是不是一种误解？是！

到了清代，文字狱大兴，你随便发表见解就容易被杀头，杀自己的头还没关系，好汉做事好汉当，可往往株连九族，八竿子打不着的孩子、老人也得被杀头，读书人就觉得这事儿不能干了。那也不能闲着，干点儿什么事儿安全呢？我就校正古籍吧。每天就干着这个字是不是应该是那个字，这一套活儿又兴起来，叫朴学，朴素的朴，又来一套学问，在乾嘉的时候特别兴盛。

我们过去一百年间，流行的国学以此为主。就是从史料、史籍当中和出土文物当中去考察，全都是这样的学问。它会拯救中华民族国运衰退的运势吗？显然不会啊！只有文字本身的这个精神被人践行出来，发展成现实的战斗力、凝聚力，才能把中华民族挽救出来。完不成这样的历史任务，光靠古籍是做不到的。所以，这是伏生当年保护《尚书》，因为任何一个读过《尚书》的人都知道，要保护我们民族的历史，了解中华民族上古的传承精神，这部书就绝不能丢！

天下安危，一人担负

上周末，我对尧传舜的一句话，突然之间又有了新的悟处、了解。讲《论语》都讲过，讲到"咨！尔舜！天之历数在尔躬，允执其中。四海困穷，天禄永终"。《论语》毫无疑问被认为是确凿的版本，大家对它的真实性没有怀疑。那就是尧确实对舜说过这句话，史官记录下来。我新的悟处是什么呢？就是要讲出来还是跟我当时讲的话语没有任何区别，可是自己领悟的深度不一样了，一下子就感觉到很震撼，其实质无非还是天人合一观。

我们回想一下这两周讲的《尚书》经文，在《尧典》第二段里面"钦若昊天，历象日月星辰"，对吧？尧的施政不是乱来的，是通过测定天体运行的精准规律，颁布历法，为人间立法，开始自己的行政工作，所以叫天人合一。这是中华文化最伟大的地方，不是人编的，是根据天象来安排人类的生活。当他跟自己的继承人说"天之历数"——上天日月星辰运转的那个历数、规律——"在尔躬"。什么意思啊？在你的身体上啊！这就是天人合一的秘密，谁证谁得；不证，永远是看资料，永远是听人说。

最近又传出一个问题，某某书院打着给孩子戒网瘾的名义，进去以后就关禁闭，是吧？我看网上介绍的资料是这样，现在警方已经介入调查，因为有学生已经正式地出具法律文件来告这个书院。进去就给关禁闭二十四小时，谁给它的权力？莫名其妙。现在有一些人打着复兴中华优秀传统文化的幌子或者复兴国学的幌子，他们到底要干什么呢？其目的那得看他们的行为才能知道。他们到底要干什么，我们也不评论，我们只是说传承中华文化应该怎么传承。我们强调就是身体力行，体会，用身体去明白一次。

"天之历数在尔躬"，就是天体运行的状况，跟你的身体是两个事情吗？不是啊！我们一定要明白春夏秋冬在我们身上运转着，不要以为那是身外的事情。观察自己身体的变化，体会自己身体的变化，才是体会天道，就是自然规律。还是要有真实的修为，我新的悟处就在于这句话："天之历数在尔躬"，不要向外找，不要向外求，一人担负天下安危，天子就是有这样的责任。

这是介绍伏生为什么要拼着命保存《尚书》，我们又多牵扯出这么几段话，跟大家说明一下。真正的文化精神保存在经典当中，要把它读活，把这种精神安装在自己的身体当中，就像电脑硬件开始执行一个新的操作系统一样，把它激活，它才会有作用。否则的话，以为穿个褂子就是中国传统文化的代表，传承人啊？不是胡说八道嘛！要是那样的话，戏班的人全都是真人、至人、贤人，都那个打扮，就完事儿了，对不对？还用修什么修？以为搞书院不叫校长，不叫教导主任，起个什么名字？叫山长，那就是传统文化的代表啊？莫名其妙。一个时代有一个时代的变化，称呼，已经过去了的东西，不要硬生生地把它拽回来。我就不觉得书院叫山长，那里面就有学问。叫教导主任不行啊？叫教务长不行啊？大家都已经习惯了这一套语言，好，那就遵从它。至于你写文章考证，说我们古代历史上那个书院，主要的管理人员他不叫院长，他叫山长，好，我们也能理解，就是整个山，比如岳麓山建了一个书院，不直接称呼当下这个书院的名称，就是这个山，他是做长的，是有文化含义在里面。我们今天在这个楼里面租个房间，然后就起名叫"山长"，我说叫楼长都比山长好听。做事情你要不合时宜，就让人侧目。就是不化，没与时偕行，一定会出问题。

孔壁《尚书》，不成官版

接着往下介绍这个版本，《今文尚书》保存下二十九篇，主要传承人伏胜，尊称他为伏生。后来，汉武帝末年鲁恭王，汉朝也是封王的，鲁恭王要装修，准备拆除孔子旧宅。换作今天，你想我们得多可惜，孔子他老人家的旧宅你砸它干吗呀！没眼光啊！留下来开辟成旅游景点，收票，参观一次一千美元，这是对国际上的定价，国内定价用人民币计价，爱看不看。但是我认为要看的人一定排队，你知道吗？如果孔子旧宅保存到今天。如果阿房宫不被一把火烧掉，留下来，还在咸阳那个地方，每隔二十年，把木料一换，还是原来那个样子，收票，两千美元！你想想看，我们历史上的战乱糟蹋了多少好东西！

鲁恭王就说得扒，他这一扒，扒出个好东西，在墙壁里面发现一部《尚书》，共四十五篇，是用先秦古文字写的《尚书》。那很显然啊，孔子他家那个墙壁里面藏的先秦以前的古文字的《尚书》，这个版本比《今文尚书》也就是伏生本还要可靠，对吧？这是宝啊！我们看，因为是孔子住宅的墙壁中发现的，所以世传叫"孔壁本"，就是孔家墙壁版本《尚书》，简称孔壁本《尚书》，或者叫"壁中本"。由孔子的第十一代孙孔安国（记住这个名字）对《古文尚书》进行研究。发现四十五篇中，二十九篇和"伏生本"基本相同。两个版本基本相同，那就意味着二十九篇以外那十六篇是真的《尚书》，而且是更可靠的。所以他用隶古字写定送到官府，做了传，重新抄一下。先秦古字不一定所有人读得懂，就用当时流行的隶书，写了一下，送给官府，现在我们说送给有关部门。"伏生本"是秦朝官定的版本，现在发现这个，上书朝廷，应该也成为官定的版本。但是碰到什么事件？汉武帝的巫蛊事件。

这事件特别惨。简单地说就是有道士，一望，长安有天子之气，那不对呀，除了汉武帝还有谁有天子之气？然后说你立的太子，想要你早点儿死。巫蛊嘛，弄个小人儿，然后天天拿针这么扎它。大家看电影、电视剧都看过这种情节的介绍。结果那个昏聩的汉武帝下令杀了太子全家。太子都做爷爷了，就是被封为太子的汉武帝的儿子，他本身都已经当爷爷了，然后把太子的全家杀掉。后面的故事，我也多次在全国各地讲过，连那个小婴儿都不放过。最后郭穰执行命令，在狱门口儿要求开门，当时的监狱长丙吉就拒绝开门，两个人就僵持在那儿。丙吉就说，无辜的人都不应该被杀，更何况他是皇曾孙，是汉武帝亲生的儿子的亲孙子，皇曾孙，第四代人，一个襁褓当中的婴儿，他有什么罪过！我就特别佩服这个丙吉，要知道在那种情况下抗旨不遵，不光是自己杀头，有可能灭九族。他居然说我就不给你开门！这个孩子你杀他干什么！僵持一夜。天亮了，传令官没办法，回去向汉武帝复命，说没杀了这个孩子。混账的汉武帝这时候大概也清醒过来，没杀没杀吧，算了。这个孩子就被留下来。但是他父亲母亲、爷爷奶奶全被杀掉了。

丙吉利用他自己的人脉关系把这个孩子保存下来，抚养他成人，然后，给他找到媳妇儿，就是后来的许皇后。最后，在皇家没有传承人的时候，他向辅命的大臣霍光推荐皇曾孙，已经十七八岁了，通经论，有美才。他是用《诗经》培育起这个孩子，在民间长大，知道民间的疾苦。所以一个时代，如果能够赶上一代领导人从小在民间吃苦长大，大家就幸福去吧！他在民间体会到大队部旁边那些厕所又脏又乱，他自己去砌，收拾干净。很可能几十年以后，他就说收拾农村，进行厕所革命，那也是很正常的事情。他知道民间的疾苦，很不容易。

这是汉武帝巫蛊事件，这一下子等于国家政治生活发生了巨大的变动，哪有时间管你什么《尚书》哪个本儿叫什么，算了，没工夫。所以没列为官府官定的版本，只在民间流传。那么《尚书》到了唐代的时候，经过这么长时间的流传，竟然没有了。唐代流传的是伪《古文尚书》。怎么来的呢？就是《今文尚书》始终是官定的版本，《古文尚书》的命运一直比较多舛，只是在民间传习。汉朝的末年由刘向的儿子刘歆力争立于官学，进入学宫。到东汉初年，又被取消了。我到现在没查着为什么被取消。到魏文帝曹丕的时候，《古文尚书》重新得到国家的重视，那已经是三国时期，《古文尚书》也就是孔子墙壁当中发现的这四十五篇《尚书》得到国家的重视。西晋发生永嘉之乱（这历史事实大家回去查），《今文尚书》失传，就是官定的《尚书》竟然失传了。我们这个历史太长了，有些事情也莫名其妙。官定《尚书》就是所有学生人手一册，它怎么会失传呢？它就没有了。剩下《古文尚书》。到南北朝时候，《古文尚书》仍然盛行，可是隋唐的时候被伪《古文尚书》取而代之。

伪《古文尚书》怎么来的呢？在东晋元帝司马睿执政的时候，豫章内史（豫章，注意这两个字，好像被借来作为某书院的名字，是吧）梅赜向朝廷献了一部孔传《古文尚书》，四十六卷五十八篇，除《舜典》一篇外，每篇都有孔安国的注。据他说这部《尚书》是魏末晋初的学者郑冲传下来的，郑冲怎么得到的《尚书》就没有说。后世考证他这个《尚书》有很多是伪造的，现在已经成了定论。我们看到四十六篇版本的《尚书》相当一部分都是伪造的。这里面哪些是伪造的或者是真伪夹杂的呢？说几篇大家特别熟悉的，比如说《五子之歌》，比如说《大禹谟》，比如说《太甲》上、中、下。有好多的词句，"民唯邦本，本固邦宁"这些个字句，还有"人心唯危，道心唯微，唯精唯一，允执其中"出自《大禹谟》，里面有真的，可能也有假的，分辨不清。就是现在这个版本，你要想把每一句后填上去的全都弄清楚，就非常麻烦。

这是讲《舜典》之前，简要地跟大家说明一下《尚书》传承的这么一个过程，我们今天能看到这一点儿《尚书》也不容易。然后里面还有一些假《尚书》，就是后人添上去的。这个添上去的呢，也未必目的就不好，但是我们的经典传承就是宁可认为这个字是通假也不要去改，就是流传过程当中保持它这个版本的原貌。字明显错了，也说是通假字，后世，这个字不那么用了，由另外的字代替，也归于通假字，也不去改动。所以这种改动，让我们非常困惑。最初几年读《尚书》的时候，读得我心里面就非常憋闷，老想搞清楚这《尚书》哪一句是真的，哪一句是后添上去的，特别累不说，心情也不高兴，就是不舒畅。不像读一些好的经典朗朗上口，读得心喜，不能说若狂，好东西没法向别人分享，不可为外人道也，那么个状态。但读它就不一样，郁闷了好长时间，终于下定决心，即使它真伪夹杂，但里面毕竟还有真的，我们在去伪存真之前，先把它了解个大概，然后再去做下一步的工作。

文章天成，一气贯注

舜典

曰若稽古，帝舜曰重华，协于帝。浚哲文明，温恭允塞，玄德升闻，乃命以位。慎徽五典，五典克从；纳于百揆，百揆时叙；宾于四门，四门穆穆；纳于大麓，烈风雷雨弗迷。

帝曰："格！汝舜。询事考言，乃言厎可绩，三载。汝陟帝位。"

舜让于德，弗嗣。

好，如果你手里拿的版本有《舜典》这一篇，那么就看，如果你拿的《尚书》是老的二十九篇那个版本，没有把《尧典》分成两篇，你就注意听我先把加上去的这二十八个字，读给大家听。

这二十八个字是由齐明帝时期姚方兴所增，什么时间，谁增加上去的，都已经查清楚了。我念给大家听，"曰若稽古，帝舜曰重华，协于帝。浚哲文明，温恭允塞，玄德升闻，乃命以位。"接下去"慎徽五典"，大家就能找到了吧？如果您的版本是连续的就没有这二十八个字，"帝曰：'钦哉！'"之后，接着就是"慎徽五典"。分开的，加入了这二十八个字。

"曰若稽古"，显然是仿造《尧典》开篇，同样，按照我们这一次解释《尚书》的所持观点，我们通过考察上古的事实，这样讲，写下来后面的内容。"帝舜，曰重华"，他加在这个地方合适不合适呢？不合适。为什么不合适呢？这个时候舜还没接帝位，还属于考察期，考察期还没结束呢，他直接就在这个地方加入"帝舜曰重华"。如果我是那个要往中间加字的作者，我不会加在这儿，这是我自己写文章的体会。因为好的文章一气贯注，从前到尾逻辑清晰、语言流畅，从头到尾这一件事情说完，非常舒服。读着读着，哎，停下来了，或者说语言不那么通畅了，你就觉得别扭。这件事情就说明写文章的人要么被打断了，要么被人添进东西了，文气不对。你要是能感觉出文章里面有气的存在，哎，这个文章写起来可能像点儿样子，说明写作进入了一个新的状态。

一气呵成，那不是空洞洞的形容词，是真实的写作状态。所以为什么写作的人最好闭关，写完再出来，像路遥写小说《平凡的世界》，找个地方跟外界断除联系，直到写完。我写某些重要的文章的时候，也是这样，找一个宾馆，文章写完我再出来。只有这样做才能保证你自己写的书是一个不受打扰的状态。我也不怕大家骂我王婆卖瓜，大概是2012年的时候，就是第一本书《中国经典经济学》出版不久，我在校内碰到几个大学本科的学生，一个女同学跟我讲，她说老师我把这本书带回家给我妈妈看了，我妈妈跟我讲，她说这个书好像作者是在定境当中写出来的。这相当于是夸我，那我就反思我当时是什么状态。跟大家交代过，那一段时间，十个月，不怎么出门，每天除了下楼，像下课休息一样，呼吸呼吸新鲜空气，就是做这件事情，没别的事情，抛开一切。所以，可能某些段落就让她感觉到写作的状态是连贯的，心是比较安定的，没其他的想法。

如果你的小孩子，正是初中以上的状态，可以跟他说一下，就是看人，他能定多长时间，就有多大的出息。对，定力。因戒生定，因定生慧。很多人不服气，到虚云大师那里去挑战。我记得跟大家介绍过，有一些年轻的禅师，觉得自己疾风转雨、滔滔不绝，去找虚云大师，要挑战，把你干倒，我不就是天下第一禅师嘛，对不对？你看他这一念就不是学圣、学佛、学道的人，那就学错了！大师怎么处理的，虚云大师说我也不跟你辩论，说我也说不过你，咱俩就坐一会儿吧！他坚持自己的错误理论你能说过他吗？说过他也没有任何意义。好，坐一下行不行。这个例子还记得吧？大师一坐七天，入定了；他坐四个小时腿疼得受不了，起来绕。最后，七天实在受不了，拿引磬把大师叫回来，耳边磨。出定以后就请教，那个请教还是不服，你就呆呆地坐着，和木石有什么区别？大师就回答他，跟木石有什么不同，知不知道，心里怎么想，全都告诉他，所以这回看明白了。

写文章也是这样，当你自己修到了，你看这个文章，有多少是真的，有多少是假的，也可以看得差不多。为什么我说这个周末对《尧曰》里面的第一句话又有新的感悟呢？只是因为在书群当中多看了你一眼！回眸的一瞬间，突然发现这句话里面隐藏着以前根本没读出来的深意！"深入经藏，智慧如海。"把某些经典的语句，挂在脑海当中，反反复复千百遍地去重复，说不定哪一天豁然开朗，一下子贯通，就出来了。真的智慧就是在自己心情清静的状态下自然涌现，你心有多清静，智慧就有多高。否则的话，就被自己所有污染的念头障碍着，出不来。当你放下那些污染的念头，灵感就来了，智慧就来了。

《中庸》里面讲至诚可以前知，再跟大家说一遍，你心是不是至诚？什么叫前知？说破了，就是董仲舒做到的那个状态，他就可以前知，后来不敢说了。预测大家知不知道？为什么他可以做到那一点，至诚可以前知，是灵感来了。所以一些好的老师说，"十世古今，始终不离于当念。无边刹境，自他不隔于毫端"。这个古代的话你不理解，你读读广义相对论的结论，就是时间跟空间不是那么恒定存在的，时间跟空间是物质的存在形式，当物质转化的时候，时间空间，也就是时空，也就是世界，也就是宇宙就变化了。是相对论嘛，这是特别特别重要的！所以根本就不相隔，不相隔就知道嘛！

说他这一段加在这里不合适，这是我通过自己读书的经验，从一气贯注写文章的角度；还有，舜还没有接任天子位，就加入这一段，我们认为不合适。当然大家有自己的观点，您看看在哪儿断，断得合适。

重瞳帝舜，智谋超群

"帝舜，曰重华"，这句话仿造前面的"帝尧曰放勋"来的。"放勋"，我还没查到他为什么叫放勋，但是"重华"有一种说法，就是大舜是重瞳子，大家听说过吧？有听说过的，有没听说的。重瞳子就是有双眼仁儿，这个没听说过。香港拍了一个电影，叫《双瞳》，在颁奖典礼上，我看过影片几个简单的镜头。我们现在眼对眼都能看见，你能看见我的瞳仁儿，我也能看见你的瞳仁儿，然后我眼睛一转，你看到我这边是眼白，对不对？他那个眼珠子叽里咕噜转过来以后，你看着一个瞳仁儿转过去了，又出来一个瞳仁儿，挺恐怖的，是吧？就是你的眼珠子里面会有两个瞳仁儿，瞳孔，叫重瞳子，所以他这个名叫"重华"。我们说精华精华、眼睛眼睛、元精元精，那个精是你肾精的体现，在最中央的那一汪水，所谓水汪汪的大眼睛，最重要的是指中间的那个肾水，色黑，尤其是中国人。重瞳子，那说明这个人叫天生异相，他是不是能看两个世界，不知道。

我特别想看香港拍的那个电影，但不知上哪儿找去，不知道网上有没有，确实拍摄得很真，就是现在的模型做得很像，眼睛一转，看着一个眼仁儿过去了，紧接着就又出现一个眼仁儿。那我们在生活当中，突然看到这样的人会吓一跳。平常的时候，就露一个眼睛，就是我们现在看彼此都正常。大家现在在座的有没有重瞳子啊？有的话，给我们露一眼，看一看，眼见为实。据说大舜是这样的眼睛，叫重华。身有异相，就拿最跟大家不同的那一点来取名字。这种现象也比较正常，比如出生那天下雪了，名字叫"雪丽"；出生那一天十月一日，所以叫"国庆"，很多。

"协于帝"，这不用解释，帮着帝尧治理天下。"浚哲文明，温恭允塞"，"浚"，本来它是疏通的意思。"哲"，哲理、哲学的哲。"文明"，这两个字曾经拿来形容尧帝，"钦明文思安安"。"温良恭俭让"是形容孔子，"温恭"这两个字，那大家琢磨琢磨，温恭是什么样子，温和、温顺、温暖、恭敬。"允"，这个字在《尚书》里面经常出现，大家体会。这个"塞"字着重解释一下，和前面那个"浚"，因为这两个字很少见到用来形容人。也许《尚书》出现以后，尤其是伪《尚书》出现以后，大概就是用来形容舜，用了这两个字。

"浚"，疏通，这是它的原意。疏通是个什么状态？就是疏通首先建立在一套方案的基础之上，你得懂，是吧？懂完之后，你还得有这个能力，有方案、有执行力，就是有决策、策划的能力，还得有执行的能力，才能有疏通的现实功用。这一个"浚"就说明舜这个人智谋超群，执行能力超群，还能建立功业，文武双全的一个人。如果把"浚哲"两个字放在一块儿，更加形容这个"哲"，深邃，是有能力的那种深邃，不是坐在书斋里面背诵经文，口说道理的那一种。

"塞"这个字是个常见字，它有三个读音，比如说边塞，像范仲淹写词，"塞下秋来风景异，衡阳雁去无留意。四面边声连角起，千嶂里，长烟落日孤城闭。浊酒一杯家万里，燕然未勒归无计。羌管悠悠霜满地，人不寐，将军白发征夫泪"。我特别喜欢范仲淹，特别佩服他，你看他写的词，描摩自然景物，雄浑壮美，然后写人思家的感情又缠绵悱恻，非常了不起！

这个人起于贫困之身，小的时候父亲亡故，母亲改嫁带着他姓朱，孩子长几岁明白了人间的事情以后，大哭一场，我不在这个朱家待，跑到寺院里自己苦读。苦读的事情大家就知道了，每天一盆粥，每顿都很少的量，有人看他太苦了，给他送好吃的过去，坏了都不吃，就怕动摇自己的意志力。从这当中，你就能看出这个人的意志有多么坚强！所以北宋在他那个时代，能够成为一个传颂后世的朝代，是因为有人，有了范仲淹，你查一下历史，有了范仲淹才有以后北宋一大批名人。而且他做参知政事，他培养了四个儿子，其中一个儿子做了北宋的宰相。一生过着简朴的日子，把自己的薪水全部散出去，是给三百家，还是五百家，这个我有点儿记混了。他跟那个晏子似的，要么他是三百，要么晏子五百，反正他俩一个是五百多户的亲朋好友，一个是三百多户的亲朋好友，就把自己做丞相的薪水散出去，还过着年轻时那种简朴的生活。他培养的人才不计其数。

我一开始就以为他写散文厉害，《岳阳楼记》嘛；后来以为北宋就倡导文官厉害，他这文学才能，做文官的才能厉害；后来发现跑到西北去做边关元帅，管理军事也厉害，对方看到他是统帅的话，这仗不打了。太了不起了！琼瑶阿姨写那个爱情小说、言情小说，"秋色连波，波上寒烟翠"，"寒烟翠"被截取下来，作为一个小说的书名，我没看过，但我知道原来是从范仲淹的词里面来的。"碧云天，黄叶地，秋色连波，波上寒烟翠。山映斜阳天接水……"这大家知道吧？他好像干什么都厉害。就像苏轼，但苏轼当官比他差远了，我们要找到这样一个人，才能够理解中华文化里面什么是合格的人才！

这是从这个"塞（sài）"，一下想起边塞诗，想起范仲淹，又啰唆了这么长时间。其实是为了解释这个"塞（sè）"字，"塞"是充沛的意思，它本来的意思是和那个塞（sāi）差不多，塞满，比如说棉花，把空间塞满，用衣服把柜子塞满。用在书面语的时候，这个义的发音就变成了塞（sè）。我不知道是不是解释清楚了，生活当中说把这个东西塞（sāi）满，我们就用"sāi"；书面语通常就变成了"sè"音，充塞（sè）。孟子说"我善养吾浩然之气"，《正气歌》里面"天地有正气，杂然赋流形"，就是那个先天之气，充塞（sè）宇宙之间，就是那个塞（sè）。

回过头来看"温恭允塞"，他的这个德行是充斥于天地之间。有点儿像前面形容尧帝的那个八个字，"光被四表"，"四表"，四面八方，"格于上下"，也可以用一个字来形容，就是"塞"，充沛的意思。

"玄德升闻，乃命以位"，他的德行"升闻"，被天子听到了，

125

"闻达于诸侯"，现在是闻达于天子，"玄德升闻，乃命以位"。"位"是天子位，"之中国，践天子位"，把天子的位传给他。

这是所谓齐明帝建武时姚方兴所增的二十八个字。因为它不是原文所具有的，所以叫伪《古文尚书》，但叙述的这个意思不错。

"典"为大册，渴盼"五典"

后面"慎徽五典，五典克从；纳于百揆，百揆时叙；宾于四门，四门穆穆；纳于大麓，烈风雷雨弗迷"。这才是检验舜到底具备什么样的政治能力的一段叙述。"慎"，不用解释，比较敬警、谨慎、恭敬。"徽"，解释成善、美，还有光大的意思。现在有一个安徽省，有徽派书画艺术，徽派在戏曲当中，也是很有名的，黄梅戏以安徽为发源地是不是？特别著名，那我不懂了，但是在戏曲当中那是很重要的一个派别。这里面这个"徽"表明他做工作比较细致，把"五典"弘扬起来，以之为"徽"，以之为美。

这"五典"，书中解释是五种人伦、伦理，就父亲、母亲、夫妻、朋友之间的五种常教，叫父义、母慈、兄友、弟恭、子孝。但是我表示怀疑，因为"典"是《尧典》里面很关键的用词，什么是典？古代没有纸，那个时候是竹简。甲骨文出土以后，我们又产生一个新的疑问，商代把文字刻在龟甲兽骨上，商代那个时候有没有竹简、木简呢？要有竹简、木简的话，他为什么非刻在龟甲兽骨上呢？哪一个更容易？或者说哪一个作为记录的手段更先进？好像应该是竹简、木简吧？那个工艺在后代周朝的时候、孔子那个时候非常普遍，韦编三绝嘛！

　　我自己推断，如果文字上告诉我们的意思不错，在舜的时候也就是记述《尧典》的那个时期，距离我们四千年的时候，就已经有了竹简和木简，远在商代之前，因为也在夏朝之前。什么原因呢？这个"典"的原意是大册。我们说"简"，知道是一条，然后连贯起来穿起来为"册"，册中长大者为"典"。大家注意看，这个版本是这样的，它俩放在一块儿，我们说这个书的开本儿比这个大，对不对？按照古代对"册"的定义、对"典"的定义，典是册中长大者，有多长呢？据说二尺四寸，比较标准的竹简、木简的尺寸是一尺八寸。古人想把竹简连起来，他不能这么短一块儿，这么长一块儿，那没法穿，应该是很规矩的吧？要是都做这个书籍的话，比如说这多大的开本，它的尺寸是固定的，那么古代木简、竹简也是固定的。据说小的一尺八，大的二尺四或者是有二尺二的，反正大的有二尺四，这就是长简，说明开本比较大。

　　简、册、典这三个词，简是一条，册是被穿起来的一条一条的，典就是被穿起来一条一条里面比较长大的，才叫典，记录最重要的内容。所以《尚书》的开篇，它不叫"尧简"、不叫"尧册"，而叫《尧典》，就是因为在当时记录的规格上是最高的，版本上是最大的，或者今天说开本儿上是最大方的、最重要的。依据这个道理来看，《尧典》是舜的史官记录下来的，那个时候有没有简？有。有没有册？有。那更有典。它当时是不是唯一，不知道，它是用来记录天子言行的。如果这样想的话，那我就祈祷，祖宗保佑，上天保佑，历代圣贤保佑，在我们的某一个墓地里面，由于干燥的原因，尧、舜、禹甚至黄帝时期的典册依然存在，在某一个特殊的历史机遇和时机里面，它能出土，给我们把那一段中华历史印证清楚、叙述清楚。不是痴心妄想，是非常有可能的！

我现在回过神儿来，就加愿，就是愿力，希望大禹铸造的传国宝鼎哪一天出土！希望黄帝铸造的宝鼎哪一天能够出土！希望记录伏羲画卦的那个东西，在河南的某个地方，哪一天被一个小孩儿一脚踢出来，我们就可以把我们的历史说清楚了。

因为民间传承，道家传承，从伏羲画卦开始，很多传承人都说是八千年的历史。而《汉书·古今人物表》我们提过多次，黄帝之前八代神农氏，神农氏之前十九代天子，才到伏羲，有多少历史我们不清楚啊！为什么我们的历史学家在八十年代的时候，死之前非常遗憾地说，要是《尚书》能出土就好了。我就希望我们今天讲解《尚书》能是一种历史的呼唤，让地下的文物也早一点儿出土，给中华上古的历史还其本来面目，增添一点儿可能性。

所以我对这个"五典"，除了书上标准的大家能查到的解释，有另外的这种看法，它很可能是五种大的典藏、坟典、经典。

谦逊随和，能力非凡

"五典"里面记述的道理，"克从"，就是能够遵从、顺从，相当于天下听教。就像我们现在所说，我们来讲四书五经，四书五经里面的道理，我们能够明白，我们去服膺践行一次，那就叫"五典克从"。

"纳于百揆"，把他放在百官当中，"百揆时叙"，上上下下处理得都很好，这是第一种解释；第二种解释，让他担任百揆，就是各个岗位轮番干一遍，我觉得这种解释有点儿牵强，一个岗位实习七天，赶紧换？不像。"揆首"，指的是宰相、总理、摄政王、第一行政长官。所以"百揆"等于是政府各个部门的总称，放在一块儿。把舜放在现在的行政架构里面，叫"纳于百揆"，我认为这个解释更加合理。

"百揆时叙"，他能够把上级部门、下级部门、跟自己同级的各个部门处理得井井有条，关系和睦，而不是互相掣肘，互相不买账，叫"百揆时叙"。这个"揆"，有一个现在的词儿，叫揆度，它原意就是测量的意思，慢慢地引申出管理天下事务，所以一提"揆首"就专指丞相，现在就是指总理。

"宾于四门"，这是外交的，或者是国家重大的行动，接待四方来访，"四门"，就是都城，接待外宾。

"四门穆穆"，我们就想象一下人民大会堂前面如果有国宾来，国家元首或者是总理在大会堂前举行仪式，欢迎某国元首访华，想象一下那个场景，就是"四门穆穆"的场景，庄严肃穆。

"纳于大麓"，古代有这种管理山林的专门的官员，现在的一种解释就是说让舜做这方面的工作，可是呢，"烈风雷雨弗迷"。"烈"，狂烈的大风。"雷雨"，涕泗滂沱的大雨天，也不能使他迷失了方向。我的印象，因为今天没拿《史记》，《五帝本纪》里面好像司马迁的记述，就是说把他自己留在山林里面，在非常恶劣的天气里，舜仍然不迷失方向。这就很了不起！

不信你试一下，到一个新的地方，我经常有这种情况，一下车，南北颠倒，方向真的迷失了，去好几个地方，都有这种情况。我才知道，与舜比要差太远了！大白天明明知道太阳是什么方位，就是绕不过那个弯儿来。比如我去西安讲《黄帝内经》，出了住的酒店一转弯，明明那是西方，因为从太阳的方位能判别出来，就感觉那是东方。怎么办呢？就得走，走出城墙，走一段时间，我刚才怎么能够迷惑呢？怎么能把这两个方向颠倒了呢？现在这一看不很清楚吗？但是走回去那个位置，还是颠倒的感觉。可能只有我这种感觉，大家都不这样。你想那是在晴天，有日头，而且西安的城墙是很方方正正的，它不是斜歪的那种建筑，所谓正南正北，都能发生这种情况，更何况是把你扔在山林里面，"烈风雷雨弗迷"。我就知道我们跟古人的境界差太远了！那时显然没有指南针的发明，你不是握着个指南针能辨别方向，没那个东西，但是他一定有某种自身的功能，就在。我们现在呢？至少我现在是被迷住了，遮盖住了，不起作用，所以不能够辨明这个方向。

家之历数，全在己躬

那么尧又发话了，"格！汝舜"，我念这个版本，是把这个"格"当成一个语气词，相当于"来"、相当于"咨"、相当于"吁"、相当于"俞"，也就是这种叹词。"汝舜"相当于那个"尧曰：'兹！尔舜！'""汝舜"就是习惯性用法"哎，舜哪"，不是说"你这个舜哪"，没有这样讲的，当时可能习惯性就这么讲。

"询事考言"，这四个字没什么可解释的，按照经文上说就可以，就是考察一下、谋划一下，你的谋划政事的能力、发言的能力。

"乃言底可绩"，"底"，多音字，也是砥砺的砥，这里面应该读成"zhǐ"，指定的意思。跟后面的《禹贡》里有很多词是一致的，它是一个类似倒装句，应该是"乃言可底绩，三载"。那个"底"，音读"zhǐ"的时候，是表示这个水退去以后，土地平了的意思。山高月小，水落石出，露出真相的意思。就是你所有的这些政治谋划、政治策略、政治发言，到最后全都能落实，变成现实的功绩。

这就和前面的那个判断相合，他不但具有谋划的能力，他还有执行的，就是那个"浚哲文明，温恭允塞"。"浚哲"，谋划能力超强，执行能力也超强，也就是说言出必落实，能够执行下去。不是出台一个政策，在上面以文件的形式空转，他都能够落实。不要小看这句话，我们今天的行政仍然在追寻是不是深入贯彻落实某某某文件、某某某政策，是不是深入贯彻党的十九大精神，这都是我们现在日常天天能听到的吧？为什么要强调"深入贯彻落实"？因为很多人不深入贯彻落实，停留在口头上，停留在会议桌上，停留在表面上。

我们学习经典也是，如果你天天就是在背诵，脾气还是那个熊脾气，那你骂熊孩子的时候，想没想过有熊家长呢？没有熊家长，怎么会有熊孩子呢？你脾气不转，"天之历数在尔躬"，你说我不是天子，好，"家之历数在尔躬，允执其中"。你家的那四个方向，没过好，你家的那个禄数也就终结，道理是一样的。你自己转化，才能把孩子转化了。

有人发信息给我，按照您说的那个方法，我今天回去对我家的小孩儿态度转变，真管用！当然管用了，我不过就是一个传声筒，是个喇叭，我传递的是古代传下来的道理，被一代一代的先祖检验过了。我们看着彼此是独立的个体，那是无线连着的。你和你的亲属、家人尤其是血脉相连的这种人，频率是非常相近的，同频共振嘛，怎么能没有联系呢？你怎么想就影响他，你怎么转化，尤其是这个行为转过来，那影响是非常真实而快捷的。不做，一点儿都没影响，叫无动于衷，他还是那样子，还是那个状态，没有作用。所以回去要真干，要真做，要真落实。真人、真人，做假了，什么好处都得不到。

"自天子以至于庶人，壹是皆以修身为本"，天子承担天下人的历数，你一个家的家长，承担着一家的历数。你的家运决定于自己的身。你身由什么决定的？由我们的心、文化、念头决定。为什么要学习经典？就是为自己好嘛！转化自己的身体，由此你这个有形的物质就转化了自己的时空世界，你的世界就开始变化，你的命运就开始变化。极其简单！又极其深刻！有一份践行，就有一份所得。谁知道？你自己心里知道啊！慢慢地变化了，外面的人就给你做印证了：哎呀，你怎么不老啊？你怎么不长白头发呀？老还是要老的，活两百岁了，看上去还是五六十岁，那别人会很害怕的。尤其有人说没有皱纹的奶奶是挺恐怖的一件事情。你看上去像二十多岁，然后五六十岁的人叫你奶奶，修成功了，就可以这样的嘛！吕洞宾百岁童颜，像个二三十岁的人，他要真有孩子的话，那八十多岁的老人，按古礼都得给他跪下磕头的。所以让人感觉这个现象是颠倒的。为什么修到一定程度人间不能待？你设身处地想象一下，是有道理的。活着，活着，活着……周围的那些人都不在了，剩老哥儿一个，人家像看大熊猫似的观察你，动不动拉过来，老师，我们照个相行不行？一百岁以前还凑合，一百岁以后呢，真的是要找个地方闭关，在山上待一下。

"三载"，就是衡量三年，"试玉要烧三日满，辨材须待七年期"，考察三年了，"汝陟帝位"。"陟"，是上升的意思，登上。你现在就接天子位。"舜让于德，弗嗣"，他可真聪明！考察三年，尧说，行了，你可以了，你现在就接班。他说我德行不行，没接，真是有谦退的德行。但据说也有政治方面的考量。

到底怎么考量呢？我们明年接着说。谢谢大家！

（五）

戊戌年元月廿三　2018年3月10日

　　春节后的第一讲，作者带我们回顾《尧典》并续讲《舜典》。作者一再强调尧舜禹不是传说，《尚书》就是中华第一史书！中华历史代代传承，我们可以查到自己的家谱，可以轻松搞清楚至少五千年以上的历史，可以探究至少六千四百年以前的《易经》智慧，这就是我们的文化自信！

尊敬的各位同胞、各位同人：

大家过年好！

尽管已经过了正月十五了。今年的开讲比往年要晚了一点儿，主要是因为我的任务太多，昨天早上交出了今年的第三部书稿。不是我自己完成的，它是由秦皇岛市家庭伦理道德研究会的同人整理初稿，大连海事大学一批老师帮我们校正初稿之后的文稿，然后到我这里就是做最后的填补、梳理、检查，查漏补缺，我等于是最轻松的一道关。如果没有这些位同人无私的帮助不可能完成，一个人累死也完不成那么多任务。加上前几年的积累，所以今年预计完成多部书稿。有点儿超出一般的学者出版的速度。这是集体的功劳，而且也是我们国家最近这些年发生的巨大变化，国运助推起来产生的现象，不是自己一个人能够完成的。包括我们现在所开讲的《尚书》，也会随着我们这一次整体的传承，慢慢地会在我们整个国家弘扬起来。

原创《尚书》，知者甚少

在去年的前四讲当中，我们把为什么讲《尚书》、《尚书》的历史地位、学术价值充分地跟大家做了讨论，可能现在还被认为是有争论的观点，但是随着我们国家的强大、文化的复兴，人民慢慢地去比对，比对现在跟古代，比对中国的强大、发展、稳定和最近世界上不断发生的天灾人祸，比较完了之后就会知道，我们大体上可以说"风景这边独好"。

昨天临时去看一位同人，他们过年以后去了斯里兰卡，他告诉我说，他们刚刚回来没多久，当地就发生了动乱，好像是不同的宗教族群之间发生了激烈的争论，争论以后可能就动武了。因为这些天实在太过紧张，《新闻联播》有时候我看不全，也没看到相关的消息。给我的印象就是，一个国家如果没有稳定，什么经济建设、文化发展、生命安全、生活幸福、孩子通过学习奠基自己的未来，都无从谈起。所以我们应该珍视、珍重我们今天来之不易的幸福生活，来之不易的国家稳定和强大。很多人不理解国家的一些做法，从经济学的角度来判断，我说可能是你的信息不全，在不全的信息之下，或者是这样的局限条件之下，你以一己之见，去妄加评论，是不适当的。所以多读书、多观察，谦卑以对，这是对自己、对国家、对其他人起码来说是一个负责的态度。

回过头来说我们要讲的《尚书》，它是我们《论语》第七十三讲之后，接着讲的一部中华原创的经典。很多人在我们开讲之前，没有翻过《尚书》，所以对《尚书》的历史地位、价值根本不清楚，更不要说它到底说了些什么。在我们经济学内部，尤其是学思想史的，必须要读《洪范》这一篇文章的学者，即使是读到了博士，他可能也对《尚书》的内容语焉不详，说不太清楚。即使我为了讲《尚书》，反反复复地参照多种版本去校正、校对，看看到底哪一个说得准确，能够说得通，有些时候依然摸不着头绪。

前四讲到底是第几讲我自己都不记得了，我曾经拿着《史记》，读司马迁写在《史记》里面的关于引用《尚书》的内容，和我们看到的《尚书》版本，很多字句都是不同的，不知道大家有没有印象。也就是说时间太久远，原来可能是常识，很确切的一些内容，由于文字传承过程当中造成的一些错简，误差越来越大，以至于后世的学者雌雄莫辨，到底哪一个是对的就搞不清楚。我们根本就无法排除，某一句话，可能我们今天以为这么印的、都是权威出版社出版的、可能很著名的甚至很权威的学者做个注解的，有一天会被证明，错得一塌糊涂，因为可能原始的经文都不是这个字，完全解错，都有可能。说到这里，我们历来主张的学习方法就有一个重大的作用，就是不拘之于文句，大体上能够把它连贯起来以后，体会文字背后的那个精神，然后用我们当下的生命去验证，这是最可靠的。

《尚书》到底多少篇，那是专门的历史学家去完成的事情，但是我们又不能完全依靠历史学家，因为他们有些时候，无论是受时代的局限也好，还是受师门门派的传承也好，还是自己人格、学术功力、性格偏好各种因素的影响都会有局限，就包括我自己做的解读，都会有局限。大家都要怀着一颗警醒的心，去对照、去学习、去考量。但不是说没有恭敬，不是心不诚，而是对跨越了几千年时空的道理，确实要慎之又慎地去考虑。

虽然说我们这么长时间没有去讲，但是我一直在想，就是思考关于我们的历史，关于我们的文化精神，关于我们国家未来的发展所依据的文化、原则、政策、理念、观念，应该从哪里汲取。因为我们进入了一个新时代。很多人到现在，因为身在庐山之中，所以未见庐山之真面目。历史书读得多了，可能就会有一种感觉，就是感知到我们现在在历史上会是一个什么样的地位，什么样的时期。我毫无疑问地去做结论、做判断，就是我们即将开始一个新的盛世。这个盛世不是没有挑战，不是没有问题去解决。

历史的经验教训一定要吸取。包括我们学习《尚书》，学习的就是为人，学习的就是如何去治理国家。如果你不在国家公务员的队伍里面，那你要考虑我如何去治理我的家庭、事业，也就是诚意、正心、修身、齐家、治国、平天下。你的天下可能就是一个家庭，可能就是一个小小的企业，没关系，那就是你的天下，把它治理好，你就功德圆满，它跟大小、规模几乎是没什么关系，就看心诚不诚，做得正不正。

回顾《尧典》，日、尧为"晓"

为了搞清楚第五讲从哪里开始（可能当时我有预感），所以我一翻开，就看见去年有一个提示，2017年12月9日进行的第四讲，大体上重点都讲了什么内容。我们现在简单地回顾一下，可能有些同人第一次来，也有一些即使每次都来，如果过年不复习的话，忘得也差不多了。

我们是从尧开始，说他有德行，至于他怎么从幼儿园开始一直到研究生毕业，最后接班，他的那个兄弟怎么不靠谱儿，当了八年的天子，然后就被撤掉了，怎么撤掉的，历史语焉不详。《尚书》开篇就是《尧典》，提到《尧典》，跟大家提示一下，你要想一想，我们看《史记》的时候，是一个皇帝代表着一个时代，这是本纪的写法，就是一个人记录着一个时代，这是本纪；然后其他对当世有重大影响的人物，写成世家，《萧相国世家》，萧何，孔子这样的人物，《孔子世家》；其他的历史上的名人，值得一书的，为列传，《老子、韩非子列传》（司马迁他老人家为什么把他俩放在一块儿？不知道），《管晏列传》、《伯夷叔齐列传》；层层分下来，这是史家的笔法。我们往往现实就这样，告诉我，好，是，就接受了，没有反过去想，如果没有这些体例，你是历史上第一个做整理、做记录的人，你如何去编排、叙述这段历史？

所以尧一出场，就给我们一个光辉的形象。然后我们强调尧在中华文化里面十分重要！汉字拂晓的晓，就是一个尧加上一个日。所以我看道家传承的史书，这些人把尧的出生，当作中国古代文明的高峰。注意这个观点，不是说后世已经有了互联网、高速公路、飞机、超音速飞机，我们文明的程度、智慧的程度就比他们高；甚至今天我们谈论的区块链、大数据、云计算，在文明程度上，我们高过他们了吗？我仔细听这些所谓的大咖们的谈论，我认为没有。为什么？是，你的技术很先进，可以在一瞬间把一个消息传遍全世界，十几亿人一下子全都知道一个画面、一个观点，这都没问题。但是呢，他的落脚点，全都是说，你如何去把这些人的钱拿到自己的兜里，无非是为了赚一点儿钱而已。我说你赚得再多，它也有一个数，而智慧的光芒是无量无边的，永远激励着有缘读到或读懂那一段文字的人！所以我认为我们的文明，还需要考量的标准，就是如何去衡量，你单单凭物质，这个标准是对的吗？我表示怀疑。

中华正史，《尚书》开篇

我们能忘掉《尚书》吗？怎么一提尧舜禹就是传说时期？什么是传说时期？《尚书》就是中华正史！我希望通过我们的讲座，向现在的国人以及以后的子孙传递这个信息，你不把《尚书》列入国史，列入二十四史里面最前面的那一本，我们就是忘本！就是忘祖！就属于德薄。慎终追远，民德归厚，不能忘啊！

　　昨天交的是《〈孙子兵法〉通解》的书稿，大家看《孙子兵法》的原文，就会读出一条信息，孙子在其中一篇里面，说兵法从哪儿传的？黄帝！这一句话就证明了孙子他也是中华优秀传统文化的继承者、发展者、弘扬者、实践者。《黄帝传》的那个兵法我们没见到，但是我们现在见到的是《孙子兵法》。《孙子兵法》和《孙膑兵法》到底是一个还是两个，史学家在相当长的时间之内吵得一塌糊涂，各有观点，都觉得自己对。1972年，也就是我出生前一年，山东临沂银雀山汉墓出土了竹简，清晰地证明《孙子兵法》是《孙子兵法》，《孙膑兵法》是《孙膑兵法》，不可混淆为一，它就是两部兵法。以前那些所谓的史学家、考证学家信誓旦旦地说，哎呀，这有争议，那个《孙膑兵法》呀，可能跟《孙子兵法》混啦，就是一个。一夜之间，随着文物的出土，所有的文章不全成了笑话了吗？我们为什么总是在怀疑经典史书里面所记载的内容呢？

　　再看这本书，商务印书馆印的杜文玉先生主编的《中国历代大事年表》，这是我最近写电影剧本和电视讲座的稿本参考的一本书。我就发现一个问题，这本书非常有价值，把中国历史每一年，发生什么大事，只要能考证清楚的，都记录下来编在这一本书里面，很方便查证。前面的我们都不说，夏商周开始，一直往后，那往后越记越细，这都知道。夏商周之所以能够从公元前2070年开始，是因为以李学勤先生为组长的夏商周断代工程，这是最近发生的事儿，距今也不过二十年。断代结果就是约公元前2070年为夏朝的开始，距离我们现在四千多年，也就是公元前二十一世纪。然后你再看前第一篇儿就有意思了，第一篇儿就两个时代，第一个时代是旧石器时代，约一百七十万年到一万年前，如此漫长。然后新石器时代约一万年到四千年前，那也就是说到夏朝的时候，这是什么史观划分出来的？依然还是西方史观。

商朝出土了相当多的鼎，大家知道吗？你旅游到陕西、到河南去看一看，就包括旅顺博物馆，都有商周的盆呀、鼎啊、簋呀（不是那个鬼，大家知道吧？表示器皿的那个簋，北京以前有个簋街，是不是？），这些器皿、铜器。什么意思呢？中国在商代已经有器形巨大、雕刻精美（那个饕餮纹真是精细到极处）的大鼎，然后皇皇几百字的铭文刻在上面，书体宏大，浑厚端正，非常漂亮！商代已经能做了。他是突然一下——北方人说"嘎巴"一下——他就会做了吗？技艺它是有传承的，对不对？那就往前推，在河南洛阳博物馆，有一个镇馆之宝，叫"华夏第一爵"，二里头文化遗址出土的青铜器。爵，就像个酒杯，又细又长，属于那种"身量苗条、体格风骚"的那种酒杯。有乳钉纹，上面没有铭文，但是有很精细的乳钉纹。这个爵是夏朝的，也就是说夏朝可以做出那样器形精美的铜器，尽管没见到铭文。那夏朝也是没有历史、没有祖宗的吗？也是"咔嚓"一下子就能做出这种东西的吗？能定义我们当时就是属于什么新石器时代吗？只是拿个破石头砸一下，就当斧子当刀？我们中华民族祖先就过那种生活吗？我们的历史就用他们这种观念来界定吗？

这是华夏第一爵，是那么精美的铜器制造出来的"酒杯"，大家要知道。什么意思？什么人用这样的酒杯来喝酒或者来盛酒啊？就算是皇帝才能有，民间的一般人不能有，但是说那个时候已经有个工艺可以炼青铜，对不对？那能叫石器时代吗？至少中华文化在他标识的这个时间里面，我们可不可以叫作青铜时代？已经出现了器形美观很成熟的作品，都知道去雕饰，弄上乳钉纹，而且它不是那种筒子直上直下的，比这个（拿起自己的水杯）要漂亮得多。就是已经有了审美的观念放在器形的制造上，有没有文明？有没有审美？有没有观念？我们凭什么把自己国家的伟大历史，一句话就给弄到了新石器时代，就无比地落后！为什么是这样？因为我们缺乏文化自信，我们真的应该自信一点儿，我们有自己的文化！

最近这两年我体会非常恶劣的一件事情，就是很多几乎不看书、没看过几本书的人，居然大言不惭地讽刺挖苦多读书的人。我直面碰到的这种事情。后来我在微信上说，不以为耻，反以为荣，你不读书还觉得自己有理了！从古到今，不读书的人如此猖狂，是不是有点儿登峰造极了。没有那些书籍代表的盛世，有中华文化的今天吗？不可能的！

那我们现在就得搞清楚，我们学习《尚书》从《尧典》开始，不是说尧以前的历史没有了，而是这部史书我们到现在只是残缺本，一开始我们就说了，《汉书》里面说它原来是三千多篇，我们现在能看到的没有争议的二十八或二十九篇，有一篇分开就是二十九，合起来就是二十八。那后面要讲的《舜典》，在以前它就是在《尧典》当中的，后世有人加进去二十八个字，把它分成了《尧典》和《舜典》。历史不能忘记，历史需要后人去记录、总结，可能会有错误的地方，或者记录造成的损失，但是那个精神不应该丢啊！如果我们因为一个版本的问题，因为传承过程当中造成的争议问题，就把主要的精神给丢了，这不就是因噎废食嘛！所以别人说你们没有那么长的历史，我们就相信吗？我们的祖先是在至少六千四百年以前就给我们留下了《易经》的智慧，不管是七千年、八千年还是一万年，至少六千四百年以前，他的文化精神已经诞生于天地之间。就是甘肃天水伏羲庙里面那个牌子显示出来的"文明肇始"，"一画开天"，就已经开始了。他愿意羡慕忌妒恨，他就羡慕嫉妒恨去，他愿意编派，他就编派去，不要别人一说我们就做解释。

我现在的策略就是直接宣布：《尚书》就是中华第一部史书！你爱信不信，不信你就拿证伪的论文来，证明它根本不存在，你拿论文来。我们祖先留下来的史料，我们为什么要怀疑它？可能个别词句我们通过《史记》的比较，说这个字到底是哪一个字，这个可能我们会研究研究，至于说这整本书都不靠谱儿，那我们绝不会有这样的观点。你要认为中华的历史短，拿你自己的论文来，让我相信，否则的话，我谈都不跟你谈！我站在这儿、坐在这儿、生活在这儿，就证明着它一定存在，不止一万年。你给我拿证明，我的祖先在八辈以前就没有，雷一劈，"咔嚓"一下，我第一代祖先就诞生人间，我们就八代相传，第九代都没有，像孙悟空一样，你让他去给我提供证明，行，可以，但中国的历史不是那样啊！

代代传承，事事传承

我就希望孔家的家谱作为公开出版物出版，人手一册，你慢慢琢磨。嫁到孔家里面的可能是百家姓差不多了，张王李赵遍地刘，对不对？孔家的姑娘嫁出去的，张王李赵遍地刘，谁能一语断定你的血液里面，你的基因里面，没有孔子的血液基因？两千五百年了。他的先祖在商朝，商朝又从哪儿来的？夏朝来的。我们再看夏朝的历史，黄帝尧舜禹那个时候来的。你敢断定你的血液里面没有黄帝的基因？我甚至昨天还在想，不都说伏羲好像是不存在嘛，万一哪一天有一个地方出土一块骨头，现在的技术只要是有骨头，就可以很准确地能推到年，这是哪一年的骨头。如果再幸运一点儿的话，也许基因也能测出来，比照吧！

前年，自然科学已经发表那篇文章了，就是通过基因组的婚姻测序，就是哪一年哪一族群他们之间发生了联姻，改变了基因结构，然后多少年传承下来，跟历史事件相对应，这个我们介绍过。通过基因去证明历史，那我们完全可以通过这种手段慢慢去考证，伏羲、女娲、无怀氏、神农氏，包括黄帝、大禹都能找出来。

黄帝铸了鼎，现在没发现这鼎到底埋在哪儿；大禹铸了九鼎，秦统一以后找不到了。找不到就没有了吗？那么重的东西，传国重器，全是青铜器。商代那些鼎能够流传，凭什么代表着天子治理天下的、比"司母戊鼎"（另一说"后母戊鼎"）还要尊贵的那个鼎就没有了呢？所以我还是祈祷，就像祈祷《尚书》有一天出土一样，我就祈祷那九个鼎出土。假如说有一种咒语的话，我希望能学会，就是天天念，念着念着那鼎就像拍电视一样在土地里面飞上来，然后落到北京的中国历史博物馆里面。大家一看，这九个鼎，大禹铸造的，当时禹定九州，名字、山川、器物典型的特征全都刻在上面。

代代传承啊，如果没有这种传承的话，不会有《易经》。就是它存在这里，这个《易经》跟我们在座的每一个人都是一样的，你坐在这里，就意味着一定是有一个传承。而中国人跟其他的族群不一样，我们现在是这个世界唯一的一个族群，就是我们可以查到自己的家谱，轻松地推到两千年以前，我们可以通过两千年以前的我们还能读得懂的著作，轻松地搞清楚至少我们有五千年以上的历史，只不过它以前确实时间久远，有点儿模糊，这都不可怀疑。而世界上除了我们以外，其他没有任何族群有这种可能，包括印度都没有这种可能。那我们还怀疑自己干吗？

舜接了尧的天子位之后，几年巡视一次天下？五年吧。有的版本是《尧典》里面从"慎徽五典，五典克从"，往后，进入舜的时代。有的版本就是加上了"曰若稽古，帝舜曰重华……"这二十几个字，开辟为《舜典》，这是后人干的。就像老子写《道德经》的时候，根本不分章，后来有人分了八十一章一样，人为分的。这个问题倒不大。至于齐明帝建武时姚方兴所增这二十八个字，我认为也无伤大雅。什么意思呢？你读经典确实发现突然一下子就进入了描绘舜的这种阶段，没有起承转合，那他补一补也没什么大不了的，他也没有改变历史，只不过让我们读起来更加顺畅，然后增补了一点儿历史知识，这是我的看法。

往下看，有一段叫"五载一巡守，群后四朝"，看到了吗？舜接天子位以后"五载一巡守"，就是每隔五年就要到东岳泰山、南岳衡山、西岳华山、北岳山西的那个恒山，然后中岳嵩山，他只是谈转一圈儿。那么其他地方的这些诸侯们呢，"群后四朝"，他来的这一年，就不用去朝拜了，对不对？没来的那四年，诸侯要进京面见天子汇报工作。汇报工作的时候怎么汇报？得拿着当年被封为诸侯的时候天子给的那个符信，就是一个玉器上面刻着纹符，来了以后，一对，不是假的，是真的，这是印信，好，你不是骗人的。这在今天都不必要，为什么呢？天天电视有直播，各省都能看到最高领导人什么样，他不可能是假的。古代你去面见一次回来，大概就得一两个月，路途遥远。今天我们说坐飞机"唰"的一下子几千公里一上午就过去了，那个时候不是的，来回一次是很大的工程，所以不容易。这中间有没有人换掉呢？所以要以印信为证。

我们从前面那段经文，从舜接天子位，一点儿一点儿地看起，叙述的过程当中注意一下，当时的礼仪和制度和我们今天政治考核，国家领导人执政的时候采取什么样的礼仪，形式上有差别，但实质上大家现在开始琢磨一下。

正月上日，受终于文祖。在璿玑玉衡，以齐七政。肆类于上帝，裡于六宗，望于山川，遍于群神。辑五瑞。既月乃日，觐四岳群牧，班瑞于群后。

"正月上日"，我们现在还在正月吧，今天没出正月吧？"正月上日"，那个时候有公元纪年吗？这还要问吗？不可能有啊！两千年以后的事情，所以是我们自己的历法。当时还不叫夏历，对吧？它不叫夏历，夏历是从夏朝传下来的历法嘛！夏是禹以后的事儿，现在谈的还是尧舜的那个时候，就已经有"正月"的说法了。我们现在说正月里来是新春，它这个正月就已经记录在《尚书》里面，这不就是传承嘛，活的传承。"正月"这个词到现在我们还在使用，但是在典籍当中你第一次看到是在哪部书里面？《尚书》。记住啊，这是一条吹牛的资本，以后再到正月，你知道正月是在哪部经典里面最早出现的吗？确凿的记载，很多人读到博士都不知道。

"上日"就是吉日，具体哪一天没有说，正月吉日。那我们现在学经典学到这一地步，领会天人合一，哪一天是吉日？对！年年是好年，月月是好月，日日是好日，时时是好时！只要你心里大公无私、正大光明、光明磊落，全心全意为人民服务，天天是好日，你在任何地方当地的风水都好！给你找一个天下风水是公认的好地方，你在那里面怨啊、恨啊、算计啊、阴谋诡计啊，用不了三年，拙劣的风水师都会看这个地方说，这个地方太糟糕了！它会变化！真正的风水就是我们脑子里的念头吉祥不吉祥。风水有没有？有。是外面的风水吗？那你就是迷信或者颠倒，不是正信。正信就是人是活的，是天人合一决定的，你有一颗良心，风水就趋向吉祥啊！

舜接大位，七项政事

"受终于文祖"，谁受？舜。等于传接大位。"文祖"，大家看解释，就是指什么尧的庙，凡是有这种解释的，我们不详细地去推敲。

"在璇玑玉衡"，这个尽管有解释，但要说两句。"璇玑"是专门的称呼，是古代的天文仪器。要注意呀！要注意呀！在尧舜时期，我们就已经有了这种装置！（沉默良久）此时无声胜有声，以示重视。

大家可以回想一下，我们印象当中理解的测天文的仪器，比如说东汉张衡的那个天文仪器——浑天仪、地动仪。浑天仪是张衡发明的吗？可以说是改进的，尧舜这个时候就已经有了。"玉衡"指北斗，或者确切地说，它们有分工的指示，"璇玑"，有个专门的称呼叫"魁"，夺魁的魁，表示第一的意思。北斗七星里面，前四颗星总称就叫"璇玑"，后面那个勺把子，第五到七颗星的那个斗柄，叫杓。

"以齐七政"，这你要看注解就看蒙了，因为有的注解说什么是"七政"，就是金木水火土加上太阳和月亮，七颗星为"七政"，为什么这七颗星叫"七政"，没有说明。另外一种解释，"七政"是指七项政事。什么七项政事呢？就是祭祀，这能理解。班瑞，就是我们刚才说的，你分封的时候给你块玉、给你块圭，刻着符识，有符有条纹花纹，好，拿回去，来朝见了，对一下，验明正身，你考核完毕，说你是一个合格的诸侯、国王，再发给你。那个"班"就是颁发、返还的意思，"班瑞"，再还给你。这是很重大的事情，等于国家考核高级领导干部，考核封疆大吏，叫"班瑞"。然后就是东西南北巡视，东巡、南巡、西巡、北巡，六个了吧？第七个叫归格艺祖。走了一圈儿，都完事儿了，回来写总结报告。向谁报告？向上天和祖宗报告。完事儿了，这一年这一圈儿下来。

我们下面这一段介绍的，就是舜第一年接天子位之后所干的这七项政事。没闲着，几乎可以说一天都没闲着。首先，他在文庙里面接受这个位。也就是说古代在接天子位的时候在什么地方？太庙、祖庙，后来有朝堂，在古代，全都是在祭祀的地方。祭祀的地方，一个是祭祀天，然后祭祀先祖。为什么在一块儿呢？因为先祖都升天，或者说叫在天之灵，你看我们现在用的话，你仔细想一想，所以先祖跟天是一体。

节日习俗，恢复仪式

一到过年的时候，尤其是旧历的年底，毕竟最像年底，鲁迅写的。为什么？它仪式感特别强。过了小年，准备年货、扫房子、贴窗花、切酸菜，每一天干什么，几乎是习俗固定，然后三十晚上，那就更加隆重，叩拜祖先。把先祖的像挂起来，我们家没有，但我小的时候，我们村子里面前面那个老太太家里有，现在隐隐约约能想起那个人画得我看上去有点儿害怕，紫色的衣服，有点儿像现在拍的那种动画片里面的，那都是祖像。那老太太也有祖传，一见她我就害怕，我小时候好感冒，一感冒妈妈就领我到她家里面去，她的手特别有劲儿，掐着你后面大椎穴使劲儿挤，挤到一定程度，"啪"的一针挑破，然后把血挤出来，我的感冒就好了。她怎么会这一招？不知道。有家传，所以也有家谱。我们好多的东西，这种记录历史传承的东西，慢慢都消散了。现在谁家里还有这个？

三十晚上，一开始追着春节晚会看，到后来春节晚会也看腻了，这个幸福日子幸福得好像不知道干什么好了。所以我反其道而行之嘛，今年三十也没休息，晚上八点正常校稿，校对到快十点半，有点儿累了，然后去准备吃年夜饭。有人说你这么做真讨厌，烦人，大过年的装什么用功！但是总比无聊强吧？看看现在大家过年，我了解的，凑在一块儿吃、喝、玩、乐，暴饮暴食，我认为那生活不健康。祭祀祖先还能获得一种庄严感，有年的意思，你就是自己吃、喝、玩、乐，你试试看吧，三天就腻歪死了。所以得出去玩儿，不出去玩儿就觉得无聊透顶，出去呢，又是全城大堵车，经常是面临各种问题，何苦来哉？

我们就要想一想，过去的这种仪式是不是该恢复恢复，比如说祭祖、拜祖。三月三，河南那面要进行祭拜黄帝的拜祖大典。我们学习拜孔的礼仪，这个以前也提过，跑到韩国去学，因为韩国还保存着明代的那个祭孔的仪式，都丢了！看古书啊，有《仪礼》记载，研究研究都能恢复出来。如果没有传承，就是你想表达都表达得莫名其妙。

文化要义，天人合一

舜在文祖这个地方接受了天子位，首要的一件事情，你看他干的是什么？叫"在璇玑玉衡，以齐七政"，首先要看天，要通过北斗星、北极星的位置来校正，叫"以齐七政"。我们现在看电影，说一个小分队安排好任务之后，出发之前，都会对一下什么？表啊！时间记录非常准确，好，现在开始分头行动，几乎不差一秒钟，该到哪个时点集合，然后到了那一秒钟，你就直接开枪，我一定会赶到那里，然后这个电影就进行得很紧张，就怕差一秒钟就不行。

古代人为什么要根据天象来决定人间的事情？这是中华文化里面应该说最核心的要义和秘密。我们再强调一遍，我们是人类的世界，生活在地球上，地球是地月系，在太阳系之中，在银河系之中，永远不要忘了这个天体。我们所有的人，时时刻刻都和天体进行着能量的交换。可能忘了吧？简单说一下，以后不再说了，小朋友注意听哈。你现在能够生长，是因为身中有阳气，说明有太阳，太阳能量怎么进入身体？很多种渠道。为什么我们这个地方叫太阳穴？你要想一想。你怎么想的我不管，我就提示一下，知道吗？什么叫足太阳膀胱经？它为什么这么取名？我也不解释，我也解释不清楚，你自己想。

为什么肝对应着春，色青呢？然后属木呢？道家修行人说，你打坐的时候，在春天旺相的时候，天空中有一颗星叫木星，传过来的能量和你的肝进行沟通的时候，颜色就是青色。所以肝对应着东方、对应着木星、对应着青色。心脏呢？在夏天的时候，某一天旺相的时候，心和火星进行能量沟通，传过来的那个能量场就是赤色的。所以心居南方，对应着夏天，颜色属赤，属火。你的脾对应着土，色黄，为什么呢？一年四季管运化，天空当中有一颗土星，它和人体进行能量交换的时候，传过来的能量场是土褐色的、土黄色的，所以色黄。肺居西方，属金，色白，是因为你打坐的时候，人体跟天体进行能量沟通，和金星之间进行能量交换，传过来的能量场是白色的。所以色白，据西方，属金。金生水，这一圈转回来，剩下最后哪一个了？肾。在冬天你打坐的时候，跟水星进行能量交换，传过来的能量色黑，密密麻麻的像小黑芝麻点儿，传进来。所以肾主水，居北方，色黑。

你以为那是人编的？为什么我们最伟大的文化，四个字就可以交代，叫"天人合一"。那不是人变出来的，是道法自然揭示出来的。你说为什么是这样？它会告诉你，法则如是，自然本来如此，这是真现实，不是人编的。

所以，从天子乃至于庶人，壹是皆以修身为本。身怎么修？遵守天时，遵守自然规律。你以为修身就那么简单啊？按照天时来修，道法自然，一切真是很简单。但是进去以后才发现，里面无穷无尽。明白的人一目了然，说都不用说，就是这样简单；不明白的人，千经万论就没读清楚，它们为什么是一个圆融统一、圆融无碍的体系。这是中华文化的伟大，因为从分科的角度来看，你永远搞不清楚。耳科就是耳科、眼科就是眼科、外科就是外科、内科就是内科，看脚的不管手，看肝的不管肾，骨科跟皮肤科好像是互不搭界。但中国文化，它就不是这样，是天人合一的文化，跟自然界息息相关。

璿玑玉衡，以齐七政

他为什么提这个"璿玑玉衡，以齐七政"？也就等于说看天象、看天色来决定人间的政事。"七政"怎么来的？为什么是二月、五月、八月、十一月？往后看，大家知道吗？他为什么在这个月份里面东西南北走一圈？一年几季？四季，然后有四方东南西北，对不对？那一季三个月吧？二月是不是第一季的中间一月？那下一个五月份，是不是第二季的中间一月？八月份是第三季秋季的中间一月叫中秋？那冬季中间一月是不是十一月？他都是在中月去查询，巡守四方，这叫守中道。不早不晚，要用中嘛！调过来就是"中庸"。孔子说中庸之道，鲜矣，多长时间已经没有人能够践行了。过犹不及，要么做不到，不够；要么就整过火了；要么把大米饭糙成了粥；要么就弄得特别干，快煳锅底了，总是不能做得正好，做米饭都得有中道啊！现在电饭锅都懂中道，有的人却活得糊涂了。

"璿玑玉衡，以齐七政"，是以北斗七星做一个代表，就是向天去求证什么时间合适，对不对？什么时间合适，我们定义时间从哪里定义出来的？是看天，看太阳，对不对？一月一月，这月是怎么定义出来的？地球跟月亮之间的关系弄出来的吧？一圈儿一月，对不对？一年不就是太阳跟地球之间的关系弄出来的吗？这时间能离得开天体吗？离不开啊！所以定时间，你得看天。天时、天时，为什么孟子后来总结一个模型是天时、地利、人和？然后这样做事你才能够如鱼得水。没有天时的时候怎么办？等。

再回想去年我们讲的，尧接天子位之后，他做了什么？"乃命羲和，钦若昊天，历象日月星辰，敬授民时。"看明白了吗？每一代天子施政的第一项，赶紧地，敬天。根据天象来制定人间的历法，天文那个历法，相当于人间的立法。农业社会靠天吃饭，温度零下八度，你去种地？一刨一个冰点，不看天时，怎么可能做得成？

所以有些人不理解，那忙它干吗，注意点儿，悠着点儿啊！我说我现在不是忽悠你，讲《孙子兵法》，我自己也在践行，尽管践行得可能不那么游刃有余，但我也在试啊！什么叫试呢？我看准了，现在的这个时刻必须冲上去，就是这个时点，我自己的感觉必须密集火力，饱和攻击，快速突破，就在此时此刻，再磨叽，过去了。以后有的是时间潇洒，很多人都是这样啊！

昨天，省委和市里宣传部的领导到学校调研，中午我们谈了一中午，一直到他们走。现在就是到了一个很关键的时刻，要快速地完成，过了这村儿没这个店儿。我们市里面宣传部的部长说，可能现在有些人也意识到了你做这种工作的价值，但是他想追赶已经来不及了。因为要读中国的经典，要读懂，得十年工夫，这十年你还得像古人那样心思比较静，十年工夫。假如说一个人有条件，每天可以十小时以上的精进阅读，那也得三年，这三年心无旁骛，不能为钱而忙活。你试试看，说起来简单，做起来很多人不容易啊！看三天可以，第四天身体给你抗议，就想出去玩儿，就想放松。那你现在不干，等老了，能干得动了吗？抓紧时间啊！时间就是天时运转到那一刻，看准了，赶紧冲上去。

所以你看我现在紧张，好像辛苦，过年也不得休息。我说将来我优哉游哉，吃喝玩乐，在咖啡厅里面闲坐，一待一下午，你就别编派我说，这哥们儿无所事事。看《刘伯承元帅战例精选》，打仗的时候，分秒必争，打完了，喘口气，部队要休整。你开一辆车，那都是钢铁橡胶组成的东西，机器比人力好吧？每到五千公里甚至一万公里，你看车提不提示，你现在得去维护。我们讲到中午十一点半，你说我不想吃饭，但是肚子提醒你。都是按照一定的规律、节奏、天时在运转。

禋于六宗，望于山川

"禋于六宗"，还是祭祀，就相当于是我们农村的畬田，点上，冒烟。我以前说过小时候看动画片，农历二十三灶王爷要上天报告人间事儿，底下那个烟比较轻，上不去，可能人间的伙食也好，灶王爷他老人家也胖了几斤，以前那烟柱不能把他送上去，说加把火，底下又加把火，烟一起来，"呼"的一下他上去了。童话也很有意思。就是点着柴草，冒烟，升天，这叫"禋于六宗"。

"六宗"是什么呢？马融说"天地四时也"。但马融怎么知道的，从来没有人交代。他有本事能够做一个注解，聊作参考，比没有强。

"望于山川"，这个"望"，跟后世比如苏轼那个"七月既望"不一样。"望"是十五，"既望"，已经过去了，那就是十六，是吧？这都是古代对时间的描述，没有这种基础知识就不懂到底是哪一天。实际上古文当中已经说得很清晰，可是你习惯了现在的阿拉伯数字显示的才明白是哪一天，那就读不懂古文了。这里的"望"是一种祭祀的礼仪，"望于山川"，也就是说古代祭祀山川的那一套典礼，就叫作"望"。为什么要祭祀山和川呢？古人的观念，山有山神，河有河神，看动画片《大圣归来》说，凡是有河的地方就有龙。

我家那个地方，我小的时候，水草丰茂，有个很大的湖泊，叫架树台湖。有一年夏天，我跟我姐和姐夫三个人，开着我那辆奇瑞车一直开到湖心，没有水，全是干的，只有一点儿芦苇，水草不丰茂。现在经过习主席这几年的提倡，绿水青山就是金山银山，所以现在成为国家级保护湿地，水呢，慢慢地又起来了，就是在恢复。这是不是风水的变化、人心的变化？

我初二的时候，学校组织秋游到那里面去，那水看不见底，一望无际，芦苇比人高好多。每个年级考第一的，跟老师上船到湖里面，奖励划一圈，我那次没考第一也让我上去了，因为以前考第一的次数多，印象深刻。所以你有好的条件，多鼓励一下年轻人，就像我们一个演小品的演员，当年给一个弹钢琴的小男孩儿三百块钱，多年以后，早知道他是郎朗，我多给他一点儿，当天使投资了。孩子的成长，用泰戈尔的话说，成长就是他的力量。你只要好好地教他，好好地引导他，给他一本经典，找一个好的老师，叫"蓬生麻中，不扶而直"，近朱者就赤，慢慢地就成长起来，这是国家的希望。

"遍于群神"，"遍"是普遍，你看《史记》它又是辨别的辨，这个以前我们对照读过一段，今天时间来不及。"遍于群神"就是祭祀完天、地、山、川，最后来一个普遍的。一开始说各位同胞、各位同人，然后有人说谁跟你同胞、谁跟你同人啊？那就是今天在座的各位同道，谁给你同道啊？他总有不跟你一块儿的，那就只好说女士们、先生们，你说我不男不女，几乎没这样的。我的意思是说总有人未必会按照你的想法，跟你同人、同道，一起努力，不一定，叫各怀心腹事。如果能够众志成城，这个凝聚力那可就不得了。

核对五瑞，接见四岳

"辑五瑞"，有的版本是"揖"，"辑"是编辑的，辑是车字旁的，"揖"是提手旁。"辑"有合的意思，编辑，合。我们说过，诸侯，不论是公侯伯子男，这五个爵位，皇帝分封的时候会给你玉，但是随着你级别的下降，这个规格也在下降。所以"公"赏赐的那个玉叫"桓圭"。大家有没有印象？没印象。没印象从头说一遍。公，就是最高的，王公大臣嘛，最高的，是桓圭，齐桓公的桓，桓圭，赐给他。侯，就是我们通常说的诸侯，低一档，叫信圭，仁义礼智信的信，信圭，比桓圭要低一点儿。公侯伯，伯爵，我们通常一提到伯爵就以为是什么大仲马的《基督山伯爵》，我从小就以为，一提伯爵，就是国外，好不容易活到三十多岁的时候才明白，公侯伯子男是中国古代爵位的称呼，翻译的时候借用。然后我们长时间地不读中国文化的书籍，就变成了外国的。就像有人读《诗经》，奇怪里面怎么会有上帝，莫名其妙！就相当于说这爷爷怎么长得那么像他孙子？大概就这个意思。伯爵赏赐的是躬圭，鞠躬的躬，躬圭。以上这三种，都得叫圭。下面子爵和男爵得到的是璧，和氏璧那个璧，这个故事都听说过吧？璧是什么？挺老大的一个圆盘子，中间有个小孔。子爵得到的叫作谷璧，谷子的谷。男爵得到的是蒲璧。能记住吧？桓圭、信圭、躬圭、谷璧、蒲璧，这叫"五瑞"，也叫"五器"，往后看就能明白了。所以拿这种东西表示你获得了天子的册封，汇报工作的时候，首先验明正身，你把这个东西拿来，符一对，没有问题，相当于是这个"辑五瑞"。

古代可能时间一长，有可能发生什么情况？为什么老的诸侯去世了，按照法令太子要接位，但接位又没册封，但他爹走之前是不是有交代传给他了？这也算合法的。你拿着那个东西证明我确实有这个符信，不是那个人，你也担任了这个角色，这是有可能的。那么大的国家，以前又不方便，这种制度能够保证连续性，又保证不是伪冒的，所以他要把这个东西合起来，进行验明正身。

"既月乃日"，司马迁写的直接就是择吉月吉日，到中央来了，好久不见了，选一个吉日，掐指一算，钟博士说了，明天就是好日子，好，明天在庙堂之上，大家就开始汇报工作，进行述职，德能勤绩廉，报告一下。对于天子来说，叫接见；对于诸侯这五个爵位的人来说，就叫觐见、拜见、朝拜。

"觐四岳"，"四岳"就是东岳、南岳、西岳、北岳。国家大了，它划分行政区域，比如说泰山这个地方都听东岳的，以此类推，就各方都有一个叫"方伯"，这个词要记住，每一方都有一个老大，他相当于是诸侯的首领。

汇报工作的时候，由你这一方的首领直接跟天子报告，所以这叫"觐四岳群牧"。"群牧"的那个牧，自从基督教传来，牧师就变成一个专有词汇，这也是从中华文化借去的。那个"牧"，古代就是指官的，比如说刘备做过什么牧，哪一州的牧就是等于这个州的长官，以前的称呼就叫作牧。"群牧"，就是一群长官，相当于是在朝堂里面。有两套系统。这叫"觐四岳群牧"，"四岳群牧"在一块儿觐见。

然后，"班瑞于群后"，一开始是把你们这些玉都拿上来核对一下，有没有问题，考核完了以后，还行，不错，回去接着干，再颁发返还给他。这个"瑞"后来演变成了什么？盖章的那个大印。就我们现在比如说写个字，得盖上印章儿，这是完成了一幅书法。从哪里来的？从古代那儿来的。多么古？注意啊！这也是吹牛的资本，将来无论对谁，你跟他讲，你说你知道盖章用玉石这个传统从哪里来的？说不知道，不知道我给你讲，给你讲《尚书》，那就讲得他一愣一愣的。这就是原始，"瑞"就是玉，什么圭啊、璧啊都是玉，表示印信。我盖上这个章儿，等于是验明正身，之前这个字是我写的，我负责。有没有假冒伪劣的？有啊，现在有仿造的嘛！

"班瑞于群后"，这个"后"，就是后母戊还是司母戊的那个字，后呢，不是我们今天理解的前后的后和王后的后，古代这个字表示长官、一把手。你看前面是"四岳群牧"，但"班瑞"班给谁呀？跟"牧"有关系吗？几乎没关系。就是这一方的君长，君是老大，把这个"瑞"返还给方伯，就叫"群后"，第一长官为"后"。后面舜传位给禹的时候，就是"汝终陟元后"，"元"是第一，"后"是指天子位，你要担任国家的第一元首，就是这个意思。

时间到了，下一次再讲。谢谢大家！

（六）

戊戌年二月初一　2018年3月17日

本篇继续讲解《尚书·舜典》，舜上任之后，根据天象安排政事，然后巡视四方，划分十二州，施行仁政，最后铲除"四凶"，天下咸服。精练的文字，通过作者的解读，让我们看到了文字背后隐藏的历史真相，令人回味无穷。

水灾深意，天气感应

尊敬的各位同胞、各位同人：

大家上午好！

今天我们接着学习《尚书》，是第六讲。有经本的同人可以打开《尚书·尧典》，有些版本分成了《舜典》，看一下第三自然段。上一讲我们讲到经过三年的试用期，尧他老人家发话说：你还不错，现在你就接替我的位置吧！然后，舜就谦让，谦让也就是说没有正式地接天子位，属于摄政的位置。选了一个正月的吉日，叫"受终于文祖"。结合后面的内容我们知道，因为尧他老人家还在，而且后面活了二十多年。这个智慧安排让我们不能不加深一些思考。所以，尽管舜接了摄政的位置，等于代行天子的职位，安排政事，考察天文，到四方去巡视，好像是已经做天子了，但其实还不是，这一点要领会清楚。

尧是自己提出来我要退位，找接班人。大家要注意一下，他自己讲的，说我在位已经七十年了，这是很清楚的。你想一下，就算他二十岁接班，他提出自己在位七十年，应该多大？九十吧。他有一个同父异母的哥哥，在他之前接了帝喾的天子位，就是黄帝、颛顼、帝喾，然后我们记的是尧，其实在尧之前还有一位他的哥哥做了八年的天子。这八年不知道发生了什么，我们现在查不着历史资料，就没有任何记载，就说这个人不行，崩，就是去世了。什么人能把已经接了天子位的人去掉，这我们不得而知。反正就是他这位叫"挚"的兄长，是跟尧同一个父亲，但不同的母亲，到底发生了什么情况我们不知道，反正尧不是直接接的帝喾的天子位。但尧一上来，历史评价从来都是德行高标，达到了上古华夏文明的高峰。就是我们在史书当中好像查不到任何对尧的品行有微词的记录，没有。

我们讲《尚书》，前面花了五讲时间都没有讲完《尧典》是为什么？就是因为我反复地阅读，我发现这里面隐含着太多的潜台词，有太多的历史情节隐藏在里面，需要我们慢慢、慢慢地把它读出来。

我们学习历史经典，《论语》的开篇就讲过，体会、经史合参、以经解经，然后至诚诵读，尤其是在至诚诵读的过程当中我的体会是人可以把经文化合在自己的身上，叫人经合一。进入这个状态以后，再去看经典，就不是东家注解西家注解好像都有道理，公说公有理，婆说婆有理，最后你自己不知道谁说的有理。人经合一以后，你会以一颗接近他们当初的那种心智状态去感知那个时代，也就是古今时空化合的状态。它不神秘，非常朴素而自然。人同此心，心同此理。

我们现在想象着尧距离我们时间好像是很遥远，四五千年的样子，可是在整个宇宙时空里面，五千年的时间不过就是一瞬，"唰"的一下就没有了，所以它并不长。

那我自己感受到的最大的困惑是什么？凡是有类似洪水、地震、大型的冰雹，在中国传统文化当中，都是说人，尤其是还比较重要的人做错了事情，就是品行恶劣，违反天道，天象才不正常，所以叫天人合一的文化。在汉代的董仲舒印证了天人感应论，他对未来世事的推测就跟宋代的邵康节差不多，非常准确。但是这件事情是惊世骇俗的，就是我们对于未知的事情如果推断得极为准确的话，大家会感觉到恐惧害怕，又怕以神道论之，所以通常这些人都不吱声，心里知道也不吱声，这是规矩。而以尧的智慧和德行应该是风调雨顺、国泰民安，至少从整个天下来讲，不应该发生影响全国的自然灾害。包括我们现在看清朝的电视剧，读它的史料，都能发现，清代是乾隆还是雍正对几个巡抚讲，我们以前也提过，不知道大家还有没有印象，他警告这几个人说，你们当官要注意了，让你们去湖北，湖北发生水灾；调你们去安徽，安徽发生蝗灾；调你们去西北，西北发生霜灾还是雹灾，那你的品行你要注意了，把你安排在哪儿，哪个地方就有很大的灾难，你是不是应该检讨一下自己的德行。这是做主官要对一方安危负责，从天象上来讲，按照中国古代文化的论述，它是息息相关的，所以叫天人感应论。

那我就想，如果尧没问题，那问题发生在什么地方？大家想。

天子谈话，史官记录

尧说，我在位已经七十年了，能不能推荐一个接班人？这个事儿谁来做？然后他试探性地，这个我们已经分析过，尧他老人家其实心中已经很有数了，那么有智慧、有德行的人，而且做天子七十年，你想他的经验得多丰富！可是他老人家就好像是啥都不知道，说我年龄老了，能不能推荐个接班人，四岳呀，就是四方诸侯的方伯首领，你们商量一下，你们四位谁来接我一下。这四位都挺谦虚的，说我们德行鄙陋，不行。那就推荐人吧！不管是皇亲国戚、贵族身份，还是普通到最低层的人民都可以。

他这是什么意思？所以我们年前的一讲当中分析，我认为尧他老人家已经心中有数，但是他秘而不宣。就是说，你们推荐吧，你们愿不愿来当？然后四岳说我们不行。他们说不行，尧就没坚持。什么意思？双方都客气，双方也都心知肚明。如果尧就认为四岳当中有一个人足以接替他的位置，那他会进一步地说，我考察你好长时间了，起码二十年了，我认为你行。你想一下是不是这个情况？然后对于天下的工作安排的时候，说找一个能人来帮我处理政事吧，就有人推荐说您儿子行，他马上当场就反对。你要注意天子和大臣的谈话，按照中国古代的传统，旁边一定有史官在记录，这是中国独有的政事安排。就是这个史官的职位，从古到今都有，否则我们看不到《尚书》，也没有纪传体这回事儿，他说的话，朝堂上说的话，你怎么知道？

那么我们现在看中国古代这个制度，天子跟大臣讨论这么重要的事情，能没有人记录吗？我认为是有的，所以这句话我们今天能看到。说我的儿子我自己了解，知子莫若父，他一天天的特别猖狂，说话不靠谱儿，满嘴跑火车，算了。

然后就有人推荐，说共工行。共工是一个职位名，现在变成了一个人名，就指当时的这位共工。然后尧说他也不行，还直言不讳说出他哪儿不行。因为那一段我们都学过了，大家可以去复习。你想一下，做天子的，在朝堂之上直接说你推荐这个人不行，什么毛病，这意味着什么？摊牌是吧？对不对？他说自己的儿子，别人恐怕是没有话说，评价一个大臣，直接就指出这个人什么毛病，大家想过这一点吗？就像你在单位做一把手，然后你的副手或者你的中层不在现场，有人推荐说他不错，然后你当场就说这人什么毛病，比如说对上级不敬、对天理不敬，表面上好像是很恭敬，结果是阳奉阴违。这话你说完了，你不觉得一定会传到这个部下的耳朵里吗？那尧这么说是什么意思？想过没有？大家现在就想一下尧他老人家是什么意思。

最后说，现在这个水很大，导致黎民都开始遭受困苦、怨恨，必须得有一个人来收拾这个大洪水。谁能来治？然后就有人推荐说那个叫鲧的行。尧又一次反对，说这人不行。最后四岳坚持说让他试一下，所以尧等于做了妥协。就是他并不看好这个人，但是底下人一再地推荐，他已经说这人不行了，"方命圮族"，司马迁写的是"毁族"，反正就是不但个人不行，他对他整个族群有很大的伤害，这种人怎么能用？可是他底下这些主要辅佐的人，那四岳就是相当于四方诸侯的首领，是有势力的，比封疆大吏还严重，说明他们是不是团结起来，或者说叫勾结起来，尧已经无法完全执行自己的意志。这一点不知道大家能不能感受到，或者是认同，或者是说你听我的分析有没有合理之处。尧是公然地在朝堂之上，把他不喜欢的这几个人就说出来，就是他哪儿不行，直言不讳。

也许古代的政治，君臣之间，光明磊落，非常坦荡，也许呀，但是人性的复杂，我认为倒未必能达到那种程度。尧可能是已经下了决心，要处理，但是处理的方式很巧妙。随后这个事儿就不谈了，好，你说鲧行，那我就告诉你，老老实实干哈，"钦哉！"认真干。结果呢，史书备注了一句，"九载，绩用弗成"。三年不成，六年还不成，六年不成，九年还不成，三年一考核，考核三次都不行，事不过三啊！随后就是说找接班人，赶紧找一个人来接替我。你看看这种安排，最后把谁推荐出来了？把舜推荐出来了。

他在位七十年的时候，我们推算他的年纪已经将近一百岁的时候，发现了舜。而这个舜呢，并不是说底下一推荐，他就说行，我把姑娘嫁过去试一试。我们详细地分析过这一段，在这一点上，我们认为尧他老人家还是心中有谱儿，早就了解过了。别人一推荐，他就说我听说过，你认为怎么样？这显然是已经做了很深的调查研究嘛，前期调查可能已经做过几次了。所以别人一推荐，他就说那我让我儿子跟他合作，把我两个女儿嫁过去。一下嫁两个女儿，现在说舍不得孩子套不着狼，有人说那"孩子"是四川话，是鞋子，你不管是什么东西，你得有成本，对不对？

有道之人，破天年数

还有一件事情，我学《黄帝内经》，就老琢磨人体这个规律，他的两个女儿多大？就是娥皇、女英多大还没嫁人？如果爹快一百岁了，这女儿是多大？正常情况下，假如说我们往小里说，他就刚到九十岁、八十多岁，古代规定嫁人的年纪是十五岁到三十岁之间，女孩子要不嫁人的话，你们家要被多征税啊，这在汉代都有明确的规定。那最大她们也不超过三十岁，对吧？往下一数，假如说尧八十五岁，那么如果孩子没超过三十岁，五十五岁的时候生这两个女儿。稍微大一点儿，尧得是六十岁左右甚至将近七十岁的时候，才有这两个未出阁的女儿，才能把她们嫁给这个叫"有鳏在下，曰虞舜"的是吧？鳏是什么？鳏寡孤独我们都知道，鳏是男子无妻为鳏，寡是女子无夫为寡。

这么一分析，就很有意思啊，尧他老人家多大岁数的时候有的这两个女儿？嫁给舜的时候年龄多大？天子的女儿，现在叫公主，是吧？公主愁嫁吗？二七天癸至，女孩子十四岁的时候，我们讲《论语》的时候说过，她已经可以有子，但是按照《黄帝内经》里面说，最好是四七二十八的时候，女子身体达到极盛，那个时候要的小孩儿通常会长寿。如果又不违反天时，种种其他的条件（这又是另外的一个学科了）都不违反的话，这个孩子那身年百岁，身体健康，智慧超群，运气超好，德行超高，就像文王那样，都应该是那样的孩子。太早，没有什么不好，但是呢，会使妈妈短寿。因为男女都那样，过早的夫妻交合，会动了精气，损伤的是五藏的能量，这我们分析过。这里不是讲身体的道理，提示一下。那我认为，把这姐妹俩定义为二十岁上下好像是通常比较合理。就是既不太早也不会说拖到三十岁，也不会太晚，二十岁左右应该比较合适。

那你说尧是什么人？按《黄帝内经》来讲，他不是有道之人八八六十四岁之后通常生不出来孩子了。没有说明这两个孩子多大岁数，但我们这一推，就说明尧有道。你看他的工作时长，就知道他有道。在位七十年，身体非常硬朗的情况下，说找接班人。而且事后证明，舜工作了二十八年，尧才去世，对吧？这是毫不含糊记录在史书当中。那如果九十岁再加二十八岁，他多大？是不是跟陈抟祖师差不多？将近一百二十岁，老人家才仙去。这么一说，他显然对于自己身后的事情非常清晰，而且整个过程完全在他掌控之下，我要找人，处理事情。表面上看，我老了，找接班人，实际上他要找一个人解决天下洪水这件事情。不知道大家能不能把我这个思路绕了老半天绕回来。分析了一大堆，说明他是个明白人，在身体非常健康硬朗的情况下，他要解决当下国家最重要的问题。铲除洪水是表面现象，谁导致的这个洪水？后面我们发现有四凶是吧？

史实类推，合理分析

舜上任之后，除了根据什么天象，北斗七星，然后安排政事，最后在礼仪上跟四方诸侯都结交上，然后巡视一圈儿，这些事情都干完了。下面你看他干了个什么事儿？有个"四罪而天下咸服"，对吧？所以整个这一段其实是在尧的安排之下进行的，前一代的天子和后一代的天子两个人合起来把这个问题解决了，这是当时的重点。也有可能这完全是我个人的臆测，但是我觉得通过离我们很近的史实，可以类推。

比如说，乾隆明明知道和珅很贪腐，他就是不处理他。然后他儿子嘉庆一接位，叫"和珅跌倒，嘉庆吃饱"。什么叫吃饱？把这一个贪官拿了，把他家的钱没收，国库就满了，这叫吃饱。为什么这么处理？也有人说野史记载，很多忠臣、明白人不断地参和珅，就等于向皇帝告状，这哥们儿太贪，太过分了，你看他把持着一些地方官的命运，然后把国家的财富全搂他家去了。据说乾隆回答就是，不能留一个陪我玩儿的人吗？把他收拾了，谁还陪我玩儿呢？什么叫孤家寡人！皇帝嘛，也没有人敢说什么真话，只有和珅几十年慢慢地跟他混熟了，就成老朋友了，也知道他什么心思。喜欢龙井，好，皇帝，赶紧去杭州。像现在快到清明了，明前茶也下来了，春暖花开，到江南去遛一遛。他一路上就给您声色犬马，伺候您，就觉得太舒服了。而且天下太平，当皇帝超过50年，到老年的时候，就觉得天下好像没啥事儿可处理。疆土广大，土尔扈特部回归，那就感得回归啊，就是因为您强大，跑了的那个族群都主动地加盟。这对皇帝来讲，太惬意了，所以他自己说自己是十全老人，要什么有什么，人间达到极致。可是你把和珅给我干掉了，没有人哄我玩儿啊！那皇帝他能好意思说我看这东西不错，这不太好意思吧？或者说有伤九五之尊的尊严吧？不用他说，那个和珅就像他肚子里的蛔虫一样，他喜欢什么，什么时间该干什么，伺候得他心想事成。这是人性。还有一个，他就知道，你贪吧，我知道你贪。但是临终的时候，他一定会告诉他儿子，我走以后你把他干倒。所以他儿子一上台的第一件事情，就是肃贪，把和珅干倒，国库就充盈了。

那我们想一想，你觉得我这推理有没有合乎人性人情的道理？尧从政那么多年，慢慢地他就发现底下这儿有一帮人不干正事儿了，勾结起来做一些伤天害理的事情，或过于贪腐的事情。你想能够推荐这些人的是什么人？如果你讨厌我，然后有人说你给我找一个能够讲国学的，你会推荐我吗？我认为不会。你讲得再好，我就讨厌你，就不给你推荐。或者你讲得没那么好，我就是看你顺眼，推荐你能怎么样？这是人情，也是人性。

尧呢，可能慢慢地发现，这一伙人，什么共工、驩兜、三苗包括鲧，他们也是在天下承平日久的情况下，慢慢地滋生出了腐败。而且突然发现这些人居然能够合谋，连起来一块儿。他这个问话是不是试探都不一定，我认为有可能是尧故意抛出一个问题，找这个工作，你看行不行？然后就有人说你儿子行，那尧是不是判断：你以为我会把天子位传给我儿子，现在你已经把他当太子了，然后你开始围绕着一个小孩子声色犬马，伺候他，将来我一退，你把他扶上去，你就可以制约我的儿子。有没有这种可能？然后再推荐，儿子否定了，说还谁行？说共工行。你看谁推荐的共工？他不讨厌他，甚至说他俩必须有利益瓜葛，他才能推荐他，否则凭什么推荐你呢？

他凭什么向天子去推荐他？他们是不是同伙？所以我分析，尧他老人家就认为这个事儿不能不解决，但如果硬解决恐怕伤筋动骨太大了，因为这些人等于是朝廷重臣，管理天下的公卿一类的官员，可不得了。那怎么办？找一个新人来，既找接班人又能够下得去手，去镇压。也好调查，你看现在中央反腐，这个地方官官相护的话，一定是空降一个纪委书记，甚至是省委书记，完全打散原来的勾结，然后开始"揭锅"。从古到今，这种政治智慧，一直都在。

所以《尚书》看上去不经意的那么几笔，我认为这里面隐藏着太多的历史真相在后面。你能读出来，就可以帮助你当下的工作和生活。读不出来，全都是让你向善，学尧、学舜，好不好？好。但是背后那些细腻的东西，你要是没把握清楚，那读古书基本帮不上忙。就是你没有化入心性，你仅仅是能背，它说了什么，怎么样，但是为什么这么说？为什么这么处理？它这个情节为什么是这样展开的？就不能帮助你当下去认识人，去断事。这些分析完了，我们再往下读，这个叙述和对话就会顺畅多了，大家往下看。

祭祀祭品，民间故事

岁二月，东巡守，至于岱宗，柴。望秩于山川，肆觐东后。协时月正日，同律度量衡。修五礼、五玉、三帛、二生、一死贽，如五器，卒乃复。五月南巡守，至于南岳，如岱礼。八月西巡守，至于西岳，如初。十有一月朔巡守，至于北岳，如西礼。归，格于艺祖，用特。

169

五载一巡守，群后四朝。敷奏以言，明试以功，车服以庸。

"岁二月，东巡守，至于岱宗，柴。"上一讲都说了，一年四季他选取四季当中每一季中间那一个月，对吧？我们今天是戊戌年的，二月初一，就是属于"岁二月"，这个时候天子就要动身了。春天对应着东方，所以"东巡守"，到哪儿了呢？到泰山。泰山在山东，在古代这个路途可是不近，没有半个月、一个月走不到，所以估计初一就动身了，也就是我们今天二月初一的时候他就应该启程了。

"柴"，这是我这本书的写法，有的版本是此地的此，底下加上一个请示的示，对吧？这个字也念柴，它俩是同一个意思。"柴"是什么意思？就是在底下架上柴火、木料，然后在上面放上牲。所谓的牲就是杀死的牛、羊。反正根据程度的不同，牛有大牛、黑牛、公牛、母牛这种区分；羊也分成年的羊和羔羊，不一样的。一般大牲就是指牛了，这在古代是最隆重的祭礼，杀死以后，架在柴火上，底下用火烧。我们想象这个场景，说祭天，天吃那个东西吗？我表示怀疑。像烧烤似的，熏得"煳了巴黢"的，我认为天不会吃这个东西，只不过就是从远古传下来这么一个习俗。古代社会一般除了农业，他有打猎是吧？然后有渔业，反正就是把打来的这个猎物，他认为这是最好的，我把我最好的东西献给你。现在人也是这样，我是对你好，然后接受那一方或者不接受那一方说，我用你对我好？就是你喜欢的未必是我喜欢的，你别拿你的标准来衡量我。

所以人间就弄出这个牲，说祭天，我的判断是天不会喜欢吃这个东西。因为根据史书上记载，什么叫天？轻清上浮为天，凝重下沉的为地。

"望秩于山川，肆觐东后"，这几乎不用怎么解释，"望"，注解说是一种祭祀的名称，那好，我们就当作祭祀的名称。这个"秩"，前面也有过，有的版本写成了"程"，有的去掉了，有的就是说次序。"山川"，还有一个排位，谁先谁后，祭奠哪一个山，用的那个牲是牛，哪一个山是羊，这还有大小的区分，都不一样。是以人间之理，来想象山重要性的不同，也修出了种种的规矩。"东后"，再强调一遍，这不是方位，是指东方的那个君长。

这个"后"读古书的时候，一定要注意，它到底是前后的后还是王后的后。因为我们简化字以后，两个后变一个后，能知道吗？前后的后和王后的后变成了一个后，一简化你看不出来区分。还有那个"姜"大家知道吗？一简化都变成了姜子牙这个简体字的姜，但是我们吃的葱、姜、蒜那个姜，是草字头的那个"薑"。就是正体字里面，我们现在说的繁体字里面，有一些同音不同形的字，在简化字里面变成了一个字。写法不一样，意义也不一样。就像我坚持在我的国学大讲堂这个著作里面，只要以后再提到五藏，还是用那个"藏"，不是简化以后还读脏（zāng）的那个字。你要是用这个藏，读成"zàng"，孩子慢慢地就会明白，五行藏在身内，叫藏，它不是很脏的"下水"，文化含义截然不同。所以这个"东后"，"后"，指君主、王、做主的，为"东后"，相当于方伯。就是一方之老大，伯仲叔季，伯是老大嘛！

矫正音律，定度量衡

"协时月，正日"，司马迁的版本呢，这个"协"变成了"和"，今天"协和"是一个词。"同律度量衡"，这句话太关键了！

"同"，统一，让它相同。"律"的解释有分歧，有的解释成法律，是吧？有的解释成音律，天地之音。如果问我的选择，我很显然要选音律的律，是最原始的意义。在没有国家法律之前，音律是存在的。音律不是人发明的，是人发现的，就是规律、节奏这种东西是天地之间本有的。它可以不显现，但是当你因缘起来以后，发现这个节奏是天然的，这个频率就是那样。比如十二平均律，它不是人为的我把它"发明"出来，而是在天地之间本有把它"发现"出来，这是不一样的。有了这种节奏就相当于是规矩，人间的事情是根据天的规矩来立的。所以先有音律，后有法律；先有天道，后有人道；先有天伦，后有人伦。当人体会到"天道以后，天人合一"。所以做任何事情都是孔夫子七十岁的境界，从心所欲不逾矩，天人合一，心想事成，吉祥如意。因为符合了天道。

所以"同律"，尽管有注解的分歧，我个人的选择是指音律，矫正音律。当然对于一个摄政的天子来讲，由此再矫正法律也未尝不可，你也可以兼而有之去解释。可是，《左传》上说，古代国之大事为祀与戎，就是祭祀和军队打仗，只有这两件事情为国之大事，其他的都是小事。但祭祀的时候必须有音乐，庄重、庄严、和谐。不能在朝堂之上放个《小苹果》之类的，那就是不庄严。音乐的选择，非常重要。

"度量衡"，秦统一以后，统一文字、统一度量衡，我们是不是有印象？初中的时候就学。其实在舜的那个时候就曾经做过这个工作，"同律度量衡"。而且我们看《尚书》，从《尧典》开始，"曰若稽古"后面的第一个词就是"帝尧"，对吧？帝舜，帝禹，尧舜禹，称呼他们为帝，就是天子。天子下面四方有诸侯，你看这个管理体制。

对中国上古史完全都不了解，这是无知。《尚书》开篇就是帝尧，那什么是帝？天帝？人帝？天皇？人皇？

五礼五玉，三帛二生

"修五礼、五玉、三帛，二生、一死贽。""修五礼"，这个记载是吉礼、凶礼、军礼、宾礼和嘉礼。嘉礼和吉礼什么区分，我不知道。但是注解上就这么说，这是五礼。也就是人间大家什么红白喜事啊，然后有重大的节日啊，喜庆的事情啊，开埠啊，企业兴办啊，搞什么年终总结大会啊……要举行那种礼节，各种各样，"五礼"，这是一种区分。包括什么是军礼，像军队里面的制度。有一定的礼，那就是军礼。"修五礼"就等于把人间规范制度，这就相当于法律。这个礼就是古代的法律，每个人都要遵守这个礼。不遵礼，那等于等而下之，等你面临国家的法律去制裁的时候，就已经被人所不耻。

"五玉"，我们上一讲说了，根据公侯伯子男爵位的不同，天子发给你的要么是桓圭、信圭还是什么蒲璧，圭和璧区分就是"五玉"，表示你获得爵位的不同，那个玉的材质也不同。从古到今，这套制度表象上千变万化，实质上没有什么不同。

"三帛"，这个玉的摆放，在古代，那就有隆重的礼节。比如说这是木头，这个玉的贵器你"当"搁木头上一放，既不庄重也不保护它，所以要用这个帛中间垫一下。所以这个"三帛"是用来垫"五玉"的。为什么是三种颜色呢？我查资料，大概是说，公侯用一种颜色，伯用一种颜色，底下这个子男，就是最下面这两个爵位，用一种颜色，它就分三种，不是五种。为什么不是五色的帛，换成了三种，后面还有五和三之间的对应关系。可能这个五和三在古代有说法，现在我还不能完全地把它文化意义找出来，但显然也不是随便地这么制定的。

"二生"，"生"，是指活的，所有的注解都说是小羊或者是羊羔，或者羔羊，反正不是老羊。老羊是属于那种老得咬不动的，煮完了咬不动，羔羊会比较嫩，活的小羊和活的大雁，叫"二生"。

"一死贽"，这个"贽"挺有意思，有的版本不是执贝这个字，是表示野鸡的那个雉，一死雉。而这个"一死"就是指死的野鸡。

今年春节之前，我回家去陪我妈妈几天，然后，家里人就给我弄了两只，我认为那就叫雉，就是野鸡嘛，已经死了，不是活的，就是已经冻上了，但是你看尾巴那么长。因为我不吃，我就送给了长春的一位老师。

执贝，以前的诸侯见天子，拿的礼节称为"贽"。凡是带贝字的，在古代都跟钱、财、物有关，因为说最初的那个钱币就是海边的贝壳。那也就是说我们大连这个地方和对面的山东半岛，当年是出产货币的地方，这个贝到底是什么样的贝，是不是有选择，非得选择那种七彩的、漂亮的，不知道，反正是我们属于天然出产贝类的地方，应该属于富庶的地区。可是这个地方在古代是属于东夷，很偏僻。执贝呢，就是等于说我拿着（执贝我现在指的是一个字哈，就是这个贽的写法，上面一个执，底下一个贝），等于是拿着财物去见老师、见官长为"贽"。从小我妈就告诉我，第一次去长辈家和老师家不准空手，哪怕你就买两根香蕉，也是礼节，空着手去，就不行。

这都是规矩，同律度量衡之后，你看一下这个规矩，以前可能有，现在又等于是重新强调。

"如五器"，就是指上面的五种玉器。"如"，我们前面说过，叫"觐四岳群牧，班瑞于群后"，验明正身以后，报告完工作以后，符信相合，他还得还给你，这个"如"和"符"是一个意思。如果诸侯和天子拿的那个玉对不上，就说明你是作假的，因为天子那块儿不会是假的。所以"如"就说明正好相合，严丝合缝。"如五器，卒乃复"，一看没问题，一切正常，你干得也不错，好，还给你，下一任期接着干。

天子巡视，古有制度

这是二月份，二月份说得就比较多，因为这是起首嘛！再往下这三季，三个地方，其实就是重复，只不过就是到不同的方向。

"五月南巡守"，东南西北这个方向，到了南岳衡山，在湖南境内。"如岱礼"，这一句就跟以前礼节上是一样的，重复来一遍，我们也不细说。

"八月西巡守，至于西岳"，华山是吧？教我道家功法那老师，摇头晃脑地说：走遍天涯海角，还是华山最好！"至于西岳，如初"，"如初"就是如东岳，这都是写文章的笔法，就是换一个词表达同一个意思，否则的话就很单调。比如说"如岱礼"，到西岳的时候，还说"如岱礼"，到北岳的时候，还说"如岱礼"，也可以这么表达，但我们感觉好像缺少点儿变化。人的性格上通常喜新厌旧，就是你给他适当地变化变化呢，就觉得心里舒坦一点儿。老讲《论语》，讲好几年讲不完，他就不耐烦，你什么时候讲下一篇呢？道理差不多。所以我们也有磨炼性子的过程，修定，因定生慧。

"十有一月朔巡守"，这个"朔"指北方。《木兰诗》里面说，"朔气传金柝，寒光照铁衣"。"朔气"就指寒气，寒气通常从北方来。比如说前天的这股冷空气，导致北方大部分地区降温，中央电视台说，有的地方降温15度以上。大连这已经降低到零下一度，沈阳下大雪，这就是朔气南来，等它这一过，南风一吹，我们的羽绒服就得脱掉了；再接着吹，毛衣就得脱掉了；然后穿长袖短袖；最后穿背心都热，就是大夏天的，夏至。一年四季，阳气上升，升到极致，然后下降，下降到极致，再上升，所以循环往复，周而复始。天地如此，人也如此，一呼一吸就是天地盈虚消息。

所以天地之间有这么一个人，人就是天心，如果你自己的心非常阴暗，与天心不同，就是早死之道；与天心相同，天人合一之道，就是长寿健康之道。就这么简单！非常简单，简单到极处！可是呢，在生活的起心动念，所有的方面，都需要去遵守它。你必须悟通，才不至于说这点儿事儿我懂了，然后另外的领域里我不懂，那就说明你根本就没懂，你所懂的那个只是在知识上记住了。它涉及起心动念、吃穿住行方方面面，一通它是百通、千通、万通，所有方面都通，不存在说就这方面通，那方面不通，那不是天人合一的悟通。

"至于北岳"，这就达到山西恒山了，永恒的那个恒。"如西礼"，你看他表达的，"如岱礼"、"如初"、"如西礼"，没一个重复的。这就是笔法，写作文的时候可以参考。

"归，格于艺祖，用特"，走了一圈儿，这一年都在外面漂泊，视察、讨论、制定制度。二月份出去的，回来之后过年了。好不容易走了这一年，回来了。你看这里面就一个字，"归"。归哪儿？归天子位嘛，在中原啊，他的都城在哪儿就归到哪儿。有的说尧都在山西，我准备去看一看。就在今明两年把五帝所有的都城、家乡，全走一遍。

"格于艺祖"，那回来了，就像我现在回家，进屋就报告：我回来啦！他是"受终于文祖"，从这儿出去的，回来到这儿报告，又是向祖庙文庙，现在说的是尧的祖庙太庙，那个大庙就是太庙。尧是谁的子孙啊？尧是黄帝的第五世孙嘛，所以这个祖庙里面供着谁啊？有的说供的就是五帝。这个五帝的概念和后面带着尧舜禹的概念就有重叠，所以我认为应该是指在他以上的历代列祖列宗，起码要包含着黄帝。就是黄帝肯定在祭祀里面，有没有伏羲女娲那就不得而知。

"用特"，这个"特"是一个专有名词。一般来讲指最高级的，把牛杀了上供的那个"牺牲"。我们现在形容英雄人物死了，叫牺牲。在古代，牺是牺，牲是牲，跟"特"都是什么旁儿？牛字旁儿，都是属于牛。你看这个字就知道，古代的文字往往让我们一目了然，这个东西是什么，怎么用。"用特"显然是用牛。

总结了，他老人家"五载一巡守"，五年，出去一趟。这就相当于是任期一个制度，天子巡视一圈儿，五年。那么其他的各方诸侯，指"群后"，各方的首领，"四朝"，这五年当中四次入京述职，汇报工作，对验符信，这套礼节又重复一遍。

古代也是这样。天子下去视察，五年一次，各地的地方官员，在天子不来视察的那四年当中，到都城也就是到首都来当面汇报工作，叫"敷奏以言"。上奏嘛，把你自己的工作报告、述职报告递交上去。"明试以功"，那不能你说啥就是啥，还得有一个考核的过程，你是不是吹嘘自己有功，所以"明试以功，车服以庸"。一检查，还八九不离十，说得差不多，好，给你车，给你服。"服"是什么？吃的吧？我们说服药，也就是吃药，"服"，可以解释成两种，绫罗绸缎，衣服，奖励给你，再就是吃的。"车服"就代表着赏赐。"以庸"，就是用，等于给你物质奖励。我们现在强调的是精神奖励，不准乱发奖金。在古代的赏赐通常都是实物。

尧分九州，舜增三州

肇十有二州，封十有二山，浚川。

象以典刑，流宥五刑，鞭作官刑，扑作教刑，金作赎刑。眚灾肆赦，怙终贼刑。钦哉，钦哉，唯刑之恤哉！

流共工于幽州，放骧兜于崇山，窜三苗于三危，殛鲧于羽山，四罪而天下咸服。

二十有八载，帝乃殂落。百姓如丧考妣，三载，四海遏密八音。

"肇十有二州，封十有二山，浚川。" "肇"，是肇始。"十二州"，在尧的那个时代天下划分成几州？九州。哪九州？我们接着数：河南的简称是什么？豫州，为什么首先去河南呢？中原，老家。你到河南去参加黄帝拜祖大典，是说欢迎全世界的华人回老家。他为什么这么讲？整个炎黄子孙都在那个地方繁衍出来。所以第一个豫州。它南面，极目楚天舒的那个古代叫什么州？关羽大意失什么州？荆州。要记住啊，湖北地界，包括它以南，荆州，是中原地区。然后，我们现在就想山东那个地方叫什么州？古代整个山东半岛，叫青州。我们现在山东有没有青州？我在这给大家看过，一千三百年间唯一流传下来的一个状元卷儿，明代的赵秉忠的状元卷儿，就在山东青州的博物馆，镇馆之宝。好像怀素的《食鱼贴》也在那儿收藏着。青州，现在是变成了一个小市的名称，古代是包含了整个山东半岛。江苏有一个什么州？中国矿大在那儿，徐州。河北简称是什么？我们现在说京津冀协同发展，京是指北京，都城；津，是天津，护卫、拱卫北京的，渡口，叫津，津梁，那是要塞；后面那个冀是什么？河北，叫冀州。山东现在有没有一个城市叫兖州？江苏除了徐州，还有一个，叫什么？扬州。冀、兖、徐、青、扬，中间是豫、荆，东方的，中原的，那西面呢？还有两个吧？陕西南部四川盆地在尧舜那个时候叫什么州？凉州。《三国演义》里面那个马超来自哪儿？西凉，是吧？陕西北面叫什么州？雍州，雍和宫的雍。九个了吧？冀、兖、徐、青、扬、豫、荆、凉、雍。所以东、中、西，古代你想在尧舜的那个时候，这九州的划分，我们的国土面积足够大吧？凉州也有写作梁州。

到了舜这个时候，他为什么变成了十二州？据说，他认为北边的这个冀州太大、太远、太长了。这是一种说法，因为我觉得凉州、雍州包括荆州面积都很大，但是他为什么就把北面这个划分出来呢？我的考虑可能角度跟现在解释的不一样。他说可能是前后太长不利于管理，所以增加了并州、幽州和营州，我认为不是这样。因为后面有一句话，就是那些蛮夷族群侵犯华夏，从北边来的，包括海上东面来的。他增加这个治所是为了防御，加强边疆管理，像屯军一样，加强那方面的势力。

大家感没感觉到，我们多次的危险都在北方，尤其是汉朝。汉朝一直跟哪一个族群作战？（听众答：匈奴）对。我是前天晚上用了两个小时，看了汉代将近三百年历史的大事叙述，一条主线就是，不断地派将军跟匈奴打仗。匈奴那面呢，你把他打散了，然后过一段时间他又纠集起队伍来骚扰你。我们因为打匈奴打出那个卫将军的，打出国威的，很多人。也有投降过去的，很惨烈。所以两百年间跟匈奴之间的战事不断。到了后期，匈奴归顺，基本上把他打没有了，或者他自己嘚瑟光了，很不容易。在古代就是如此。所以我判断舜把北面的冀州这个位置增加出了并州、幽州和营州是为了戍边的考虑，就是防止祸患。

并就是合并的那个并，有印象吧？治所在今天的山西太原。他相当于是把冀州和雍州交接点那个地方增加出了一个要塞。李世民从哪里起兵？太原。李世民从太原起兵。太原是以前兵家必争之地。你看安史之乱，太原也是很重要的要塞，除了西京长安，还有东都洛阳，第三个重要的地方就是太原。

幽州知道吧？这个就很清晰了，就指北京，具体一点儿就是现在北京的密云县这个地方，古代的幽州。你听刘兰芳讲评书，讲宋和辽之间，你就知道这个幽州，也是耳熟能详的一个地方。

营州距离我们现在讲堂就比较近了，营口附近的地方，是不是类似今天葫芦岛啊？葫芦岛的那个位置。营口这个名字，我想就跟古代设这个营州直接相关。营就是营房那个营，营口的营，营州。所以舜在尧九州的基础之上，增加了三州，就是这并、幽、营三州。

甲骨记载，占卜边患

"封十有二山"，每一州当中选择一个代表性的大山，进行封禅。这件事情在中国古代很重要。不但山要祭祀，水也要祭祀。因为山川代表着整个国土，而且按照古代的观念，你看一下我们这一段上面叫"望于山川"，"望"是一种祭祀礼嘛，"望于山川，遍于群神"。他是认为山有神、水有神的，是可以进行沟通的，沟通的地点就是祖庙。你先别评价它科学不科学，是唯心还是唯物，中国古代就是这样的观念，你不能拿自己现在的意识去衡量它。而且它到底有用没有用呢？就是这种祭祀、占卜、禀告、祈祷有用没有用呢？

我拿了一本中国书法杂志，这是前些年的。我这一期没舍得扔，是2012年第六期，封面，前面的同人能看见吧？什么字？甲骨文。而且是一个叫涂朱的甲骨文，就是字刻完了以后，涂红，用那个丹把它涂上颜色。为什么用这个做了封面，这么重要呢？我给大家念一下它的内容。就是这一期封面是商代的甲骨文，什么时期的呢？武丁时期。很具体，商朝武丁时期。不但武丁有名，他的皇后也有名。知道吗？叫妇好。听说过吧？最近中央电视台有个节目，刘涛扮演妇好，叙述的就是这个故事。这位皇后非常厉害，文也行，武也行。具体故事大家可以去查，我们不叙述了。

"此为罗振玉旧藏著名的精华甲骨大版之一，也是目前发现的字数最多的一篇甲骨刻词（注意，是目前发现的，刻词最多）。记述了商王武丁在某年的六七月间（时令是夏。商王武丁某一年，具体哪一年，那就不知道了），卜问灾祸和战争之事（怎么卜，什么程序，那现在我们绝大多数人可能都不知道，甚至没有人知道，这还等待着历史书的出土，考古发掘，可能慢慢地能把它对接起来，现在具体的还不知道）。武丁亲自占卜（就是天子亲自占卜，不是命令占卜师、职业官员去占卜），判断发生了边患（占卜完之后，他就得出结论说，边地就是国境的边上有人进犯，叫边患，就是有人进攻了。它不像现在呀，有电视直播，一个电话，然后有战地记者，怎么开打的，都能给你现场直播。就连美国'9·11'那个飞机怎么撞上去的，当时好多人都是现场就像看大片一样的那么看到，对不对？古代那个时候哪儿有啊！疆土广大，所以他是占卜知道发生了边患）。几天后（到底几天，没交代清楚）即收到土方（这是一个地名，郭沫若考证在今山西北部河套地区的，河套就是黄河那个地方，山西、内蒙古、陕西。就我们现在说幽州、并州那个地方）入侵的消息（他占卜，说发生了边患，几天以后收到报告，说就在土方那个地方，土方到底是不是郭沫若考证的山西这个地方呢，还可以再考量。但是一定就是有人报告，北方有外族入侵）。由于所记之事重要（天子亲自占卜，又发生战患），故字迹涂朱（所以这个字迹涂上红色的丹朱，红色）。书记气象浑穆（这就是书法界形成一种书体，又用形容词了，什么气象浑穆），刀法娴熟（这应该是那个朝代最佳的著作吧？因为天子亲自占卜，那当然是最高的高手，起码就是在我们现在说叫御用画师、御用书法家、御用雕刻家把这个东西记录下来，涂朱），是传世殷商甲骨文代表之作。"

北方发生边患他怎么知道的？通过占卜。这件事情用现代人想就太不靠谱了！但是请问大家，如果你是天子的话，占卜以后说，发生边患，可能不知道在哪儿。那按照常识来讲，我们想一下，西面是大山，东面是海，南面有长江、有恒山，属于南岳，大部分的可能就在北方。不管在哪儿，已经知道可能是有边患，他是不是可以提前就做战前军事动员了？做准备，这可以吧。哪怕一天的准备时间都不至于叫猝然临之，手忙脚乱。

通过这篇文字，我就发现我们对古代那套东西应该保持一种敬畏之心。就是你不会，但是你别说它迷信不科学，你先慢慢地琢磨。就像我最近断言《素书》不是黄石公传给张良的那部书，起码不是全部。把它写入这本书的序言里面，大家可以看。

奇门遁甲，三人得传

我学奇门遁甲的时候呢，看到三个人被提到，第一个，张良；第二个，诸葛亮；第三个，朱元璋的军师刘伯温。你看这三个人在历史上的形象，全都是军师、帝师，都能够"运筹帷幄之中，决胜千里之外"。除了诸葛亮自己累死了，张良谦退，就是《道德经》上说的功成名就而身退，天之道，道家传人。本来刘邦让他做万户侯，他不要，选择留城那块地方。那破地儿，没有人稀罕的，但他呢，够吃够用就行，所以尽管封侯，但是很小的一个地方，这就是低调。

刘伯温呢，和当年的范蠡有一拼。范蠡就判断越王勾践那个面相，这人只可共苦不可同甘，劝文仲，咱哥俩儿不能陪着他，现在天下安定了，第一个收拾的就是我们俩，赶紧走。文仲不听，所以范蠡据说过好日子去了。那携着西施走的，飘然而去，多浪漫啊！文仲呢，还忠心耿耿，就说他不是那种人，我跟他一块儿打天下的，他怎么能对我不好？你看越王勾践表面说，天下咱俩一人一半，哪有那么回事儿啊！后来是怎么死的？赐死的。文仲就死掉了，所以叫"飞鸟尽，良弓藏"。刘伯温同样判断朱元璋是勾践那种人，所以小说上讲，那一段时间，朱元璋在哪儿，他就像橡皮糖一样粘着他，就是不离开他一丈之内。最后那些功臣被庆功楼一把火烧掉，全都葬送了，刘伯温活下来。最后也走了。

我们古代的书分经史子集，经，就是经典；子，古代的春秋诸子；史，史书；还有一个集，你把它列入"子"也行。刘伯温有个

《刘伯温集》，感兴趣的，大家也可以看一下。很厚的两册，那都是宝贝。你看这些人写的诗、作的文章，很厉害啊，我们现在这些人，至少我觉得我跟他差得太远了！中华是有宝贝的。

我通过这件事情就判断，张良等于是跟我们开一个玩笑，他可能预知五百年后有人盗他的墓，盗墓肯定要翻东西，就在枕下藏了一卷《素书》，而且神秘兮兮地说这个书不能传给不道、不神、不圣、不贤的人。大家一看是张良的墓，那这个就是宝贝呀！

但我认为张良没说这就是我老师传给我的那个书，你认为是他传的，那你就这么学去呗，反正也学不坏。但真正道家的密传，不只是《素书》这个内容啊，就是我学《素书》，我怎么也学不出来我如何能够断定刘邦身后五十年之内会发生东南的叛乱。刘邦封完吴王，摩挲着他儿子的后背说，汉后五十年东南有乱，难道就是你吗？你小子现在这德行，一看就有反相。他当面说的。哎呀，天下毕竟是刘家一家，你可不要反。四十一年以后，他说这个话的时候是公元前一百九十五年，发生刘濞他们这个叛乱已经是公元前一百五十四年，隔了四十一年，不到五十年，真的就发生了叛乱。因为晁错上书削藩，就是把诸侯国手中的权力削弱，结果底下的诸侯王就反了，发生叛乱。刘邦哪有这种本事，能够推知未来四五十年的事情，而且说得那么笃定，说你小子有反骨，有爹说儿子你天生有反相的吗？他怎么知道？真正能推算的，刘邦身边只有张良。所以我认为中华文化的传承有秘诀、有秘传，大家要怀有恭敬的心理，只有你的德行修到了，你才能够得到这种秘传。

我一直在想，我跑全国各地讲座，说不定哪个场合就坐着得到秘传的高人，在底下听。也许今天就有，只不过不吱声而已。

十二山封完了，"浚川"，疏通河道的意思。所以把山水都弄好了。这就是很奇怪的一件事儿，本来尧已经找人去治理洪水，对吧？然后舜好像跟洪水一点儿关系都没有，到全国各地该视察视察、该封禅封禅，然后最关键是"浚川"这件事儿，它跟河道有关哪，当时不发大水嘛，全国发大水，他怎么疏通的这个河道啊？这又是一个重大的疑点。每一个疑点都分析下去，一句话我们讲半年，就麻烦了。

象以典刑，残酷五刑

接着往下看，"象以典刑，流宥五刑，鞭作官刑，扑作教刑，金作赎刑。眚灾肆赦，怙终贼刑。钦哉，钦哉，唯刑之恤哉！"有没有拿到的版本跟我念的有不同的？我对照《史记·五帝本纪》的内容和《尚书》一读，司马迁很多用词、用字都改了，有的甚至去掉了。我们曾经把"乃命羲和"那一段和《五帝本纪》分别对照着给大家说过一遍，体会一下司马迁引用《尚书》的内容，他为什么改写了一部分，是不是更适合于我们今天阅读，因为毕竟汉代离我们才两千多年，而《尚书》这个历史距离我们现在至少四千多年。这个感觉是不太一样的。

"象以典刑"，"象"，就是画出图形，就像我们今天叫图说。图说两会，比如宪法修改了，用图来标示，哪一条改了。然后你能得到什么样的税收优惠，也是用漫画的形式、动画的形式给你展示，要不就出来一摞子金币，表示你的可支配收入；要么就是柱状图，表示前后年之间的变化，非常形象生动，这叫"象以说法"，对吧？用图像来说法。"象以典刑"，就是用图像来把国家的刑法告诉你，不用看文字，一看图形就知道了。

我们国家的文字是象形文字。前些日子，辽宁省博物馆展出《万岁通天帖》，我去看了一下。里面有个小牌子，把古代的表示剁人脚的刑法那个字的演变过程，在这个牌子展现出来，包括割人鼻子的那个字演变的过程，也展示出来。这就相当于是用个象形，画出来形象把这个刑法告诉大家。因为可能老百姓有不识字的，但是图能看明白对吧？像我没有本事把这个《三国演义》读明白，小人儿书我还是能看明白的。它就是图嘛，展示的信息就很直接。所以叫"象以典刑"，用图来说。这是不是叫创新呢？制度创新，宣传手段创新。比如说宣传税法怎么宣传？在大街上摆个桌子，然后你来问我回答，这太笨了。制造一个微电影，然后拍一个动画片，往网上一放，点击率就非常高。那很快啊！

"流宥五刑"，这个比较麻烦，要解释"五刑"的话，就跟解释五气、五伦差不多。这五刑包括：墨、劓、剕、宫、大辟，五刑。墨刑就是在你脸上刺字，然后涂上墨，不光那个时候有，我们看《水浒传》，武二郎脸上就被刺了字，对不对？犯人嘛。所以他为啥把头发散下来，为了遮挡一下。因为额头上有这个犯罪以后刺的字，别人一看就能看出来。遮盖嘛。所以这个墨刑，在脸上刺字，是挺让人难堪的。但是，这还属于很轻很轻的。

五刑的第二刑就很残酷了，割掉鼻子，而且据说在古代很普遍。割到什么程度？有些地方的人大部分人没鼻子，有鼻子的人反而瞅着别扭。这真是莫名其妙，我不知道是真是假，反正是姑妄言之，姑妄听之。我就听《说岳全传》里面，那个自作聪明的哈密赤鼻子被割掉了，那就是劓刑，鼻子的鼻旁边一个立刀。

刖刑、剕刑，"刖"，是月加上一个立刀，"剕"，是非加上一个立刀，都表示把人的脚跺掉。我现在也是好奇，就想看看网上有没有解释五刑的，这一查，还真有，而且还附了图片。有的是把清代的照片附上了；有的是把国外，比如说沙特对那个逃跑私奔的公主用石刑的照片也公布上来，各种各样的全都弄出来。还有个动画，解释这个刖刑，一个官员，拿着刀，把着犯人的脚，然后就在那儿锯，那个血呢，动画嘛，它就往下流。哎呀，看起来就觉得太残酷了。

这是第三个吧，第四个，最糟糕，宫刑，就是把男女生殖器坏掉。谁想出这些个办法，我觉得这个人就像唱戏里面说也是该杀千刀的。杀就杀了呗，非得想出那么多残酷的方法。这本书陪伴了我十几年了，《史记》，作者是谁大家都知道，他受了什么刑？宫刑。汉朝啊，还有这种刑罚。我们现在读这本书的时候，觉得司马迁的才华太伟大了，他也很正直，不正直做不了史官，他要是不正直的话，也不会受宫刑。但是为什么对他要用宫刑，这个真是让人愤慨……所以我对汉武帝没啥好印象。一提汉武大帝，我就觉得换个名称吧，称赞他爹尤其是他爷爷还不错。这五刑主要被谁废弃了呢？就是汉文帝。汉文帝做皇帝以后，就把大部分五刑去掉了，改判成所谓封建社会的五刑。但是他也没全去掉，奸淫作乱的，好像还是保留了这个宫刑。因为在古代社会对这一点可能看得极其严重。

这是第四个、第五个，大辟，就是杀头，我们说的死刑。古代执行死刑跟我们今天说一枪崩了他，或者注射一针安乐死不一样，太惨了。剁成肉酱，做成肉干。商纣王不就把文王的大儿子伯邑考剁成肉酱，做成肉羹，然后去让文王吃，说圣人不会吃自己儿子的肉羹。文王明知道这是他孩子的肉羹，但还是吃下去了。为什么后来武王伐纣？不可能跟这件事情没有关系！那是世仇啊！杀人也就杀人吧，哪有那么埋汰人的！因为文王姬昌和九侯、鄂侯他们三个人是"三公"，是商朝的三公。"三公"我们都知道，是这个国家除了天子以外最高级的官员，国之栋梁。能对国之栋梁这么下手吗？太残酷了！最残酷的好像还不是这个，那个九侯有一个好姑娘，然后就选进宫了，她是一个很贤淑的女子，纣王干的那种淫荡之事她就不喜欢，所以就把她杀掉了，杀掉以后，把他父亲，我们现在说那等于老丈人，剁成肉酱。"三公"就剩下"一公"了，那个鄂侯就据理力争，最后把他杀掉，尸体做成脯，就是肉干。了解这个历史，你就会发现，他要不灭的话，没了天理！

死刑可以执行，但是如此残忍，我们曾经给大家介绍过，我至少读历史书判断，凡是对国之栋梁被冤杀，而且杀的手段特别残酷的，没有一个朝代不亡。比如说明朝，不管袁崇焕将军跟毛文龙之间的关系到底怎么样，当他被处以凌迟，就是所说的斫刑，在北京，据说一片肉都没剩下，就是袁崇焕的肉就被当时明朝北京城那些人分着吃了。史书记载，袁将军当时那个哭号震天呐，最后就剩下一个头，头以下全被分吃了。无法想象这种情况！所以我就觉得这种事情不应该在人间发生，发生了，所有的人要么被屠城，要么朝代灭亡。这个刑罚不能那么残忍。

这是古代的五刑，后来慢慢地减刑，就变成了封建社会的五刑。第一刑叫笞，鞭笞，每十下增加一档，从十下打到五十下，根据你犯的罪行的不同。再严重点儿，不用鞭子打，叫庭杖，用那个大木头板子打屁股，或者打腿，严重的打后背，打腰的也有，笞完了就是杖，第三个徒刑。大家知不知道什么是"徒刑"？我们今天说判处一个人有期徒刑多少年，这个"徒刑"哪儿来的？它存在了好几千年了，叫徒刑，有期徒刑。就是关一段时间，剥夺人身自由，包括其他的权利，叫徒刑。就是成囚犯圈起来了，这个没有人身自由，还算是比较客气的吧！然后第四个就是流放，流放最低两千里，就是最低距离，流放两千里以外。五百五百往上增，两千增加到两千五，两千五增加三千，三千里那几乎快到国境边上了，到海上了，要么就是大山。第五个还是死刑。

苏轼遭受了什么刑？流放，流刑，仅次于死刑。如果不是宋代的开国皇帝定下"宋不杀士"的规矩，苏轼就被杀了。所以那个混账朝廷能不被外族势力所攻打吗？你只要是国家君臣之间，不管是因为冤枉也好，有奸臣告状也好，导致不和谐，非常严重的情况发生，对国政、对国民的运势有巨大的影响！这个历史一再地给我们这种启示。

减轻刑罚，平定天下

"流宥五刑"，舜用流放代替了五刑，这是舜的功绩，这是属于仁政、德政，对吧？"鞭作官刑"，就是官府惩罚人，以前可能也很残酷，现在就是拿鞭子教训一下，只不过就是皮肉之伤。"扑作教刑"，教育还有刑，这在古代，你看教育多么严重。"扑"是啥？用两种木头打人，一种叫夏，夏天的夏；一种是楚，楚国的楚。为什么这两种木头被命名成这两个字，我也不知道，没查着，反正就是说木头名叫夏和楚，就拿这两种木头打不听话的学生，叫教刑。

我上小学的时候，我们班主任老师还用柳条做一根棍子，当教鞭，这是教学工具，你不听话，她拿教鞭打那些不听话学生的脑门儿。我想这也就是很原始的那个教学工具。

"金作赎刑"，你有钱就可以赎罪，有钱还可以买官，这都是后世发生的，反正就是你不愿意服役，那也可以用钱来买，刑也可以，赎刑，赎买。大家一看，舜执政以后，是不等于柔政爱民？非常宽大，就把那些残酷的刑罚都替掉了。

"眚灾肆赦"，"眚"，反悔、反醒的意思，如果对自己的过错有所反醒，有立功表现，就可以得到不同程度的赦免。如果怙恶不悛，死不认账，那最终就给他用刑，叫"怙终贼刑"。

最后说了一句话，"钦哉，钦哉"，这个"钦"就是谨慎，一直解释成谨慎。"钦哉，钦哉，唯刑之恤哉！"刑之用不能够太过严酷。抚恤的恤，有的版本说是镜，反正大家慢慢理解。就是一种宽大仁慈的心理、谨慎的心理。

后面解释了我们一开始提出的，尧他老人家那种做法的背后的心思，有可能就是为了解决天下现象上洪水滔滔，朝政上有四凶开始蒙蔽天子，但没说，这是我们推断出来的。通过舜的执政，两任天子完成了对腐败的一击。大家看怎么做的。

"流共工于幽州"，幽州我们解释了，在哪儿？北京密云县。那发配得不近了。"放驩兜于崇山"，崇山在现在甘肃，也发放得很偏僻，是吧？"窜三苗于三危"，哎呀我记错了，三危是在甘肃，崇山应该是在湖南张家界。张家界那儿据说现在还有驩兜的庙，大家可以借着旅游的机会，去考察一下，看看是不是。"殛鲧于羽山"，羽山在山东，把这四个人发配到东西南北四个方向。看这四个字，流、放、窜、殛，都没杀死，也没用酷刑，就是把他们流放到边地，使他们没有凑在一块儿作乱的机会了。"四罪而天下咸服"，就把这四个人收拾了以后，天下都服气了。

"二十有八载，帝乃殂落"，这些大事儿干完之后，二十八年之后，尧终于过世了。所以尧的岁数起码是一百一十八九岁那样，在位七十载，一点儿都不假。找到舜以后，到底是考核了三年以后，再加二十八年，还是说包括考核那三年，这个大家慢慢地琢磨。司马迁说，尧在位七十，发现了舜，然后二十年老，二十八年崩，这叠加在一块儿，年龄更大。这中间是不是有包含关系，我们还得仔细地读经文。

《尚书》的这一段最后说，"舜生三十征，庸三十，在位五十载"，还是可以用来推断，这二十八一定要加上一个三，因为这一加三十一，但是中间有一个叠加的过程，去世这一年算第一年，然后第二年、第三年，所以应该是三十。能符合《舜典》最后那句话，"庸三十，在位五十载"。舜也是百岁的老人。

尧死了，"百姓如丧考妣，三载，四海遏密八音"。他去世以后，老百姓就像是失去了父母一样，三年之内都不奏乐。"八音"，我们现在有八音盒，会玩儿，但你不知道这八音指哪八音，金、石、丝、竹、匏、土、革、木，八音。这三年都不奏了，过年，也不放庆祝的音乐。就说明尧对天下有重大的功德，所以百姓才会这个样子。

时间到了，下一讲我们再接着讲。谢谢大家！

（七）

戊戌年二月十五　2018年3月31日

在尧、舜两代天子的努力、设计、安排之下，最终完成了国家腐败的清理、新制度的创设、中华文化心法的传承以及最高权力的顺利交接。本篇主要介绍舜接天子位之后对国家政务的安排，很多祖师爷级的人物将悉数登场。

两代天子，共除腐败

尊敬的各位同胞、各位同人：

大家上午好！

今天我们接着学习《尚书》第七讲。今天主要的内容是给大家介绍舜接天子位之后对国家政务的安排，这些制度的创设或者说巩固，对后世国家治理产生了深远的影响。很多祖师爷级的、祖宗级的人物，在这一讲当中将悉数登场。

月正元日，舜格于文祖，询于四岳，辟四门，明四目，达四聪。"咨，十有二牧！"曰："食哉唯时！柔远能迩，惇德允元，而难任人，蛮夷率服。"

舜曰："咨，四岳！有能奋庸熙帝之载，使宅百揆亮采，惠畴？"佥曰："伯禹作司空。"帝曰："俞，咨！禹，汝平水土，唯时懋哉！"禹拜稽首，让于稷、契暨皋陶。帝曰："俞，汝往哉！"

帝曰："弃，黎民阻饥，汝后稷，播时百谷。"

帝曰："契，百姓不亲，五品不逊。汝作司徒，敬敷五教，在宽。"

帝曰："皋陶，蛮夷猾夏，寇贼奸宄。汝作士，五刑有服，五服三就。五流有宅，五宅三居。唯明克允！"

帝曰："畴若予工？"佥曰："垂哉！"帝曰："俞，咨！垂，汝共工。"垂拜稽首，让于殳斨暨伯与。帝曰："俞，往哉！汝谐。"

帝曰："畴若予上下草木鸟兽？"佥曰："益哉！"帝曰："俞，咨！益，汝作朕虞。"益拜稽首，让于朱虎、熊罴。帝曰："俞，往哉！汝谐。"

帝曰："咨！四岳，有能典朕三礼？"佥曰："伯夷！"帝曰："俞，咨！伯，汝作秩宗。夙夜唯寅，直哉唯清。"伯拜稽首，让于夔、龙。帝曰："俞，往，钦哉！"

帝曰："夔！命汝典乐，教胄子，直而温，宽而栗，刚而无虐，简而无傲。诗言志，歌永言，声依永，律和声。八音克谐，无相夺伦，神人以和。"夔曰："於！予击石拊石，百兽率舞。"

帝曰："龙，朕堲谗说殄行，震惊朕师。命汝作纳言，夙夜出纳朕命，唯允！"

我们接着往下看经文，上一讲提到"月正元日，舜格于文祖"。因为尧他老人家已经过世了，舜必须自己承担起治理天下的任务。尽管他摄行天子事已经好多年了，可是毕竟尧在的话，有些事务肯定还是要征询他老人家的意见。

根据前六讲的分析我们可以得出一个结论：舜所取得的功业，包括禹所取得的功业，是在两代天子的努力、设计、安排之下取得的。我们曾经根据天人合一观，就是中国古代最核心的一个观点，给大家提出一个问题：为什么尧作为天子，是一个圣君明主，可是在他的时代会发生那么大的洪水？

在古代，人跟天地之间沟通得比我们现在要顺畅、要频繁，也要深刻得多。我们现在人类以为自己一枝独大，科学昌明，无所不能，上天入地，所以忽略了其他生灵的感受。可是我们读古书去体会文字之间反映出来的观念，会发现，古人对天地之间的万事万物都怀有着一种特别的恭敬心，而且国家就有专门的官员来打理这方面的事务。所以我们就说尧既然是中华文化里面那么伟大的天子，他怎么能感得滔滔洪水？最后分析我们发现，在他老人家年老的时候，做天子七十年以后，他自己提出来找接班人，是因为手下一批人成为国家政务的对立面，也就是说"四凶"。为什么尧自己不亲自处理？这和当时的形势，和他的为人、判断有综合的关系。

为政七十年，大家想一下，底下的这些个臣子们、重要的官员，有一些可能就以为老人家衰老了，不管用了，新一代就可以欺上瞒下了，这是我们根据经文里面提供的点滴线索推论出来的。然后尧采取了非常智慧的方法，就是我现在要找一个年轻的接班人，于是，舜就出来了，然后他就顺水推舟，说那我试试吧！让自己的儿子跟这个舜交往，把两个姑娘嫁过去，看看他是不是能齐家，家能齐，那就能治国、平天下。等于是老丈人和自己的女婿合起来完成了国家这一次腐败的清理和制度的创设，以及最高权力的交接，中华文化心法的传承。

所以，我们用了大量的篇幅把《尧典》进行深入的解读。为什么要这样做呢？就是我自己在研究的过程当中发现，太多太多的历史学者、思想学者把这一段忽略了，讲得都很简略。如果轻易地错过，你就不能够了解中华文化有多伟大，这个我们强调过。比如说在尧的时候，已经对天象的观测非常非常精准了，已经测定出一年有366天，而且知道用闰月、闰年来处理误差。怎么做到的？而且从舜的安排大家一看就能知道，尽管把四凶流放了，并没有造成政权内部的动荡，好像是很顺理成章地把这件事情就完成了。可是想一想啊，尧是在找到舜，让舜摄行天子政之后，"二十有八载"他才"殂落"，这中间两个人所做的努力，一笔代过，没有细谈。所以我们去推论，想象一下这二十多年间，爷俩儿背后到底谈了多少次，尧传了他多少心法，不得而知。那只能是我们自己通过史书上点滴的记载，来推测。

民主集中，农业第一

然后你看舜独立处理政务的时候是怎么做的。首先"格于文祖"，"光被四表，格于上下"这是形容尧的，舜呢，"格于文祖"。就是先跟自己的祖先和上天沟通、和谐、禀告、祭祀之后，"询于四岳"，就是征询四方领导人首领的意见，先咨询完，这就叫民主。然后他才集中，民主集中制嘛，他先咨询完你们的意见，然后我再做决定。

"辟四门，明四目，达四聪。"四呢，等于是代表着一圈儿，也就是所有有关的人都要听到他这一次的工作安排。看一下，首先就是对十二位地方官发号施令，叫"十有二牧"。上一讲我们交代过，舜在摄行天子位的时候，把尧设置的九州增加为十二州，都在北方。有一种解释，就是防止北方的少数民族、蛮族进攻中原华夏，所以把冀州，就是现在河北简称的那个"冀"州，分成了营州、幽州和并州。所谓的营州大致就是现在营口那个位置，幽州就是北京附近，并州在太原附近，全在北方，是东北、华北乃至于西北的三道屏障。从中可以看出，我们今天的城市名称有多久的历史。

每一州肯定要有州长啊，那个时候不叫州长，叫"州牧"。现在一个省，叫省长，一个市，叫市长，当时的州就是我们现在地方管理的概念，比目前的省要大，大概相当解放初期东北局、华北局、西南局的设置，权力也很大。所以一个州的领导人，这一个"牧"相当于党、政、军一个人就担负了，这个州牧就是最高长官。

翻看《管子》的话，第一篇是什么？就是《牧民》，第一句就是"凡有地牧民者"，放牧的牧，也就是管理天下人民的意思，所以这个牧呢，既是官名，又可以做动词。当时"牧民"的含义是"管理一块土地上的人民"，不是今天所指的"以放牧牲畜为职业的人"。

但在一百多年前发生了一件麻烦的事情，就是外国传教士进入华夏，把他们的传教士——不知道是谁干的——翻译成了"牧师"。这两个伟大的字，从此不属于中国传统文化了，一提到"牧师"大家就知道他是干嘛的。在汉语当中这两个字完全不属于我们了，就像我们经常开玩笑说，佛教进入中国，翻译佛经借用了好多道家、儒家经典的词汇，不还给我们了。现在一提呢，都以为是佛家的，不是我们儒家的、道家的。当然在唐以后，佛家也融入了中华文化。尤其是六祖慧能大师之后，儒、释、道一体了。因为慧能大师也不需要读书，口述出《坛经》，法海作记录，所以本土出现这样伟大的人物，表明中华文化融会贯通的能力无以复加，无法形容。

舜对这十二位州牧长官说了什么呢？第一句"食哉唯时"！相当于是说，兄弟们哪，这老百姓吃饭的事儿可不得了，大过天哪！民以食为天，你们安排工作一定不要违背农时，以农立国嘛！

吃饭的问题非常严重，你要看《毛泽东选集》就会知道，我们党在各个时期对土地、对粮食、对农民极端重视，只要有疏忽就要发生问题。所以"食哉唯时"！我们说这四个字可以很轻易地就过去，不用一秒钟就念完了，但是这背后对于天下的安定，意义十分重大。

学经济的话就会知道，农业叫第一产业，工业是第二产业，服务业归为第三产业，那现在有没有第四、第五、第六？分法的不同。反正农业永远是占第一，因为人要吃饭，甚至穿衣服都是次要的，不吃饭是要死的。《黄帝内经》告诉我们了，我们的胃到底长多大，连着肠子一共多大的体积，那是三斗五升，人每天能消耗五升，如果不增加，胃里七天就没有东西了。所以七天不进饮食，人自然地就会死亡。过去没有X光，没有解剖，怎么知道的？最后我们通过古版的《黄帝内经》推测，因为它把经络图叫"内照图"，就是活人自己打坐观察出来的，活人看着中药喝下去在体内的变化描述出来的。如果你说我不信，可是人家没要求你信，你爱信不信！你不信就没有啊？我还不信两个纠缠态的量子能达到那种同时感应的纠缠态呢，它怎么就没有时空的限制？那由不得你不信，现在量子通信卫星都上天了，现实的通信已经完成了。你自己做不到的事情，不等于别人也做不到。这一个观点我们以前也和大家说过，读古书千万别以为古人尚且如此，我们今天如何如何，那你太高看自己了！

昔非今比，三重证据

我看古书的一个体会，在身体上，几乎百分之九十以上的功能，古人能做到的，我们现在就是做不到，他们能够观照到的，我们就是做不到，为什么？我们现在这个心思太杂乱。就是我们自己的生存环境太乱了，让你心思不清静，古代没有这样的。现在就这么一个东西（拿起手机）能把大人到孩子的精气神吸走一半以上，这个大家承认吧？再加上电视、电脑，真是无所不用其极。你那个心思不知不觉地就已经被控制、被占领了，能观察到这一点吗？所以能把它放下，你就算是持戒了，就是有自律。如果省下的时间能干一件正事，为大家服务、为天下人服务，那你就是当代杰出的人士，很了不得！

现在所看的内容也让人心思散乱，可是大家习以为常都不知道，只有在很细微的反思的时候，才能看见自己的思想在不知不觉当中已经被污染了。而且我是亲身试过来的，现在出产的所谓有机产品，蔬菜、水果，都没有我小时候的养人，味道清香，更何况以前。

我跟大家讲过，那位道长和我相约两个人活一百二十岁，给大家做一个活的榜样，说明我们的文化是不骗人的，大家只要努力是可以做到的。其实我没有那么大信心（众笑），天天呼吸这样的空气怎么活一百二十岁？怎么可能啊？古代那种水，就是土壤当中自然出的水，它叫甘泉、叫甘露，我相信。但现在我就怀疑，起码是怀疑，水浅了，大鱼就搁不住；林子浅了，那猛兽、大兽也不会有生存的环境，最后都灭绝。前一段时间我就发现，如果以人类现在作（zuō）的程度，很可能有一天，这个星球上只剩下一类。以前毛主席写诗词叫"万类霜天竞自由"，有一天就剩一类竞自由的贪婪的人，倡导竞争嘛！这种竞争的经济学畅行全世界，还不自知，已经引导着社会问题很深了，矛盾、危机层出不穷，仍然不能反思是人的思想观念教坏了，出了问题。不能归根，觉得了不起，有一天会把自己灭掉。

所以我读古书，读得非常慢，有时候四个字能琢磨一天，觉得韵味无穷。这也是一个读书的方法，就是一句话，你慢慢地就看着它，跟它相面，相着相着你就发现，原来它是一个窗户、一个门户，把这个四个字通了，你就进去了。一扫而过，那就是在大街上看所有楼的窗户，都进不去。你就盯着它看，慢慢地它就给我们启示。很多很多的道理在自己看的过程当中自然就有，而且是活的，就好像是我们能看到古人那颗心，思想是一样的。

这也是我提出王国维的二重证据法是不完善的，要提出三重证据法。前一段时间香港大学的饶宗颐先生过世，说他曾经提出过三重证据法，但是他那个三重在我看来还是二重。所谓二重，一个是文献，再加上出土文物对证，再多出一个甲骨文，甲骨文和其他的文物是一类的。我所说的这个第三重证据，就是活人本身的真实体验，就是人的身体能不能证到经文里面古人留下来的那种描述，能证到就是第三重证据，叫"古圣先贤不余欺"，这是活的证据。所以才是此心同、此理同，否则永远是看一个古代的人说的古代的话记录在古代的典籍当中，跟现实格格不入。你只有用自己的生命去证，才能证到。

柔远能迩，惇德允元

下一句"柔远能迩"，除了吃，第二句就是外交政策，或者是治理这一个地方应该采取什么样的政策。"柔远"，对远方的人温柔、爱护，这个"柔"，在某些版本里也写成"爱"，爱护的爱。就像我看《管子》，"宽惠柔民"是一个版本，"宽惠爱民"又是一个版本。就是形容管仲的一大特点，是鲍叔牙说的，鲍叔牙跟齐桓公报告说我有五点不如他，这第一点就是"宽惠柔民"，有的版本就是"宽惠爱民"，所以这个"柔"一改成"爱"大家就能明白。对处于江湖之远的那些亲戚、朋友、民众，你怀着一颗关爱之心，就能够使你亲近的人一样受到温暖，"遐迩"嘛，"迩"是表示离你近的。你亲近的人就会发现你对远方的人依然怀有着温暖的爱意，那他就知道这是个好人，起码自私的程度会淡薄一些。

第三句"惇德允元"。如果你是公务员，政府机关的，做领导的，这四个字，就可以请人写下来，挂在自己办公室的后面，挂书房也行，"惇德允元"。《尚书》里面这种四个字的箴言、警句层出不穷，精彩极了！往后我们就能领会到《尚书》的文言之美。这种美呢，我们不大能说出来。我和素素老师在《国学对话》里第一讲就想谈这个《尚书》的文言之美，但素素老师谦让，她是我的长辈又是老师，我当然也是希望她能讲，结果两个人一谦让呢，那次对话就没怎么对起来，这个美也没怎么能够展现出来。以后有机会，我还是想再接着说《尚书》的文学之美，那确实太美了！

"惇"，在《三国演义》里面是不是有个将军叫夏侯惇，被射中了眼睛，然后自己一口把眼球吞吃了那个，是他吧？就是这个"惇"。"惇德"，表示厚，"厚德载物"。"惇德允元"，"允"，有的解释成信，有的解释成公允；那"元"说是善；元旦的元，是第一；"元亨利贞"的"元"又是本体。你就把这个字常见的几个意义颠倒一下，不用看注解里面到底它是啥意思，那么看的话就相当于小学生看古文翻译，然后应付考试一样，考完以后全部还给书本、还给老师，你还是你、经还是经，人经为二，我们强调是人经合一。

"惇德允元"，就记住这句话，你念它个十年八载的，然后你就发现这话精深而美，"惇德允元"！德行一厚，人处事自然就公平、正大、善良、宽容，也美，这是正面的。

做长官的不可能不面临着一些违法乱纪的事情，怎么办呢？"而难任人"，这是我看到的这个版本，很多人解释成"任"就是"佞"，"佞人"的"佞"，就是遇到不好的人、不听话的人、奸邪的人，你要给他拒绝在国家管理人员之外，不要录用他，也不要提拔他，不要重用他。这样做对了，"蛮夷率服"，南蛮、东夷代指少数民族，边境地区，就是远的那些族群也会诚挚地佩服您，"率服"嘛，就是没有虚假地佩服您。

这是对手下十二位长官，既是忠告，也可以说算是命令，就是如何为政，这相当于是中央领导人发号施令，我们应该怎么干。然后就说，"四岳"，因为像那个"咨"、"俞"这种叹词在这里面连续地出现，我们就不一一地说了，只是把它的对象说出来。

对比《史记》，理解容易

对十二牧十二个长官说完以后，接着就问四岳。四岳，我们解释过，指东泰山、南衡山、北恒山、西华山，它代表的是四方诸侯之长，也是方伯。"有能奋庸熙帝之载，使宅百揆亮采，惠畴？"这话一读起来比外文还难理解，你要学了两年英文也不至于说完全不理解，查着字典，一看汉文，你就能把它串联起来知道这句话什么意思。但是这几个字即使看解释，也未必能把它串联起来明白到底说的是什么意思。

所以我们还是故技重施，就是用第一讲、第二讲采取的方式，我们把司马迁的《五帝本纪》端出来，就是往下这一段我们先看《五帝本纪》里面怎么说的，回过头来再看这一段，就清楚多了。为什么呢？因为司马迁在引用《尚书》的时候，把有一些今天理解起来比较困难的词汇好像是做了替换，这是我们的一个阅读感觉。第二个呢，他掌握的史料比我们今天能看到的还要全一点儿，他做了一些解说式的调整，有利于我们明白。我们往上多追查几段就更能看清楚尧和舜之间的用人差别，而且为什么这样做。

"昔高阳氏有才子八人，世得其利，谓之'八恺'。"高阳氏，我们以前跟大家说过吧，是谁的国号？还有印象吗？颛顼，是吧？颛顼跟黄帝什么关系？黄帝是颛顼帝的爷爷，都不记得啦？就是黄帝、颛顼、帝喾、尧、舜、禹，《五帝本纪》里面这个顺序，不要忘了。很清晰，颛顼帝就是黄帝的孙子，继承了天子位，在他做天子的时候有才子八人，世间人称为"八恺"。然后黄帝的曾孙接天子位叫帝喾，国号高辛，他也有才子八人，世间人谓之"八元"，元旦的元。"此十六族者，世济其美，不陨其名。"在颛顼帝和帝喾做天子的时候都得益于这个十六个家族的施政，就是辅佐天子，使当时的天下也有德政的美名，上古明君。

等尧接位的时候，"尧未能举"，就是这十六个家族在尧时代都不是政府的高官。什么原因呢？没解释，就说"尧未能举"，就好像是想举呢，没举起来，"未能"。

"舜举八恺，使主后土，以揆百事，莫不时序。"到了舜的时候，把"八恺"举起来，举呢，就是举荐、提拔，提起来。让他们做什么呢？"使主后土（我们说皇天后土），以揆百事。""以揆百事"这句话相当于是总理呀！"举八元"把帝喾那八个才子也举起来，"使布五教于四方"，搞教育，四方，那是指天下。"父义，母慈，兄友，弟恭，子孝，内平外成"，这五种就是下面《尚书》所说的"五教"。

在帝鸿氏的时候"有不才子"，"天下谓之混沌"，"少暤氏有不才子"，"天下谓之穷奇"，颛顼氏你看他是天子，他也"有不才子，不可教训"。到了尧，"尧未能去"。就是前代领导人留下的"官二代"，不听话，作事，闹事，尧呢，"未能去"。"缙云氏有不才子，贪于饮食，冒之货贿，天下谓之饕餮（我们说饕餮盛宴，就是贪）。天下恶之，比之三凶。"到了舜的时候，"乃流四凶族，迁于四裔"，"于是四门辟"开辟的"辟"，他把以前领导人这些不听话的、作事的、贪腐的、欺男霸女的这些后人全都收拾了，说明舜的能力还是很强。尧呢，我认为他不是不知道，他主要实行仁政，时间长了，他发现底下盘根错节，一时不好处理，所以通过培养新一代领导人，两代人合力解决这个问题。

"舜得举用事二十年，而尧使摄政。摄政八年而尧崩。"这个与《尚书》是一样的，二十八年。"三年丧毕，让丹朱，天下归舜。"三年以后，舜并没有急得好像大连话说急得一咔咔地，就等着尧死去他好真正成为一把手，没有。他让给了丹朱，但天下诸侯不买这个账，尧很伟大，但是他这个儿子比他父亲差远了，诸侯还是到舜那里去听政。

这样，舜成为天子。然后，禹、皋陶、契、后稷、伯夷、夔、龙、垂、益加上一个彭祖，注意，这是十个人，我们念的这个名字，十位大臣"自尧时而皆举用"，这些人在尧的时候就已经为臣子，"未有分职"，就是谁具体干什么没明确地定下来，好像都是自由人可以互相补位。"于是"，注意，这就接上了"于是，舜乃至于文祖"，就是《尚书》说的"格于文祖"。有的人就把"格"解释成"至"。"谋于四岳"，《尚书》叫"询于四岳"，咨询的询，换一个字解释，一下子就明白。"辟四门，明通四方耳目"，也就是"达四聪"。"命十二牧论帝德，行厚德"就是"惇德允元"。"远佞人"，直接就是"远佞人"，不是"任人"，"远佞人"有使动用法，使佞人远，和我们刚才说的"而难任人"或者是"佞人"一个意思，拒绝。"则蛮夷率服"这句话是一样的。

然后"舜谓四岳曰：'有能奋庸美尧之事者'"，那个"载"就变成了"事"，《尚书》说的"帝"直接说就是"尧"。"使居官相事"，《尚书》这里是"使宅百揆亮采"，还是《史记》上更加清晰，用词更加明白晓畅，就是当官干事情的意思。但是大家注意这个"相事"，这个"相"，《史记》上用的"相事"，就是后世丞相的相，我们今天现代人写古文、写诗词，仍然有些时候把总理这个职位称为"百揆之首"，大家可能有见过的，或者叫"总揆"、"揆首"，"揆首"听说过吧？实际上就是首相。

什么叫"外相"知道吧？我们国家管理外事的部级干部叫什么？外交部长对吧。

西京指的是以前的西安，东都那是洛阳，现在"洛阳"这个词汇也被他们搬去，去过日本京都的大概就能知道，我们自己的文化有些词汇自己得珍视，要不被人拿去以后他就不还了。传递观念、文化信息很多时候就是依赖于文字，自己不重视，他就在你们国家人民当中起一种混淆的作用，大家没发现嘛！日本"厚生省"这个词哪儿来的？我们往下学《尚书》很快就知道了，三事，"政德、利用、厚生"，这"厚生"就从《尚书》里来的。

"金曰"，《史记》里面说"皆曰"，就是这个意思，皆大欢喜的皆。就是都说，"伯禹为司空，可美帝功"。大禹、伯禹，禹呢，显然是老大，他做司空，"可美帝功"。"美帝"这两个字如果读差了的话，你就会发现原来"美帝"这两个字在《史记》里面就出现了，四千多年前就已经出现了（一笑），美帝国主义简称美帝嘛！"可美帝功"，这标点符号不能点错了，读也不能读差了，不是那个美帝哈。

"帝"，指尧，尧的事业、功业留下来了，使之为"美"。

舜说，"嗟，然！"你看就不用什么"俞，咨！"这显然就是已经把古代的叹词改成了司马迁那个时候的词汇，距离我们现在更近。"禹，汝平水土，维是勉哉。"很多人的《尚书》版本是"唯时懋哉"是不是？那个"懋"就是"勉"。为什么会这样我不知道，我拿到这个版本的《史记》，这相当于司马迁好像也是在学《尚书》，直接把解释那个词替换掉古奥的生字。

"禹拜稽首，让于稷、契与皋陶。"天子说，大禹啊，你很了不起，你把华夏神州大地的水土给平了。平嘛，平天下的平。"唯时懋哉"或者"维是勉哉"，那个"时"也读成"是"，很多解释成"是"，恭维、夸奖、赞叹、赞许的意思。然后你看这个禹，"禹拜稽首"。

稽首顿首，古代礼数

苏轼自己打坐出现境界，叫"稽首天中天"，大家听过这个吗？没听过？"稽首天中天，毫光照大千；八风吹不动，端坐紫金莲。"结果，"一屁过江来"。"稽首"，很多人现在就不是很清楚，因为没有古代的礼节。我们现在祭孔啊、祭祖啊也都比较草率，不像古代那么庄重，分不清什么是稽首。写信呢，临摹一下王羲之的字帖，经常看到王羲之写"顿首"，什么叫顿首、什么是稽首，也没搞清楚。

稽首是最隆重的，跪下去，拜下去，左手压右手，然后头要触地，触地以后"咕咚"，碰到以后不能马上离开，到底停留是三秒钟、五秒钟还是十秒钟，我不知道古代怎么规定的，反正就是碰到地上以后停在那里，必须有一个明显的停在那里，这叫稽首。是最隆重的跪拜礼。顿首跟它唯一的区别就是，拜下去头沾地以后立即抬起，就是磕到了，抬起，这叫顿首。也是很隆重的礼节了，杀人不过头点地嘛！

但到了王羲之那个时候，你看同辈之间写信也是顿首。那他怎么那么大礼节呢？据后世学者考证，到晋代的时候，这个"顿首"已经变成了同辈之间互相问候的书信常用语，甚至就是一种客套。就像我们现在用微信，我就习惯了最后呢，"永圣再拜"。我真在家里面在地板上给您老人家跪下去，然后在地上"当当"拜两次吗？偶尔会有，就是对我特别尊敬的人我会观想一下，跪到地上，对着他那个方向给他拜三拜，但多数就是一种礼节性的说法。

到唐代呢，好像就是见面这么一拱手、一弯腰，这也算是一拜。

古代那个拜呢，最初就是指跪下去、拜下去。所以，你看大禹，现在就像演电影，我们看的就是剧本上的对话，天子对他说，你干得不错，平水土这个活干得不错。对于别人的表扬呢，你否认不合适，因为他说的是事实。不能说领导夸你，然后说，领导你说错了没这回事儿，我没干啥活，那显然不合适。正确的做法，什么都不说，直接叩拜。而且禹这个叩拜呢，他写的是稽首，这是下级对长官最隆重的施礼。然后"让于稷、契与皋陶"。什么意思？拜完了之后，向舜报告，我德行、能力还不行，这么重要的事情您应该交给稷、契、皋陶他们去做。禹举荐了三个人，这是一种谦让。后世我们说谦让这个"让"你看在《尚书》里面就是这样用的。我们今天向领导报告工作，就是稍稍点一下头，稍稍示意、弯一下腰，已经算作很有礼貌了，根本就不需要拜下去。

而且据说现在中国的一些文化人跟日本人进行交往的时候，日本人那种天然的礼节，不是说我非得跪在那里给你拿拖鞋，他就是中国古代那种席地而坐的习俗演变过来的，到底谁没文化，有时候我们也说不清楚。你以为他好像是怎么那么下贱，其实不是。那你说中国古代怎么这个习惯呢？告诉大家，那种跪膝对人的身体有莫大的好处。如果你的膝盖不管是受伤也好、受寒也好，尤其是现在天气将转暖还没暖、乍暖还寒的时候，有一些好美的女同胞就迫不及待地换裙子，我都是劝她们，你美不要紧，但是要"守天时"！因为现在这个时代，你不让她美，她非常难受！我说美可以，不要以付出生命或者是病痛为代价。那什么标准呢？我就跟她们讲，清明过后，如果有一周的时间，温度持续在15℃以上，就可以穿裙子。现在就穿那种哆里哆嗦的，像纱质似的，那三十五岁以后你就看吧，腰疼、腿疼、附件疼、膝盖疼、脚脖子疼，各种寒凉就全都找上来。想要孩子着不上胎，然后什么北京、上海的医院一通看！很可怜！其实没别的毛病，你把寒气种进去找谁都没有用，不驱出来的话，那就是体内的天寒地冻。

唯贤是用，礼拜谦让

这是说到禹的叩拜、谦让，附带着说中国的古礼。那么舜怎么说呢？"然，往矣。"舜就说，哎呀，不要客气了，你就去吧，还是由你来干。后面几乎大家重复这一个过程，尽管分工不同、职位不同，就是这么一套礼仪的程序。说谁去干这个活？好，你去！然后这人就说，我不行，他行。舜就说，不要客气了，还是你干吧！整个这一段，下面一系列的安排，全是这样。

我们看一下，他对弃说："黎民始饥，汝后稷播时百谷。"弃，弃儿的弃，他是哪一朝的祖先？周朝。商朝的祖先叫什么？都在这里面啊！那个弃以前我们讲过吧？是不是在《论语》里面讲过？生下来以后，扔到哪儿他都死不了，连野兽、畜生都保护他，所以捡回来，这是天生的神孩子，不是熊孩子，是神孩子，成为后世的祖先。他就成为主管农业的最高长官，就是这个国家的农业由他去管理，相当于我们现在的农业部长。但现在的农业部长未必懂得种谷子、种稻子这一套东西，也就是技术活不是由最高长官来掌握的。古代那个时候不是这样，他一定要有技术，要懂，才可以做。

他一谦让呢，舜还是告诉他，还是你来负责。说完了弃，然后又有一个契，契约的契，不是丢弃的弃，这是两个人了。"百姓不亲，五品不驯，汝为司徒，而敬敷五教，在宽。"我们开篇讲《尚书》说尧的德行、恩德、效果，"九族既睦"，然后，"和谐万邦"嘛，结果没过多长时间，这才二三十年，舜就说了"百姓不亲，五品不驯"这不前后矛盾吗？怎么理解？

考虑到这儿，我就想，应该是说"如果"百姓出现这种情况，那么我们应该怎么办？就是你要做司徒的工作，要教他"敬敷（或者是'布'）五教"，就我们刚才提到的父亲应该怎么样？父义。母亲呢？母慈。做兄长的呢？兄友弟恭，儿子要尽孝心。这是"五教"，就是教大家如何做人，叫司徒。徒，我们今天说徒儿、徒弟、学徒；司，管理，有司。现在司长这个称呼还在。那司长这个司从哪里来的？就从《尚书》里来的。

禹的那个职位叫司空，空可以理解成空间，就是水土构成的空间，司空，他就是要负责管理国家的水土。等于我们现在成立了自然资源部和生态环境部。那现在的部长，也就是说马马虎虎可以相当于当年的司空，他要管理自然资源、环境、水土。那司徒，有点儿像现在的"关心下一代工作委员会"，带有文化部、教育部、宣传部的职能，包括妇联，包括团中央的一部分职能，就是教育大家做好人或青年，好的国家的后备人才。

法官始祖，皋陶出场

接下来这个人物非常重要，皋陶出场了。他对皋陶说："蛮夷猾夏，寇贼奸宄。汝作士，五刑有服，五服三就；五流有宅，五宅三居。唯明克允。"这个皋陶（gāo yáo）千万记住别读成"gāo táo"，一般来讲，我们不太把注音给大家说，但这个人一定要记住，字音也要读对，因为他太重要了。被称为法官的始祖，第一个有名有姓的、历史上可查的大法官是谁？那就是皋陶。

最关键的，舜跟他讲，"蛮夷猾夏"，这句话可千万别滑过去、溜过去。你要看解释的话，"蛮夷率服"前面出现过，蛮夷，已经知道了，不用解释。这个"猾"呢，狡猾的猾，有侵略、侵犯不干好事儿的意思。"夏"呢，大家都看注解，这个"夏"指什么？居然这个"夏"指中国。这个时候的天子是谁？显然是舜啊！那夏呢，很多人都认为夏是禹的儿子启建立的，没错吧？我们现在的夏商周断代工程，说中国的第一个朝代为夏，我一看这样的称呼，无论他多大牌的史学家，我都认为可惜了，因为将来一定会留下笑柄，总有那么一天，一定会在出土文物当中证明，夏朝的前面有虞朝，而且夏不是从禹的儿子启那里建立的，仔细看《史记·五帝本纪》就会知道，夏这个称号早就有了。

华夏，作为中国的代称，到底从什么时候开始，现在我们认为有可能靠谱儿的一个说法就是华胥国，那个"胥"就是华夏的夏。以前我们报告过，华胥国的一个姑娘看到一个大脚印好奇地踩了一下，然后生了伏羲，伏羲给我们画卦，具有盘古开天的文明意义，这个说法只有我一个人持有，就是从来没有人这么讲过，讲错了我来负责。我认为盘古开天中，那个盘古不是神话中的人物，盘古就是指太初的意思，盘古开天指的就是伏羲画卦在文化上的意义。在我们的讲座当中这件事情已经说过好几遍了，之所以说一而再，再而三地重复，就是顺应现在的时代，"重要的事情说三遍"。否则以这样的神话故事去跟国外人交往，人家会说你中华文化没什么文化，不会让别人产生真正的尊敬，你自己也不会有真正的文化自信。可是一旦把伏羲画卦、女娲补天跟道家修行联系起来，你就会发现这里面奥妙无穷、深不可测、高不可攀、妙不可言！

你只要能把腿盘上去，试一下，到底那奥妙是什么样子，你得自己体会，你不自己体会的话，别人说出来你还冷眼相看，就麻烦了。你说我不能双盘，左腿在上叫如意坐，右腿在上叫金刚坐，你如果左右都能盘，是金刚如意还是如意金刚那就随你的意。你说我哪一个都盘不上，散着两条腿，像个大簸箕，也没关系，慢慢来，儒家那种静坐一样可以修心正身。关键是收心，关键是明理，但是要坐，就是静定下来，观自己、观内心，然后才能明白古书上这些人的性格、心思、境界到底是什么样的。

这个"夏"注解说指中国，那就请大家考虑，舜的嘴里已经说了

"蛮夷猾夏"，这意味着什么？在尧舜时期这个夏已经存在，而且并不仅仅是指禹的那个所谓的什么"部落"，而是指中华地区。具体这个夏已经存在多久了，还得继续研究和考察。

"寇贼奸宄"，司马迁这个版本"轨"就是轨道的轨，我的《尚书》这个版本是宝字盖儿底下一个九，这俩可以看作通假字。反正就是外面有不听话的、侵犯我们的，内部呢还有一些作奸犯科、违背国法的，那你（指皋陶）就要做监狱长，"汝作士"，这个"士"解释成监狱长。

"五刑有服"，上一讲我们给大家报告了什么是五刑，因为太残酷了没有太细说，反正是听来触目惊心。五刑有服，今天还这么说吧？调过来，服刑，对不对？你看看《尚书》离我们很远吗？多颠倒几个个儿，就会发现今天所使用的词汇，跟四千年以前的说法其实有着血缘般的传承关系。五服有刑，调过来不就是服五刑嘛，你犯了哪一种刑服刑就完了嘛！

"五服三就"，服这种刑罚在三个地方。哪三个地方？朝、市、野。朝廷，看小说、看电影有说"推出午门斩首"！午门是哪儿？紫禁城那个地方吧。市，现在我们回忆一下，北京有个菜市口是不是？谭嗣同那戊戌六君子在哪个地方被斩的？叫市。野呢，那就更偏远的地方，拉到更偏远的地方执刑，所以这个"三就"，指在三个地方执刑。

"五流有宅"，流放，五种流放，舜做天子以后，把以前这五种酷刑，在很多的情况下采取了宽大处理的方式，就是用流放代替了酷刑，这是一种仁慈。"有宅"就是有地方，跟前面的"就"，后面"五宅三居"的"居"意思差不多。宅，我们今天还这么用，你在哪里呀？我宅在家里。你那个宅子多大面积？尤其是看清代、明代的电视剧，说家里的"老宅子"，相当于我们说老房子吧？就是居住的地方，所以宅、居、住，今天还是一个很平常的高频使用的词汇。

法律政务，唯明克允

"唯明克允"，这四个字，如果有当法官的朋友管我要字，那我就可能题这四个字给他，"唯明克允"。就像前面说的那十二牧，如果您是公务员的话——"惇德允元"。"厚德载物"好不好？好。但太好的东西，司空见惯的东西，味道就变了。

我告诉大家一个秘密，你把那个好东西，别人又不常见的，偶尔拿出来一下，显得你很有水平（众笑）。比如说你到《尚书》里面去找，他是做市长的，要字，我请一个朋友写一幅，写什么呢？"惇德允元"，对方一听就蒙了，什么意思？（众大笑）然后你斜眼一看他，这都不懂？翻《尚书》去！对方当时就傻了吧？所以"掉书袋"也得会掉啊！整天就是"自强不息"、"厚德载物"，那都成了清华大学的校训了，用你教？换一换样，人呢，除了老婆别换，其他的换一换也能调节一下是不是？（众笑）

以为是开玩笑，但这真的是传承啊！他不明白就好奇，什么意思啊？你给我解释一下。在哪里出现的？叫有出处！对不对？这叫用典！典故、典故嘛，出自哪里？出自《尧典》、《舜典》，这才是真正的用典哪！所以"惇德允元"或者是"唯明克允"，不比你给他写一个"正大光明"好多了吗？既显得有学问，又能把《尚书》的精神传达出去。他这一查，哎，是真有历史呀，是舜跟皋陶说的话，穿越四千多年的历史时间，它不就活起来了嘛！别找我写哈，我写不过

来。（众笑）

"帝曰：'畴若予工？'""畴若予"，这是前面的套话，就是谁来负责"工"？农的解决了，吃的解决了，水土的解决了，法律解决了，那还有百工呢？谁雕刻个杯子，谁做个爵？华夏第一爵，我们现在去看青铜器，恨不得拿一个《古代汉语词典》，什么斝（jiǎ）呀、盉（hé）呀、爵呀、簋呀，各种各样的称呼，一看还都是盛酒的，中国老祖宗得多么喜欢喝酒，仪狄造酒给谁喝？

最近又出现一个搞笑的事情，说有些人论证这个白酒，当然是指中国传统发酵的那种白酒，叫什么固态发酵法，这个白酒有特殊的菌群、微生物在里面，可以治癌，大家看到了吗？就只有中国传统的那种白酒，也就是好的白酒，可以治癌，不是导致癌症，是治疗癌症，然后我朋友圈里面一个做企业的朋友，就蒙了：我到底是喝还是不喝呀？（众笑）

这种消息呢，我们不能转发，为什么呢，不能有自律的人，看了以后，就拿这个当挡箭牌：这个可以治什么。第一，你喝那个酒如果是假酒，那就不要提了；第二，即使是真的传统发酵的中国好的精品白酒，你喝上瘾了怎么办？喝过量了怎么办？喝上瘾了接着喝，每天一杯两杯还凑合，这半瓶地喝那受不了啊！如果说为了买到那种真的好白酒，一花好多钱，有人说喝茶能喝破产了，这个喝好白酒也能喝破产。

以前我们说喝茅台酒的人没有自己买的，那现在国家查四风、八项规定比较严，所谓公款消费白酒被遏制住了。你像我们每一个小单位的负责人都得向一级报告单位是否采购过高档白酒，都得上报。可是现在有一些白酒依然断货，买不着，哪儿去了？怎么会喝那么多？

这就提示还是有漏洞，还是有渠道。所以管理国家容易吗？不容易！这也是我们花这么大篇幅讲《尚书·尧典》、《舜典》的理由。

文字简单，叙述的简短，可是这里面隐含着巨大的内容和历史背景，我们要把它读出来，跟今天联系起来。别以为离我们很远，现在我们一谈法律要公正、政务要公开，公开、公平、公正，对不对？你就用四个字形容就好了——"唯明克允"，这就是公开、公平、公正。现在对于一个司法体系所包含的全部期望就在这四个字当中，"唯明克允"，你看能不能做到。允，就是公允，允，就是信啊！你做的证词是不是对呀？是不是做伪证啊？克，是一定要，一定要做到这一点。那为了要做到这一点，后面的工作就很多了。要做到明，要真明的话，那天下事情不需要这么复杂。按部就班，各尽其职，孩子是好孩子，父母是明理的父母，丈夫是顶天立地的男子汉大丈夫，女人是温柔如水的妻子、母亲、孩子他妈，哪有现在这么多离婚的事件？不会的。就因为不明白、不好好干活，所以第一产业、第二产业、第三产业就混了，现在就分不清了。

你看古代，现在叙述的这个过程，第一不违农时，然后安排农业的官；在这之前，你得进行水利建设，是吧？所以禹排在第一位，你能量大，你先把水土平了；然后"黎民阻饥，汝后稷，播时百谷"，然后你才能够种粮食。这都是有顺序的，这里面是有一个暗含着几乎不可改动的国家治理的顺序。你吃饱了喝得了，你得听话呀，所以说契，你做司徒吧，把人教好。人有吃有喝教好了，那我这房子不行啊，得弄个窗帘、得挂得结实，谁出场？工。这不就说回来了嘛，这个工啊，手工业得发达。谁来管？这个叫"垂"。现在骂人话"你真是个锤子"，音一样但意思不一样。这个垂也是一个能人，他是能工巧匠之祖啊！

让他去干呢，"让于殳斨暨伯与"，还是这样，我们看一下，让禹干活儿，禹推荐了三个人，然后帝舜给这三个人各派了重要的活儿，他们就不再推辞了，对吧？没有再推辞。到了这个垂，接着表演，"垂拜稽首"，跟禹一样，提到自己的时候给天子跪下，双手一按，这个按是这样的，左手在上，按下来。有的老师教我，三拜九叩，拜的时候手一翻、自动地一翻，正好又调过来，头呢就叩在自己的手上，可以不用沾泥。有说法，这种叩拜是有说法的，叫三层九品。我出去的时候有人问，谁教你的？我说老师教的。有老师教，就这种好处，他一看，天下人都这么拜，你不那么拜，一下子就有讲究。每拜一次站起来，再拜下去，真正的三拜九叩，行大礼。这没那个环境，有那个环境我就给大家表演一下。找机会，要不现在离席了，镜头找不着了。（众笑）

垂接着谦让，这两个人我们没太听说，叫殳斨（shū qiāng）和伯与，"与"和前面大禹的"禹"不是一个字，他可能也是他们家的老大，有的人说是炎帝的孙子，这就得考察家谱，大家可以到网上、资料上去查，因为这两个人不出名，所以我们就不详细地说；也有的说殳和斨是不同的人，读古书就容易产生这种情况。

接着往下，舜就说，哎呀，别客气啦，还是你来负责这项工作吧！"汝谐。"我理解呢，你能做这个工作，既然提到他俩也能做，你协调一下，带着他俩一块儿做，也可能有这个意思。但是不是这样呢？没交代，反正以他为首。

现在我们国家布置工作，还有牵头这个说法，在党务部门、政府部门工作的领导特别熟悉这一点。就是平级当中需要部门之间合作，谁牵头处理这件事情，上一级的领导发话了：好，这一次，财政局牵头，下一次，纪委牵头，那他就得协调平级的好多部门来完成这件事情。我认为可能会有这样的意思在里面。

益做虞官，伯典三礼

这个安排完了，接着问，谁来负责我们的草木鸟兽？这就是古代的一个特殊官职，叫虞官。"虞"，就是虞美人的虞，虞官。我们说看古书，叫农、牧、虞，指的就是这个虞，不是三点水儿打鱼那个渔。虞官，他是专门管山林鸟兽的，有点儿像什么呢？有点儿像一个地区的土特产，就是生产多少木料，有什么样的珍奇鸟兽呀！比如说东北大兴安岭、小兴安岭，出产落叶松——松树，山里面有东北虎，是不是？我小的时候，看见那个火车，一火车一火车的松木，被截成一块一块、一段一段的，拉着，永远是往南送。现在看不着了，我现在再回家永远看不到这种场景了。为什么？我岳母给我提供了一个信息，我们家小区里面住着一个原来黑龙江农业林场的退休干部，什么信息呢？林场早就不行了！所以到大连来养老了。

管鸟兽的虞官，这个人叫什么呢？叫益，利益的益，这就是人名。"汝作朕虞"，就是你得做我的虞官来管理山林鸟兽。"益拜稽首"，又来了，他重复禹和垂这种跪拜的方式，叩头点地好长时间，"让于朱虎、熊罴"，有的说朱虎是一个人，熊罴是一个人，有的说朱是一个人、虎是一个人、熊是一个人、罴是一个人，那就不太好考察。反正就是益也谦让：您让我做，他们的德能比我强。然后舜还是那样，别客气，去干吧！"往哉！"用我们现在的话说：少啰唆，去干吧！"汝谐"，要么就是你来协调一下，你觉得这几个人行，那给你做副手，你做部长，他们就做你的副部长或者部长助理。

说完了以后，回来了，又问四岳，"有能典朕三礼？"谁能够负责帮我处理祭拜的事情。拜谁呢？三礼。哪三礼呢？就是我们说的三才，天神、地祇、人鬼。天神一定要拜；地神呢，叫地祇，也一定要拜。天神、地祇现在我们很少听过，是吧？念佛经的朋友可能会熟悉，一般到最后了，天龙八部听完了之后，还有四众：优婆塞、优婆夷、比丘、比丘尼，罗睺罗伽，人非人等，最后天神地祇皆大欢喜，信受奉行。各种各样的生灵，听教以后，明白以后，都皆大欢喜。皆大欢喜从哪里来的？从那里来的。这个"大"太有学问了，我最近准备要出去讲《大学》，我发现这一个"大"能讲一天。什么是大？大背后是什么境界？我们都忽略了。皆大欢喜，没有一个不欢喜，这可不得了啊！这背后意味着什么我们其实是不清楚的。

四岳呢，就都说"伯夷"，伯夷可以做这件事情。他相当于我们现在叫礼宾司司长，但是格可能还要高。在古代，吏、户、礼、兵、刑、工，六部，对吧？哪一部排第一位？礼部。六部里面礼部在上朝的顺序过程当中，它排第一位。

但今天我们好像不用管天神、地祇、人鬼之事了，为什么呢？天气的事，气象局就处理了，气象局的首席播报官有点儿像伯夷这个职位，然后发生地震，地震局，那个地祇是不是愤怒了他也要管，所以伯夷这个人不简单，他相当于把今天的中央气象台的台长、国家地震局的局长，还有国家民委里面有个——以前哈，我现在对新的政府部门不了解，别说错了，我拿以前的那个，就是民政部包括宗教局处理的事情。处理什么呢？就是人跟过去的人之间的关系，你想象当中的在天之灵的那个关系，由他来处理。越往后分工越细，所以官职也越多。在以前呢，一个大官负责好几个今天的部委处理的事情，因为人口也没那么多，也没那么复杂。

就这样，"汝作秩宗"，这个官名要记住，以前我们看到司空、司徒、士、共工、虞官，这都是官名，这个"典三礼"的官叫秩宗，秩序的秩、宗教的宗。"夙夜唯寅，直哉唯清"，这是告诉他要尽职尽责。我们今天还用这种词：夙夜唯寅，枵（xiāo）腹从公。什么叫枵腹从公？晚上五点了，要下班了，但是明天研究生复试，不干完活不行，吃饭了也不能去食堂，接着干，干到晚上八九点钟，这叫枵腹从公，就是饿着肚子把公家的活儿先干好。干到半夜，还没干完，必须第二天早上送到沈阳去报数据库，那今天晚上干到后半夜三点，寅时，也得干，"夙夜唯寅"。有的说那个寅，实际上是敬，我又有不同意见。晚上熬夜熬到后半夜，子时、丑时到寅时，三点嘛，夙夜唯寅，就是快天亮了，这件事情很正常啊，对于毛主席他老人家来讲，天天夙夜唯寅。半夜工作，工作到天亮，然后天亮他又睡觉。我是看资料看来的，说中共中央根据毛主席的作息时间，开会的时间都改成晚上，为了保证他休息。

"直哉唯清"，这个就不用解释了，简直就是字面的意思。然后伯夷还是那样，每个人都是这样，安排工作一提到自己，好，上前一拜，稽首，很恭敬，脑袋放在地上等老半天才抬起来。"让于夔、龙"，您老人家别让我干，他俩才能干好。得了，别谦让了，你就去干吧！一整套程序，不厌其烦地把当时国家的大政方针和高级干部的现场任命，直接就决定了。我们今天能这样吗？党委讨论完以后，有组织部门专门安排通知，然后组织部门派出一把手、二把手分别去宣布，当地的干部要开局级以上、处级以上、厅级以上的全体大会，包括老干部可能也得来，进行一次宣布，这是现在的，叫组织程序。

因为古代没有我们这么复杂，那么多人口、那么多官员，所以天子直接讨论、直接任命。任命完了有没有活儿？当然有活儿，我们分析《尧典》的时候就知道，他视察各方诸侯，诸侯来汇报工作得要拿什么？五瑞，对吧？印信哪！给你个印章，你干什么事儿你得拿着印信来证明你是那个人。核对完了，验明正身，汇报工作，然后考察政绩。

所以，你看这里面几个对话，好像很简单，那背后一整套的工作程序，都不用介绍，但是我们应该把它推论出来。还得拿一块玉，那玉根据你的职位，公、侯、伯、子、男不同的爵位，分得一块布，我们说的那个帛，去镇着这块印证着国家给你任务的一个大印。就像我们现在印不用了，但是红头文件得下呀，一查你是哪一天任命的，那个红头文件得是组织部门保存，对吧？古代就凭着这个印信。

重要岗位，直接任命

然后舜帝就说了，"夔！"就喊这个人的名字，说明我们以前那些人的名字好像都是单字的，是吧？也很少提到姓，这是一个现象。后面就精彩了，就是我们研究完《虞书》，研究到《夏书》、《商书》、《周书》的时候，这个姓就精彩了。几乎我们在座的各位都是这些人的子孙、后裔。就是通过家谱往上查，你一定能查到自己的基因是来自于契、稷、后羿或是黄帝、颛顼、帝喾，我认为没有例外。我们在座所有同胞，全都是我们今天提到这些人的后裔，一个也跑不了。你就是六十四分之一，你的基因血脉里面也有他遗留下来的基因，你就是三百六十五分之一，他也占据着。一定有一代的祖先，你往上查。

比如说，我们按孔子家的家谱，推算到两千五百年前，是第八十代祖先，姓孔，那姓孔的是商代的后裔，哎，这就查到了现在。我跟大家报告过，我尽管姓钟，但我的姥姥和奶奶都姓王，王家在我这里面是显性的基因。一查王从哪里来的？从姬姓那里来的。姬姓是哪里来的？文王那里来的。文王从哪里来的？弃，就是当初被丢的那个孩子。弃从哪里来的？看《周本纪》。

"夔，命汝典乐"，这个词我们今天还用，典乐。"教胄子"，注意！后面这句话非常有名，也美。"'直而温，宽而栗，刚而无虐，简而无傲。诗言志，歌永言，声依永，律和声。'八音克谐，无相夺伦，神人以和。"后世文言之美，这一段已经露出端倪，三字的、四字的全部出现。现在命你——注意呀，这不是商量，这就是君主天子直接对臣下发布命令，"命汝典乐"，你不要推辞，这就是你干也得干，不干也得干。

这里面就是这样，让夔直接负责这项工作，而且这项工作的特殊，通过这段语言就能体会出来。"命汝典乐"，首要的任务就是"教胄子"。教谁呀？不同的版本有不同的解释，一种解释说教未成年人，大家看到了吗？还有一种解释不是这样的，说胄表示长，对吧？我说这两种，大家手里拿的不同版本的《尚书》至少能看到一种。"教胄子"，我们今天还有一个词，叫贵胄，就不是一般的出身。你像我们出身贫农，那绝不能叫贵胄，对不对？所以这个"胄子"我认为最可信的解释还是教天子、大夫、上卿、州牧、四岳的长子，是这个意思。

当然如果理解成年轻的人，也行，因为没有证据显示，他排除在外。但是按照后世的说法，到孔子的时候，才把教育扩大到平民，从这个历史来看，"教胄子"就是教贵族子弟。那你说舜本身就是一个平民被提拔起来的，尽管他远祖的血统高贵，他是黄帝的九代孙，可是已经是平民了，难道他就不想让国家的优质教育资源，教育他自己的子女吗？

注意往下看，让你教这些人是怎么样呢？"直而温"。我们有些时候，说话直容易撞人，直不愣登对吧？这么形容，不温和、不温柔。学会说话是一门艺术，尤其是现在社会上跟人相处，能够做到"直而温"，不得了！就是不转弯抹角，但是这个话说得温和，甚至温柔，让人听起来温暖，高人！

"宽而栗"，宽容、宽大。这事儿行不行？行。我孩子能不能录？能录。分数线多少？350分。你孩子打多少？260分。这能录吗？录不了。"宽而栗"意思是宽容但不失你坚持的那个原则！宽容不宽容？宽容。那你没原则啊？没坚持啊？栗是一种木吧？咱就看这个字，甭管它是什么木，它是一种木。木的德行就是往上生长，表示"立"的功能，你得有那个坚持。

"刚而无虐"，刚柔相济的刚，阳刚的刚，刚过分了就是虐。"刚而无虐"，也就是柔和一点儿，刚柔相济，还是直而温、宽而栗的意思，换个角度、换个层次、换个说法。

"简而无傲"，过于简洁为什么会让人觉得傲慢呢？有些明星在接受采访的时候惜字如金，就让人说，太高了，高傲，现在我们还这样讲。如果别人咨询你一个事儿，你一两个字就给人答复了，人家也会说，这人不太好接触，怎么那么傲呢！这我都经历过，所以现在有些时候学啰唆。曾经拼命地想我能不能把话说得简洁、写文章别说废话，但现实生活当中有些时候你就得多说几句，有些时候重复说两遍，为的是什么？"简而无傲。"没办法，你多说两句，他认为这人还行，他不敷衍我。

电话一打通，一问个时间或者问个什么事儿，一句话完事儿，"喔"电话和摞了。不行啊！对吧？世间的事情都是通的，那个机器，钢片儿与钢片儿之间如果没有一个垫片儿，没有润滑油的话，出问题；我们那个骨头，骨骼之间没有一个软骨、软组织、体液、气充盈其间，骨科的人会知道，骨头磨骨头那得疼死不是嘛！

所以人处事儿也是这样，因为我吃过亏，也被别人批评，所以现在就学。发现舜告诉自己的下属，通过音乐教人、教孩子就已经提出了这种中道的要求，"刚而无虐"、"简而无傲"，能不能做到？太了不起啦！舜是悟道之人。明君，不是夸人的话，这个"明"就是《大学》里面繁衍出来的那个"明明德"，他是真明白。

寸土之言，言心之志

"诗言志"，我们说诗是寸土之言，看这个字，也就是心之言。这个言不是妄心之言、散乱心之言，是洁净心之言、慈悲心之言。所以悟道的人都会做诗，我们叫偈语。听说过吧？不识字的人悟道也会做诗，就叫偈语。那个诗全都是宝贝，那个诗是真能把人送到"位置"上的中华优秀传统文化。

学诗也要会学，学词也要会学，不要学那些什么"月上柳梢头，人约黄昏后"那些，什么"眼色暗相钩，秋波横欲流"那些，那就把你弄到花间词、花间之鬼，就学偏了、学差了。这些人都是短寿，活着的时候命途多舛，仕途不顺，子孙不发达。

学谁呢？范仲淹。以前我们给大家提过，他留下来的词不多，但是非常美，"碧云天，黄叶地"那个听过吧？《苏幕遮》。"秋色连波，波上寒烟翠。山映斜阳天接水，芳草无情，更在斜阳外"，写得好啊！范仲淹是明道之人。

所以看诗、看词、听曲，要听明道之人的作品，他不会把你带沟里去。诗是最洁净的语言，讲《论语》的时候我们提过《诗经》，它为什么是经？它是教人的。那个"关关雎鸠"，不是说男女之情，那你就读差了。就像后世悟道的祖师写的偈语就像艳诗一样，那不是，你要明白内涵，然后才能读明白什么是诗。

"诗言志"呀！这句话谁说的？舜说的。舜何许人也？中国文化的源头，一下子就定义，诗是什么东西，要搞清楚。把你的心呈现出来，别人通过你的诗能看见你的心，这才是诗。不要做白开水，卿卿我我，那就麻烦了，那就看差了。

比如说"南有樛木"，南方有一种乔木，上面长了很多的菟丝子。唉！这种解释方法，这叫有文化吗？南，是南方，五行当中对应着火，五藏当中对应着心，这能明白吧？"南有樛木"说明你的心里长草喽，有散乱之心，有妄心，有自私之心，有阴暗之心；不是本体那颗纯净之心，光明正大之心，不是"惇德允元"之心，也不是"唯明克允"之心，所以叫"南有樛木"。大家回去查一查这首诗。当心地清明的时候，缠绕着心灵的菟丝子就没有了、灭掉了，那才是"南有乔木"。

"歌永言"，"永"，相当于口字旁那个咏，这是后世的解释，也无可厚非。你唱歌歌颂的，是永远可以传颂的语言，否则的话，不值得去歌颂。我们今天说歌颂一个人，歌颂是什么意思？表彰他的德行嘛！

"声依永"，依靠什么？永恒的一个标准。什么是声？我们说黄钟大吕，阳声六、阴声六，黄钟是代表阳声，大吕是代表阴声。大家可以到网上去查，哪六声。阴阳各六，一共十二，是不是十二平均律我不知道，有人说明代才有人发明十二平均律，我表示怀疑，我认为古代那十二官就有了，十二官、十二经对应着身体，对应着一年十二个月，然后舜为什么把他的州变成了十二州？禹为什么又变回九？这里面有着巨大的奥秘。

律要和声，这些音律要和天地之音相和，和了以后，"八音克谐"。不管什么样的器物，非常和谐，"无相夺伦"，不会乱伦。"神人以和"，人神之间达到和谐的境地。

我们今天有人考虑这种要求吗？只要好听就行。而且习惯了那种呕哑嘲哳音乐的人，听天地清音他觉得难受，就是频率不对，他听不了。所以大家可以学会你看这个人喜欢什么样的音乐，你就能判断出他的内心；他写出什么样的文字就能知道他是什么样的人；或者说连续翻看一个人的朋友圈儿，超过一百天，有的人十天就够了，他是什么人泄露无疑。就是现在，打开微信看朋友圈儿，连续翻十天，这是一个什么样的人，一清二楚。当然也有不一清二楚的，就是故意的，有人故意的，那你就不知道他是在干什么。那种傻呆呆的，吃个东西什么的一拍，也有故意这么做的，所以这里面有复杂的情况。

这个夔就说："予击石拊石，百兽率舞。"你看到的所有的解释，我认为都解释错了。他就是能做到这一点，当这个人击石拊石的时候，鸟兽跟着起舞，这是能够做到的。我给大家讲过《乐书》里面的故事，如果没听说，今天时间来不及了，你回去查《史记·乐书》，翻到最后，卫灵公去看晋平公，他的乐师师涓要弹一首曲子，师旷不让他弹，说这是亡国之音，一定是你们在濮水上听到的，那个是纣的乐师师延作的，纣亡国以后，师延也走了，投濮水而死。不能听亡国之音，乐不可以乱听，德行不够都不可以乱听。这是中国古代文化，以为中华传统文化没内涵，她怎么能传五千年？！

最后一个，那个龙，"朕堲谗说殄行"，暴殄天物的殄，我特别憎恨谗言，还有那些浪费、毁坏事物的行为。"震惊朕师"，使我的民众百姓震惊，现在命你做"纳言"这个官。相当于现在的舆情上报，就是内参，到下面去调查，上报真实的情况。我们说参谋部上报内参。"夙夜出纳朕命"，"出纳"这个词，搞财会的、学财经的都知道，对吧？出纳、会计、保管。"出纳"谁第一个说的？注意呀，这跟我们前面说的那个"惇德允元"是一样的，是以后可以出去吹牛的，你问问他，你说"出纳"在中国历史上哪本书上出现的，谁最先说的？你可以告诉他，《尚书》里面舜说的。"出纳朕命，唯允！"要好好的！

所以这工作就布置完了，然后三年一考核，干得好的提升，干不好的降职，最后把这些工作全兴起来了。这就是《舜典》。

时间到了，下一讲我们接着讲。谢谢大家！

（八）

戊戌年三月初六　2018年4月21日

　　我们的历史不是传说，尧舜禹确有其人，且功业卓著、品德高尚；尧舜禹时期我们就有完备的国家制度、政治体制、民主法制建设，有优美的诗歌和乐曲……这都是我们文化自信的源泉。所以，我们要识破"欲灭其国，先去其史"的阴谋，从经典中汲取智慧，用于当下的工作和生活。

尊敬的各位同胞、各位同人：

大家上午好！

今天是第八讲，前面七讲我们差不多把《尧典》讲完了。有的版本是把《尧典》划分成了两个部分，前一个部分为《尧典》，后一个部分为《舜典》。《舜典》的开头，又有人增补进去二十八个字。大家拿到的不管是哪一个版本的《尚书》，都应该对这一段史实有所介绍。

欲灭其国，先去其史

读《尚书》会有一些困难，一个是字上的困难，由字又衍生出读音的困难，读音的不同，又会有不同的字义的解释。第二个困难，就是观念上的困难。因为我们的主流教育已经有相当长的时间把我们上古史给忽略了。在前七讲当中，我们也着重地批判了、分析了、总结了这种现象，这导致华夏文明或者说中华文明在传承、在落实、在认识、在评价等诸方面的一系列的问题。

我记得刚开始跟大家讲《尚书》的时候，我就举着我这个版本的《尚书》跟大家"发牢骚"。第一个注解提到尧和舜，这上面就说，"相传是我国原始社会后期的著名领袖"。头一个词就说明他的观念不清楚，对自己的历史不了解，对相关史书的记述、陈述下来的历史也不相信，所以就用了这么一个词叫"相传"。我记得跟大家分析这件事情的时候就提出了一个观念，如果这样的词汇被我们的孩子看到以后，印象当中马上就形成了一个概念：提到尧舜禹他们，那不过就是传说当中的人物，他们那些伟大的功业、崇高的品德，也不过就是人为了美化传说当中的人物编出来的，所以不足以信。那么也就不足以效法，也就没有榜样的力量，教化的作用也无从谈起。这是头两个字。

接下来"我国原始社会"，一提到原始社会，我脑海当中马上就想到从初中开始学习历史课本给我们的概念，什么元谋人，北京的周口店山顶洞人，现在考古还有发现了更多的所谓文化遗址。甚至一提到原始社会，那脑海中马上就是原始、野蛮、落后、茹毛饮血，大概的形象就是如果能长一个人头就不错了，披头散发；不管男女上身几乎不穿衣服，下身遮着几片树叶，就这么个形象；手里拿着工具也不过就是个木头棒子。怎么能够让人生起信心，说你中华文明源远流长？怎么能够让人对尧舜禹时期我们中国国家制度的建设、政治体制的完备，包括政治民主制度的建设生起信心，生起崇敬之心呢？根本就谈不上！

这个观念是从哪里来的呢？好像是说从达尔文提出进化论以后，震惊了整个世界，认为这是科学的进化观念，就开始蔓延到人文社会科学领域。说人类社会也是这么慢慢进化的，整个社会的阶段是由低级到高级、由简单到复杂、由野蛮到文明。那么原始社会时期天然地就被认为是最初级的、最原始的、最愚昧的、最落后的、最不文明的人类发展阶段。所以隐含着就是说你所谓中华文明创始的源头，不过就是你想象出来的，等于把你的历史，尤其是光辉的历史论证没有了，大家能明白这个要害吗？正应了一句话，叫"欲灭其国，先去其史"，先把你的历史打干净，然后缩短你的历史，诋毁你的英雄人物，让现代的青年沉迷于低级的感官娱乐，什么榜样、德行、修为全都是骗人的。没有了道德的理念做基础，没有了基本的人伦规范，没有了一种敬畏的观念，才会产生现代社会大家非常痛心疾首的、诸多的社会问题。好在中国经过韬光养晦，四十年改革开放，发展起来、富裕起来，现在是奔着强大的国家快速地迈进。他希望你强大吗？希望你超过他吗？希望你和平崛起吗？显然不是！

那我们从"相传"说到"原始社会"，说到现在的经济学理论，国家治理，得出一个什么样的结论呢？我们自己的文化传统必须得到正确的传承，我们自己的文化观念必须得到客观的维护，我们自己的文化尊严只能由我们自己来捍卫。你不能指望着别人去天然地尊重你，因为你正确，他就会尊重你，不会的！现在正在进行的贸易战，就解释了他看到你强大表现出的内心的恐惧、焦虑甚至无耻，不承认你的市场经济地位。当然对于我个人作为一个学者来讲，你承认也好，不承认也好，我就这么干，你能把我怎么样？当然从客观的经营条件上来看，他不承认你，我们没有一个好的国际贸易环境，经济肯定要受影响。但受影响又能怎么样？与虎谋皮的结果只能是葬身虎腹。

首先就必须恢复我们的文化自信，然后很好地进行文化梳理，得到文化传承，用强大的思想武装我们的头脑，强大我们的人民，这才是一个强国所应该有的文化软实力。没有自己的传承和自信，谈什么文化复兴？所以这是《尧典》即将讲完，跟大家再提一下，我们为什么在前一段时间花这么大的精力来解释这第一篇《尧典》。因为《尧典》的正确解读关乎我们全体中华民族的历史观、文化观、文化自信，这是一个根基的问题，这个根基一动，就是所谓根本被动了，那么你的末梢一定会漂浮；根基坚固，才会长成参天大树。

重温典乐，钦佩敬畏

《尧典》这一篇，除了分成《舜典》以后被加进去的二十八个字，其他的内容从古到今没有学者提出异议，就是说它的真实性毋庸置疑。大家所争论的只不过就是说这个字到底是哪一个字，这个字怎么解释，正确的读音是什么，在这些细枝末节上抠，在大是大非上的问题都是一致的，就是《尧典》是真的《尚书》，真的是上古的记录。

可是我认为通过前七讲，我们可以向大家表明《尧典》没有被正确地对待和解读，里面隐藏着太多的真实的历史背景，没有被解读出来，告诉大家，然后准确地去把握中华历史的政治传承。您想一下，为什么钱穆先生和季羡林先生在世的时候，积一世的学术功力会如此地推崇天人合一观点？因为它有太多太多的修正基础、文献基础。从这一篇上看，就知道我们所获得的历法，那是根据自然规律测算出来的。尧那个时候让人到四地去观测和1983年我们的天文学家经过观测再次印证大约公元前2060年的时候的天象就是像《尚书》上所说的，而且那个时候已经通过观测天象得出了一年366天，非常接近365，而且懂得闰年闰月的使用，这还不足够吗？

还有最后一段有很多解释，都是以现代人的观念解释前人的观念。在第七讲结尾的时候，我们说的比较简略，中间清明节放假，由于我出差讲《大学》，我们已经隔了至少两周没有连续地学习。所以算是在交接接力棒的时候，往前跑一段，送一程，我们把《舜典》或者《尧典》后面这一段的内容重新再给大家介绍一下，接上茬儿，然后再讲《大禹谟》。

《大禹谟》这一篇被认为是梅氏伪古文《尚书》的第一篇，有些版本的《尚书》不予收录。就像我从海峡两岸书展上买到的这本《〈尚书〉今注今译》，就是台湾商务版的《尚书》的解读，根本就没有梅氏伪《尚书》，一篇都没有。它只是对没有争议的那二十八篇《尚书》做了解读。根据我自己的学习体会，我们这一次讲《尚书》是真伪杂陈在一块儿，通篇跟大家解释，包括那些被认定为是梅氏伪古文《尚书》的，我们一样学习。因为它不是完全伪造。古人有些时候吹毛求疵，就是这一篇里面只要动了一个字一个词，就会被定义为伪，有伪作在里面。一说有伪作在里面，很多的学者看都不要看，解释都不要解释。那里面真的部分呢？就像有些人说倒洗澡水，孩子也泼出去了，我们得把倒出去的孩子捞回来，所以我们一块儿学。

大家看，舜帝安排工作，直呼夔的名字，"命汝典乐"，这个不需要解释，非常清晰。所以不是说一提到《尚书》，就说什么聱牙、诘屈、难懂、晦涩，不晦涩！是我们自己的知识差了一点儿、程度差了一点儿才感觉到有这样的问题。读着读着就亲近了、就亲切了。书读百遍，其义自见，是真的。一百遍没自见，考虑一下自己是不是意诚，两百遍，三百遍，总有"义见"的一天。

"教胄子"，我们解释了，我们选取是教当时天子、卿、大夫的长子，取这个意思。

后面"直而温，宽而栗，刚而无虐，简而无傲"一句话——中道。以中道去解释，您可以把这样的句式永远写下去，后面提到的九德就是这样。

"诗言志，歌咏言，声依永，律和声"，说明那个时候有诗歌。声音有律和声，说明那个时候已经有了声律，对不对？阳声六为律，叫黄钟、太簇、姑洗、蕤宾、夷则、亡射。这是阳声六，叫作律。阴声六叫作吕。背过《千字文》的有没有印象，律吕调阳。阴声六，大吕，应钟，南吕，林钟，仲吕，夹钟。它们是互生的关系，这十二律对应着一年十二月，被称作用三分损益法把一个八度分成并不平均的十二个节。西洋叫什么？叫五度相生，就是这十二个不平均的半音构成了一个八度。那我们想象一下，那些以为西洋的音乐细致，他们七个音，中国的音乐粗糙，就五个音，我们提倡宫商角徵羽嘛！他懂不懂？从我们的角度看不懂。有变音哪，所谓宫商角徵羽里面缺少的"发"，比如说写出来的4（发）和7（西），这两个音通过变音是可以加进去的。我们所说的五音是跟五行相对的，是跟五色相对的，跟五藏是相对的，跟五方是相对的，这是中华民族独特的贡献。因为不了解，一言以蔽之说不科学，那是无知！所以那个时候我们有诗歌，也有声律，诗有诗的任务，歌有歌的任务，什么是声、什么是律，各有其严格的定义。

"八音克谐"，你想那个时候我们的音乐已经发达到了金、石、木、丝、竹、匏、土、革八种，不细致吗？发展得这么详细，能是一天两天、一年两年的成就吗？我感觉好像没那么简单。也就是说在尧舜时期，我们不但可以观天象，达到那么准确的地步。我们的政治制度，天子五年一巡视，中间四年，每年地方首长来拜见，这是政治制度、监察制度、汇报工作的成熟。该奖励的奖励、该批评的批评，甚至该撤职的撤职。而且由于国土广大，路途遥远，还有一个验符的过程，验证你的符信是不是当时天子亲自颁发的，就是后世所说的印信的问题。你有这个大印，就可以证信你是天子任命的诸侯，非常细致！然后就证明我们对于山川自然资源的管理，有专门的负责官员叫虞官。能体会吗？对鸟兽各有管理，对人有教化。以此类推，不让人感觉到震惊吗？钦佩吗？敬畏吗？

什么叫"八音克谐"？和谐的谐。这个"克"后面加一个字是《尚书》里面经常出现的句式，"八音克谐"、"允恭克让"形容谁的？尧吧？允恭克让。后面还有"克勤于邦，克俭于家"。都是《尚书》的传统。所以我们说《尚书》学好了，一个是增加自信，你"掉书袋"也掉得有文化。

无相夺伦，神人以和

"无相夺伦，神人以和"，这两句话八个字也有深厚的内容可讲。在当时那个时候，天、人之间是有固定的沟通关系，在哪里沟通？祖庙。文祖、艺祖都是对祖庙不同的称呼。我就想文艺从哪儿来？说主席召开文艺座谈会，"格于文祖"、"格于艺祖"，就是文艺这两个字，什么意思？从哪里来？今天一提文艺，唱歌跳舞，搔首弄姿。在古代大概就是黄钟大吕，庄严肃穆，祷告上天，报告人间政事，有伦理在，"无相夺伦"，各干各的事儿，这就是格于上下，格物致知。

"神人以和"，神是神，人是人。古代人认为山有山神、树有树神、水有水神、海有海神、河有河神、湖有湖神……人神之间是有沟通的，是可以和睦相处的。通过什么手段呢？意念、祭祀、音乐。我在初中的时候买过一盒古琴的磁带，上面有介绍，说孔子晚年读《易》，夜深人静，自己突然来了兴致，开始弹琴，然后就有感应，神与人之间就有交流。孔子的境界，我们在讲《论语》的时候，通过对颜回和子路答话，我们知道孔子的境界不是今天世界上现存的任何一个活着的学者所能轻易窥测的，你做他的学生都不够格，不能妄加褒贬。

为什么做他的学生不够格？因为没有一个我现在见到的儒家学者可以做到他的弟子颜回，包括曾子的那个程度。也许子贡有，就是作为大政治家、外交家、富豪，这可以做到。但像颜回那样，超过物欲，按照大卫·霍金斯那个表，能量指数在五百以上。一箪食，一瓢饮，居陋巷，心中无忧，《道德经》里面的境界，绝学无忧，心中快乐，做不到！怎么知道的？你看他的现状，甚至看他的照片，表情就是印证。更不要说"堕肢体，黜聪明，离形去知，同于大通"。不服气的话，给我们展示一个大通的境界，让我们看。说做他的学生都不够，更不要说妄加批判褒贬孔子。

舜帝命令完以后，就是你要在乐官的位置上达到这样的效果，这是属于提出政治目标，达到什么样的为官效果，说得清楚了。那么夔的回答，这句话，后面的《皋陶谟》里面有的篇幅是分开两篇，是在《益稷》里面出现完全一样的一句话。

"予击石拊石，百兽率舞。"我们在这里就做一个解释，我这个版本上说就是人扮演着百兽出来跳舞，我认为这是胡诌八扯！中国古代社会之所以被当作原始社会显得很愚蠢、很落后，就是现在这些解释就能证明，也可能是它形成的。就是做注解的这些学者都给解释错了，那么拍电影的那些，聘你为文化顾问一拍就一个准儿——全错！让人一看跟动物也差不多。他这话什么意思？就是他敲击石头，这个石是什么石？八音之一。金、石、丝、竹、匏、土、革、木，八音之一。就像我们说他信手拈来一个乐器，只要敲打出音节来，就可以产生什么样的效果呢？百兽率舞。就像给小孩儿演动画片，森林里的动物就像得到了告示一样，全都出来活动，森林总动员。无论是大象、老虎、狮子、鼹鼠都出来活动，而且是兴高采烈地跳舞。

《乐书》故事，亡国之音

你说这怎么可能？那我再简单地给大家说一遍，《史记·乐书》上司马迁记录的过去发生的事情叫"故事"。

卫灵公去晋国出差，走到濮水之上，夜宿，晚上就在那儿休息了。然后发现有音乐声，看不到人，就有音乐声。问左右都听不到，就他自己能听到。现在有些人他也能听到别人听不到的声音，很多人都以为是精神崩溃，精神不正常，那倒未必。没有明白人解释，自己也恐惧，时间长了就是抑郁、难受，甚至自杀的可能也都有。不看古书，看我们的经书和史书，慢慢地都能明白，也能解释得通。卫灵公在那个时代，他当然知道里面的要害，就把乐师师涓叫过来了，说我听到音乐，你能不能听到？这乐师是不一般的，说能听到。好，能不能把它记下来。于是师涓就坐下来记谱，把他听到的旋律写成谱子记下来。然后卫灵公就说给我演奏，他说我刚刚拿到新谱，今天还不行，你得让我回去练一练。大师对不熟悉的曲子也得有个熟悉的过程。

一夜无话。到了晋国，晋国的国君平公就招待他，这就是国宴。当时吃饭喝酒时配乐是标准的节目，今天说叫"标配"。卫灵公以为得到宝，就说刚刚得到一首新曲子给您听，恰好正中晋平公的下怀。晋国的君主是一个音乐爱好者，就喜欢听曲子。然后卫国的乐师师涓就开始弹，刚弹几个旋律，也就是刚开头，晋国的乐师是一个大师，叫师旷（一说出名字大家就有印象，是孔子音乐上的老师，至少指导过孔子。孔子本身就是礼乐大师，也是音乐的大师。可见这个人在当世，估计首屈一指的作曲家、演奏家）就给按住了，说：此乃亡国之音，不可卒奏。这是亡国之音，不能把它弹完，不能弹了，不要弹了。这个曲子怎么来的？然后就说听来的。他就说那一定是在濮水之上。谁作的呢？师延作的。乐师都叫师，后面加上一个名字。他是商纣王的乐师，当年讽劝不听，然后作了此曲，最后商纣王死掉了，是自己在露台上放火把自己烧了，对吧？反正他是死了。这个乐师自己就殉国，投濮水而死。所以师旷判断，你听到这个曲子一定是在濮水之上，而且正常白天是不会听得见的，一定是在晚上，阴气重。这不一说就一个准嘛！

但是晋国的国君说，寡人就好这一口儿，要听完，所以还是听完了。那是亡国之音嘛，自然是比较悲凉。晋国的国君就问这是不是世间最悲惨的曲子，师旷就说不是，然后他还要听。乐师就说这样的曲子不能轻易地弹，因为听者必须有足够厚的德行才可以。可是晋国的国君以为自己年纪也大了，别的什么都不好，就好这一口儿，非得要听。没办法，师旷就开始弹。君主对人间的人有很大的作用，有些时候你没办法，要顺从他，要不就得像老子那样出关走人，图书馆我都不给你干。

弹着弹着，就发现云彩起来了，再往下弹，廊前飞来二八玄鹤起舞，二八一十六，十六只黑色的鹤过来随着曲子跳舞，这就是"百兽率舞"的一个表现。这个曲子弹完了，他说这是不是世间最悲凉的？还不是。黄帝当年曾经奏过一个曲子，是安顿天下这些不容易安顿的生灵。那黄帝有土德之瑞，非常深厚，修德振兵，敉平战乱，还天下一个和平的年代，不世出的人物，他德厚能听，但是你不能听。实际上我也不知道师旷是故意卖关子逗他呢，还是说真的如此，但我想这位大师从品行上看应该是确凿无疑，没问题。但是国君非常执拗，就是要听。

这一演奏就起风了，刮得飞沙走石。风之后突然就起暴雨，风雨骤至，吓得这些人都趴到桌子底下。因为两国国君设宴，这个曲子一奏起来，狂风暴雨就来了。晋国三年大旱，赤地千里。所以音乐不可妄兴，这是《乐书》的一个结论。

我观察今天有些年轻人，两个耳朵塞进耳塞，拿着手机、MP3、MP4还是P8，反正是旁若无人，管你道上有车没车，沉浸在自己的世界里。大连十五中门前的那次灾难，那孩子就是背对着冲上马路牙子的车。他如果耳朵里面不塞上耳机，起码能听到身后有动静，第一时间做出反应，他只要往前跑就可以活命。

我们论证过，为什么孔子兴礼乐教化，礼不是人编的，是根据天理编的人伦，形成礼数、礼节、礼仪，这是规范，是从自然来的，道法自然来的。乐也不是人随便可兴，它是按照天地运转的频率所形成的节奏，然后形成一个能量场，就是你弹出什么样的频率，会形成相应的能量场。这能量场如果吉祥，跟人生存的频率相接近，能促进，那就是好的，就舒服。如果杂乱无章，非常烦躁，那就破坏了一个健康的能量场。

设计飞机什么涡轮发动机，包括高铁那种流线型设计，就是为了一个看上去很坚固的物体在一个看不见的空气能量场当中流动，减少阻力所形成的设计形状。那音乐形成的旋律道理不一样吗？你冲击形成的一个叫能量的漩涡轨迹，和频率振动形成的漩涡轨迹，能量流动的过程，道理不是一个道理嘛！大家想象一下，所以你弹出和谐的乐音，符合天道人伦地理场能的乐音，是不是一切归于秩序、归于和谐、归于舒适，天地人神贯通。那不和谐，人就容易闹毛病，甚至招邪。什么叫招邪？"福祸无门，唯人自招"，老子说的。

老子一定是一个静坐的高手。归根曰静，静曰复命，复命曰常，乃公、乃天、乃道、乃久，他是体会得最深刻的古人之一，他一定会知道这里面真实的情况，所以得出这么一个结论。静下来能够感受得到，静不下来，你感触不到。我们现在的孩子不了解这一点，什么音乐都可以试一下，都听一下。就等于在没有防护的情况下，修德不够的情况下，随意地撞击自己的五藏六腑的气场，翻江倒海。这是古文化失去以后，现在人生活的一个可怜的现状。

增加这一部分内容的叙述，就是让大家了解礼乐教化，天人合一观下的教育观，是根据人体自然的和谐振动频率，来调适身心的一种手段。里面有大道，有高深的内容。

据书推算，舜寿几何

帝曰："咨！汝二十有二人，钦哉！唯时亮天功。"

三载考绩，三考，黜陟幽明，庶绩咸熙。分北三苗。

舜生三十征，庸三十，在位五十载，陟方乃死。

后面这些不需要特别地说明，等于是把国家任务安排完了，你们这二十二个人一定要好好干，要与时偕行，要经常把自然的规律展现出来，形成大功，以对得起天下人民。

然后他有一个制度创新，这个制度创新就是"三载考绩"。以前是几年？五年巡视一次，每年报告一次。现在是三年一考核。你做得好了，那叫"明"，就会升；做得差，就是"幽"，就要降，降就是"黜"。所以文法要注意，"黜"就是降或者免，"陟"就是升或者提，"黜陟"就是升降，提拔还是免职。"幽明"就干得好和干得坏。"黜陟幽明"，这个句法要注意，古文极其精致、精到。"庶绩咸熙"，"咸熙"这两个字在后世经常被应用。

最后涉及舜的年龄，这里面也存在着大问题。大家看，"舜生三十征"，因为他二十岁的时候就以孝闻名，坚持了十年，被天子发现。三十岁的时候，尧根据自己的了解，根据大家的推荐，"有鳏在下，曰虞舜"，有一个鳏夫，就是独自一个人的男人，有孝名，把他提上来。而且帝尧我们详细分析过，他老人家一定是对他的品行已经暗中做了调查，把两个姑娘一块儿嫁过去，我们就能看得出来，那个时候的婚姻制度，不是一男一女，不像我们今天。姐俩儿可以同时嫁过去，那是天子的行为，就说明在当时这是一个很正常的现象。

后面这句就出问题了，"庸三十，在位五十载，陟方乃死"。我这里面这个解释，"三十：今文作二十，当从之"。明明上面写的三十，今文就说作二十，然后还从之，什么毛病这是！出现一个错字都不敢给改，大家明明知道这个字可能当时就是打错了，或者古今意义变了，我们从小学将这种古文统统称为通假字，保持它不变。这么重要的问题，他就能自作主张给改了，今文作二十，然后就从之，盲从嘛！

《尚书》这一篇我们刚才强调过，除了把它分成《尧典》、《舜典》，中间填上二十八个字，其他的内容应该是可信的。那我们看，三十岁的时候受到征招，执政也就是用他三十年，在位五十载，这是原文叙述的。三十岁开始干活，又三十年，六十了，尧去世以后他在位五十载，六十加五十，一百一十。如果用今文当作二十，那就一百。因为我以前也跟大家说明过，我说根据《史记》的记载，舜正好是一百岁。但根据《尚书》这一段记述，我反复地研究前后文，我认为是一百一十岁。为什么呢？二十年，就是"庸二十"你找不到根据，而且也不符合前后文的史实。

我们看一下前文"二十有八载，帝乃殂落"，对吧？在这之前，尧让舜接位，就是说，我考察你有一段时间了，你不错，干得挺好的，你来接位，叫"汝陟帝位"。然后"舜让于德，弗嗣"，就没上，对不对？谦让，没接。那么后面"二十有八载，帝乃殂落"，也就说过去二十八年了，对不对？这个数很清晰。然后"百姓如丧考妣，三载，四海遏密八音"，又三年。而根据我们现在进行祭祀的三年是怎么算的？去世的头一年当年就是第一年，对不对？转过年来是第二年，随后是第三年。第二十八载那一年，尧帝去世了，第二十八年和后面说的三载，它是一个接口，既是二十八，也是后面三载的第一年。不信你想象一下，按照周年算。这人去世了，肯定是明年的这个时期，这一日同一天算一周年，但实际上它是第二年，对不对？尽管就是一周年，但已经是第二年了。再过一年他两周年的时候，实际上是算作三年了。所以这三载，中国人祭祀祖先的三载是第三年，它跟第二十八年，去世那一年，有一年是重叠的，能明白吗？那么二十八载是他去世当年，然后第二年是周年，第三年，实际上就是两周年，但是我们百姓话说叫三年头上了，已经三年了，对不对？这是三年。一共多少年？二十八，二十九，三十。因为三载，"月正元日，舜格于文祖"，然后他上来开始跟这帮百官发布命令，大家执政，对吧？这不正好跟后文所说的"三十征，庸三十"恰恰相对应嘛！六十岁的时候，正式地登天子位。就是因为前后文一看，只要尧在，天子位是谁在那儿呀？还是尧啊！舜是干吗的？舜是叫魁首，就底下执政官里面的老大，我们今天可以说叫首相、叫总理，但他不是帝位，他没有上那个位。你看一下前后文，这一篇交代得我认为非常清楚。所以六十岁，加上五十，正好一百一十岁。

不称《禹典》，姓氏可追

到这里为止，《尚书·尧典》包括《舜典》讲完了。按照我们所说的帝王的规格，天子的规格，史书记载，顺其自然，《尧典》、《舜典》下一篇应该是《禹典》对吧？但我们找不着《禹典》，没有。出来这一篇叫《大禹谟》。大家可以看一下，如果您的版本没有伪古文《尚书》的介绍，那就听我们说。这个"谟"，言字旁儿加上一个莫，从右边读就是莫言。莫言原名就是管谟业，对不对？山东、河南音管谟业，地方音说得快了就是莫言，不吱声，别说了。

管姓，从管子来；管子呢，管姓是从管叔来；管叔封于管，因封地为姓，原姓姬，那是文王的儿子。闹事，管叔、蔡叔跟殷纣王的儿子叛乱，被周公平定，杀了一个，囚了一个。所以管氏是文王的后代。原来的祖姓姬，跟姓王的一个血统，同样来自姬姓。后世到汉代，有一家姓阴的从齐地搬到楚地，被封为阴大夫。出了一个著名的女子，叫阴丽华，嫁给刘秀，成为光烈皇后，她是刘秀的原配，但是刘秀迫于形势，封皇后的时候，先封了郭圣通，终究还是废掉了。那这个阴姓就是从管姓而来。大家看一下，每一个姓都有由来，都有变迁，往上追查，追着追着，不是文王就是商汤，要么就是黄帝或者是炎帝，大家都是共同一个祖先。所以中华民族历史源远流长，是一个大家族，到最后在基因上都能够找到渊源。

我想将来一定是可以做这么一个工程，没人做的话我们自己做，就是把我们能收集到的家谱儿，或者繁衍的脉络大体上画出，然后借用国外的发表在《自然》杂志上那种技术，利用基因测序来推测民族之间通婚的历史事件的验证，我们也可以把整个中华民族所谓各姓的流传顺序，在基因上列出一个图谱儿，哪一年哪个姓之间（当然是大姓，如果不是大姓的话，历史没记载，我们就不可能推算出来，就是重大历史事件），哪个皇族跟哪一个大家族之间发生了婚配，比如说唐德宗跟郭子仪是亲家关系，对不对？德宗的公主嫁给了郭子仪的公子，《打金枝》那个戏就是这么来的。那公主嘛，有脾气，郭子仪的儿子也想，你李唐的天下要不是我爹，你做什么皇帝？这种情绪就流露出来。两口子一吵架，麻烦了。这样出了这么一出戏。李姓和郭姓之间有联姻，我们现在就可以通过一个基因测序，大概能往前推，推到唐代多少辈，那个时候的基因图谱儿，如果能证明，我们就可以慢慢地往前推，推到什么时候？就像天文学上验证《尚书·尧典》观测天象的史实，现在也可以验证一样。我们可以用基因的顺序，推测出古代联姻的事实，那就跟史实相合。这是一种新的研究方法，可能会出现很多让后世人大跌眼镜的结论。

它为什么叫《大禹谟》不是叫《禹谟》？因为尧和舜的功业也不小，德行可能比禹更加光辉，只不过禹的实践上的功德更大。所以通常一提到禹，都称为大禹。然后他传授下来的《范》被加上一个字叫

《洪范》。你看"洪大"这两个字要凑在一块作为一个词，是我们现在形容一件事情境界规模都是超出一般的程度。用这一个"大"字就已经显示出在上古时代，对大禹的评价已经非同一般。没有说大尧的对吧？我们听说过大舜、大舜帝、舜帝，但很少听说过有大尧。就是尧帝或者是陶唐氏，或者叫唐尧。有一些史书，或者是研究史书的，称呼《尧典》为《唐书》，就是这样来的。舜帝的国号为有虞，所以我们《尚书》的开篇就是《虞书》。将来全本《尚书》出土，那到底出现哪些"书"，我们现在无法想象。希望它能早一点儿出来，然后也不至于让我们今天很多事情去猜去推，现在说得头头是道，好像是有道理的，那么保不齐哪一天一出土，证明我们完全是胡说八道。也未必，也有可能推算对了。

尧舜禹名，是何称呼

大禹谟

> 曰若稽古，大禹曰文命，敷于四海，祗承于帝。曰："后，克艰厥后，臣，克艰厥臣，政乃乂，黎民敏德。"
>
> 帝曰："俞！允若兹，嘉言罔攸伏，野无遗贤，万邦咸宁。稽于众，舍己从人，不虐无告，不废困穷，唯帝时克。"

看文字，"曰若稽古，大禹曰文命，敷于四海，祗承于帝。曰：'后，克艰厥后，臣，克艰厥臣，政乃乂，黎民敏德。'"前面这四个字是一样的，《尚书》开篇就是"曰若稽古"，然后我们说我们的解释跟以前的解释不一样，都说是发语词，我坚持说不是发语词。就是按字面解释，说这样，根据什么这样说呢？根据稽古的结果，就是调查研究，考察史料记录下来的。相当于"如是我闻"，相当于"子曰"。有没有依据呢？有依据。大家可以往后翻，后面有几篇文章也可以做一个参考。比如说翻到《君奭》，看到了吗？头四个字是什么字？"周公若曰"，后面的解释是"周公这样说"，对不对？这一篇不是梅氏伪古文《尚书》，也就是说《君奭》这一篇和《尧典》，是不被怀疑的百篇《尚书》之一，是正传。这个认知是一致的。那既然"周公若曰"你解释成周公这样说，按照古文的文法，"曰若稽古"怎么就变成了发语词？即使有这样一种解释，我们也有理由解释成我们这样讲是根据稽古的结果。

然后大家看"周公若曰"下面这两个字是什么？"君奭"，然后这一篇的题目是什么？《君奭》。起名的规则跟什么是一样的？和《论语》规则相同，对吧？"子曰：'学而时习之'"，然后这一篇把"子曰"后面前两个字拿出来，《学而第一》。你看"周公若曰"相当于是说孔子若曰，对不对？简化成孔子曰，简化成子曰，学而时习之，然后"学而"两个字抽出来。那《论语》起名的传统、规则从哪里借鉴的？起码聊作一说，供大家参考。

这种"若曰"的说法在其他篇也有，我们就是提出来，大家可以在自己反复学习《尚书》的时候，体会这一点。比如说《大诰》，这一篇也不是伪古文《尚书》。开头三个字就是"王若曰"，王这样说。这是一个在《尚书》里的普遍现象。所以我们有根据提出来"曰若稽古"有我们自己的解释。

"大禹曰文命"，大禹的名字叫什么？文命，这毫无疑问吧！舜的名字叫什么还能记得吗？重华，舜曰重华。为什么叫重华？因为舜重瞳子，他有两个瞳仁儿。我跟大家介绍过了，然后有一位同人随后就把香港特区拍的《双瞳》，网上可观的视频发给我。眼珠子，你看是一个眼仁儿，他往里一转，又出来一个眼仁儿。我们不熟悉这种情况，要真看到现实生活当中有这样的人，岂不是吓得魂飞窍外，是吧？但舜这个重瞳，历史记录如此，没有人说它胡诌八扯。就是因为重瞳子，所以名就叫重华。

尧叫什么名字？放勋。大家注意，帝尧曰放勋，舜曰重华，大禹曰文命，尧舜禹各有其名。知道我们要提出什么问题了吗？既然放勋是尧的名字，那尧这个称呼是什么性质？是字？是号？尧的国号叫什么？陶唐，这不能忘了，尧的国号叫陶唐。所以有的学者说，实际上我们《尚书》是从《唐书》开始，因为《尧典》是属于陶唐那一朝代的。舜的国号呢？有虞。那个"有"，比如黄帝，有熊氏；舜，有虞氏；"有"，有人解释成结构助词、语气词，未必是一个真有其实义的词，所以简称虞舜。那重华是舜的什么号？既然他有名字，我们为什么还叫他舜呢？

今天大家坐在这里，大家都有名字对不对？不对，不是都有名字。姓钟的有名字，姓钟，名永圣，字求己，号本一，书斋名井外天书屋。你有名，你有"字"吗？这传统早就断了。所以你以为有名字，这是误解。只是大家这么叫，这就是我的名字。在古代，名是名，字是字。听过《水浒传》的，尤其是听过《三国演义》的，刘备，字玄德；关羽，字云长；张飞，字翼德；诸葛，字孔明。月照纱窗（月亮照在古代的那种纸糊的纱窗上），个个孔明，诸格亮（诸葛亮）！写得好吧？把他的名和字全都嵌入到对联当中，既描摹得准确，也非常有文采，这才叫有文化！

　　说到这里，大家可能会琢磨了，我是不是回去取个字呢？（众笑）字是你长大了，古代认定的应该是二十岁吧，同辈朋友送你一个字。当然这也不是一定之规，因为我们的历史太长，演化过程当中有一些习俗、制度可以变化。我这儿没人送，就只好自己送自己，是这么来的。所以王婆卖瓜一把，我有名字，你未必有名字。我也有号，你也未必有号，那回家就赶紧取。一听卧龙先生，这个很有韵味对吗？凤雏先生、六一居士、青莲居士。青莲居士知道是谁吧？这个都不知道的话，别听《尚书》了，去听评书吧（众笑）。是李白啊，谪仙人，李白，字太白，你看人家是有"字"的。"介石"和"中正"什么关系？这是《易经·豫卦》里面的词汇。所以起名字到哪里去取？查《易经》啊、《道德经》啊、《论语》啊，包括《尚书》。北京人说这个人"有讲儿"，带着儿化音，就是"有讲究"，也就是说有文化内涵、有说道、有说法、有来源、有出处，可以用典。

　　比如说最近谭老师跟我谈芝加哥大学东亚研究所，他说这个研究所跟辉煌期比，衰落了很多，想推荐我去。我们也谈到现在北大的老先生的凋零，《儒藏》的总纂汤一介先生也不在了。说到名字，我就想起汤先生这个名字，汤一介，一横为一，谁取的？应该是他爸爸汤用彤先生，被称为佛学大师，现在很难见到这样的大师了。

　　杨澜采访汤一介先生，汤一介先生说我们这代人无论如何也赶不上我父亲那一代。为什么？小的时候私塾的功底，十三经烂熟于胸；青年的时候要长大了，师夷长技以制夷，到国外留学，正是语言、精力、吸收能力，全都是飞速增长的时期，所以对西方文化了解得也很深刻，是属于中西贯通的这么一个结构，所以被称为"学贯中西"。"贯"是什么意思？通了，贯通。中国的经典能够以经解经，经史合参，解释得通透；西方的经典也可以了解得很深刻，然后东西进行对比，这叫淹贯古今，学贯中西。他说我们这一代，最好的时期破四旧，学西式，所以童蒙养正的时候十三经没背；青年的时候，上山下乡；"文革"之后，大概五十岁了，才恢复正常的学习和教学工作。力不从心啊！他老人家提到说五十岁重新开始已经力不从心了。所以说基础不行。

我太了解这一点了，我今年四十五岁了，也常感到力不从心。很多奔涌而来的灵感，没有力量很好地把它转化成文字展现出来。讲《大学》，我以为是个好机会，结果第一天讲得这个吃力和费劲儿，一说眼睛直了，再一说眼睛长了，仔细解释，好像是懂了。不容易啊！其心好之，就是你喜欢是件好事儿，但是和你擅长它，完全是两回事儿。

这是我们谈名字慢慢地说出来这么多，回过头来总结，尧舜禹到底是什么称呼？我现在只能有一个答案供大家参考，是帝号。离我们最近的清政府，大家都知道，顺康雍乾嘉，道咸同光宣，跟明朝也是一样的。明朝的皇帝也是一个皇帝一辈子一个年号，对不对？比如大明朝嘉靖年间，一下子就锁定是哪一个皇帝。尤其是喜欢青花瓷的、古董的，比如说一提宣德炉，就知道哪一个皇帝，宣德年间、正德年间，这是唯一的一个皇帝，不会错。但明以前，宋唐汉，经常改元，就是这个皇帝的年号动不动就改了，隔几年一改。

我们举一个人尽皆知的例子吧！李世民在世的时候，年号为贞观，所以他不叫太宗之治，叫贞观之治，在位二十三年，走了，这是一个。但是后面的开元盛世就分成了截然不同的两个，前面叫开元年间，他的年号为开元，后面是什么？天宝，物华天宝的天宝。这天宝年间可是遭了罪，就是安史之乱。秦统一以后两千年的社会发展顶峰，开始往下走。当然到宋朝在经济上有一个崛起，但国土上乱七八糟，从来就没有大一统过。

这说明什么？我们古代有朝代号、有帝号，帝还有自己的名字。尧舜禹那个时候就是这样，放勋是尧的名字，重华是舜的名字，文命是禹的名字，然后他们的国号分别是陶唐、有虞、夏后，属于他们自己的时代。至于你说那个时候是不是像我们后世这样说秦朝、汉朝、唐朝，还得再做考古、再做研究、再做认定，到底该怎么称呼。从伏羲女娲往下十九代是不是同一个称呼，叫朝代，然后进入神农氏，又是一个朝代，神农氏八代同一名号，他们现在的名字我们不知道。可是无论《史记》还是李学勤先生解释《五帝本纪》，都提到炎帝就是神农氏。那么岂不就是说炎帝是帝号，神农是他自己的国号、名号，因为神农也是个代称。

这样我们对中国上古史就有一个比较深入而清晰的进一步认识。比如说康熙帝，这是帝号，也是年号。他名叫什么？爱新觉罗·玄烨。顺治呢？说乾隆吧，大家都知道。乾隆是他的年号，乾隆帝，爱新觉罗·弘历，是不是很清楚？帝有他自己的姓和名，然后有他自己的帝号、年号。

领导尽责，黎民敏德

"敷于四海"，"敷"，有覆盖、普遍、布满的意思，也可以解释成治理，德行光于四海。因为前面对应的文辞说尧帝"允恭克让，光被四表，格于上下"和"敷于四海"有相对应的句式、文法、意义相类似。

"祇承于帝"，这个"祇"是恭敬的意思。因为现在还没说舜把帝位传给禹，现在只是开始介绍他们的讨论。"祇承于帝"说明大禹对舜帝非常的恭敬，有礼节。

我们上一讲讲到舜要求找人才，然后让禹去平水土，这里面说："'咨！禹，汝平水土，唯时懋哉！'禹拜稽首。"然后我们给大家说什么叫稽首、什么是顿首，稽首就是跪下来，身子匍匐，脑袋贴到地上，大概停几秒钟，反正是有个明显的放在那里面不动，这叫稽首，最高的礼节。顿首是头碰地以后立即就起来，程度上没那么尊重。"禹拜稽首"，那是拜舜。

到这儿又给我们提出来一个问题，帝舜在呼唤禹的时候直接称禹，能是帝号吗？好像不应该是这样的，那还是类似名字。可是他明确的名字叫文命，按照我们现在了解的近古的传统，你的名字只有你的父母、老师可以直呼其名，连皇帝都不直接称呼你的名字。要喊你的名字通常来讲是要杀伐问罪的时候，就是你已经担不起这个名字了，人们才不守礼节。皇帝通常是管臣子叫爱卿，叫得腻腻歪歪，亲切嘛，和谐。那这是什么意思？禹好像又不是他们的帝号，又各有名字，难道是字？大家要想，尧舜禹这个称呼到底是什么称呼。

"曰：'后，克艰厥后，臣，克艰厥臣。'"这个句式很精彩、很精练，也很有代表性。"后"，长官的意思，甚至是王的意思。就是做主公的克除艰难，进行执政，完成自己的本位，叫"后，克艰厥后"。那个"厥"读成其，这个我们跟大家说过一次，对不对？我们学唐代的历史就是什么西突厥、东突厥，但实际上是Turkey这个音，土耳其，突厥。这个字有的写法就直接写成其实的其，最明显的，《尚书》里最为人所知的，最容易被挂到墙上的"允执其中"，有的就写成"允执厥中"。所以那个"厥"就是"其"。

"臣，克艰厥臣"，做臣子的要守本位，兢兢业业，夙夜奉公，枵腹从公，全心全意为人民服务，对上对党忠诚，对下为人民服务。不是最高领导人，但又不是普通的民众，你是当官的，有着官职，这中间就要各司其职，各尽其能，把活儿干好，要克艰厥臣。有些工作不是那么容易处理，讲道理的时候，条理逻辑通常是清晰的，但人心人的脾气秉性，自己都琢磨不定，往往就变得错、综、复、杂。就是《易经》上的卦，错卦卦象怎么弄的？综卦怎么弄的？复卦怎么弄的？杂卦怎么变化？这一交叉眼花缭乱，每一爻的变动看不出个数来，不知道规律，就变成了错、综、复、杂。都会说这个词，但不知道来源是从卦象上来的。每一个情况都有解释，可以参考南怀瑾先生的《〈易经〉杂说》。

"政乃乂"，君臣上下级，大家团结起来，各尽其职，然后这个治理的工作才会变得顺畅，有治理之相，也就是出现了大治之相。"黎民敏德"，百姓大众才会表现出清晰的毫不含糊的德行。是因为什么？有良好的带头人，是因为"后"与"臣"都做到了本位，黎民才敏于德。敏于德是什么？德，我们说以五常为代表，仁义礼智信，或者说八德，孝悌忠信礼义廉耻。人们在不同的角色上每尽一德都是敏德的意思。尽孝是敏德；在单位尽忠，为国家尽忠是敏德；做父母的对孩子好，教育他，这是慈德；把人从痛苦的境地当中超拔出来，就是不再让他受苦，这是悲心，把他提上来，敏德。然后你看到动物遭到非常残酷的屠戮，不是正常的屠杀，你可以跟他说改进屠杀的方式，不让它有痛苦。然后那些恐怖分子放出来的视频，拿着很钝的小刀直接对着脖子对着镜头，就是慢慢地锯，人间惨剧。所以"黎民敏德"这一句话讲不完、讲不尽。

什么是孝？大家清楚。悌道呢？兄弟姊妹之间，这是在家里。齐家之后能够治国，你在家里能尽悌道，把他放到单位里面就能事长，悌者，事长之道。在家里孝敬父母，到单位就是事君之道，这是《大学》里面说的。"黎民敏德"这四个字，我们可以讲三年，就是把所有的孝道怎么做，才能符合中道，然后对应着人心性的毛病，五伦关系怎么处理，你的五藏六腑为什么疾病长在那个地方，你的气机结在那个地方，应该怎么去改？这里面深不可测。"黎民敏德"，这等于是大禹说了这么一句报告的话。

野无遗贤，万邦咸宁

然后帝就说："俞！允若兹"，"允恭克让"，这个"允"经常出现，就是确实、实在是像你说的这样，此时这个"若"又被解释成这样，像这样，"兹"，那是代指了，真的是像你说的这个样子。大家注意，这就是臣子、部下、学生发表一个见解之后，为之君、为之师所采取的态度，真是像你说的这样，相当于后世所说的"善哉！善哉！汝实甚能"。就是有一个表扬，表扬完了之后，再发表自己的看法。

"嘉言罔攸伏，野无遗贤，万邦咸宁"，是不是很熟悉这八个字？"野无遗贤，万邦咸宁"，不熟悉呀？"野无遗贤"被后世历来引用形容朝廷英明、皇上圣明，所有的好人才已经全部被选上来了。您去看一下古代科举之后，向皇帝报告说，我们这一次开科，皇恩浩荡，我们选上来的全都是应该选上来的国家的椽子、桷子、栋梁，不都是栋梁，反正是杰出的人才。野无遗贤，四野之内再也没有被遗落的贤人，是不是吹牛？

"万邦咸宁"，你看一下，在当时他们管理的国土范围之内，"万邦"当然是虚数，总之是很多，万邦咸宁。周代封国七十二，五十一为姬姓，从邦国来讲还不到一百，这就是一个虚数，也有点儿吹牛的意思。但舜说这个话，就是说这个工作已经做得到家了，该选的都选出来了，然后大家都生活得和平安定。

咸宁，咱在座的有没有湖北的同乡？湖北有一个市，名字就叫咸宁，应该是离长江不太远。我随辽宁的研究生代表团有一年还到访过湖北，拉着我们去咸宁，我就想看一看苏轼的那个赤壁，但看到了江水蒙蒙，没看到苏轼的遗迹。"万邦咸宁"，你看《尚书》里面的词都被拿来命名一个城市、一个地区，那我们完全就可以在这里面挑一个词起名字。李若兹、王嘉言还凑合吧？有叫李若彤的是不是？她的弟弟妹妹是不是可以叫若兹？有叫李嘉诚的，为什么不可以叫李嘉言呢？"嘉言罔攸伏"。这里面有好的词句，大家可以自己挑。"嘉言"，就是善言、美言、好言、吉言。"罔攸伏"，就是没有被隐藏下的，没有伏在下面，都显露出来了。就说明有良好谏言的，都已经知晓，被采纳。

贤人不在野，"在野"是没入官道，不被选拔。野有遗贤，说明选拔的工作有遗漏，野无遗贤，那做到一百分了。"万邦咸宁"，那做到前面评价尧的功德了，叫"协和万邦"。"协和"又被抽出来了吧？被谁用去了？有个协和医院，协和医科大学，对吧？这些词大家就可以在本上写一下。

精美文字，上古已有

比如刚才我们说的克让、克谐、克勤、克俭、克强。那么涉及协和、保和、太和、中和、合和，一连串儿。明，钦明文思安安，钦明，一个词；那克明是不是一个？克明俊德；还有什么明？昭明，这个词好像是很有意思，有一个文选叫《昭明文选》，昭明是什么名？一个太子是不是？以为太子就是官二代、富二代，每天跟娱乐圈混哪？那太子是有最好的老师教育的，所以《昭明文选》很有名的；黜陟幽明；允明，允明被谁拿去用了？有一个叫祝允明，练书法的听没听说过？祝枝山、祝允明，一个人是两个人？郑板桥、郑燮，一个人还是两个人？钟求己、钟永圣，一个人还是两个人？（众笑）李克勤、李克俭，一个人还是两个人？要区分开呀！（众笑）

那么除了"明"，还有"五"，我们前面提到八音，八音涉及五行，五又是一大堆。五典听说过没？前几讲我们刚学过，"慎徽五典"，又忘了，要回去复习呀，"慎徽五典"翻开《舜典》找没找到？"慎徽五典，五典克从"，复习一下，温故而知新。"百姓不亲，五品不逊。汝作司徒，敬敷五教"，"五品"，什么是五品？父亲应该怎么样？母亲应该怎么样？兄长应该怎么样？以此类推。那"五教"是针对它们的五教。"五刑有服，五服三就。五流有宅，五宅三居"，又出现"五刑"，跟大家介绍过，从古到今有个演变，有些刑特别变态。"五服"、"五流"、"五宅"，尧那个时候设定的规则，舜也坚持。"五瑞"，有印象吗？什么叫"班瑞"？班给你符瑞，你获得任命以后，给你玄圭，后面我们会讲到"禹锡玄圭"，黑色的圭。圭是圭，臬是臬，玉是玉，成色不同。"五瑞"代表着五礼，就是拿到的玉的成色不同，代表着官阶的不同，责任也不同，礼数也不同。然后给你垫玉器的"三帛"还记得吗？五礼对应着五瑞、五玉、五器都是一个。再和我们所说的五行、五藏、五音、五声、五色联系起来，慢慢地您就把中国古代文化就打通了，经与经之间就畅通了，读起来就不那么困难，说起来就是自家话。

"稽于众，舍己从人"，这一句话极其关键。你在治理国家的时候，嘉言罔攸伏，好话好的建议全采纳了，该选择的贤人全被你选上来了，然后你的治理之下，万邦咸宁，没有鼓包的，全都和谐顺畅。"稽于众"，曰若稽古的稽，稽核的稽，今天我们会计学上还用这个词，稽核。"稽于众"是什么意思？做事情之前先征求大家的意见，或者下去向"众"进行调查研究，叫"稽于众"。调查的过程当中，听汇报工作，然后征询大家对某一方面工作的意见和建议。"稽于众"这一句话，翻译成现在的话就是中央要大兴调查研究之风。

后面"舍己从人"，当领导的尤其是一把手，你不要把自己的私人的想法完全代替常委会的决策。这都是我们学习的时候遇到的一些说法。"舍己从人"，也就是说征询大家的意见以后，把自己的意见跟众人的意见进行比对，如果大家说的合理，有道理，你要听从，舍己从人。这是什么过程？民主集中制。先民主，然后再决策，决策的依据不是是你对还是谁对，是以众人调查研究之后最合理的那个才是决策的依据。

"不虐无告，不废困穷，唯帝时克"，能够做到这一点的，只有尧，只有尧帝能做到这一点。

好了，这一句话说完了，我们不往下说了。就问大家一句，我们现在回想一下，名字起得那么有水准，话说得那么漂亮，而且有些字那么繁杂，那么请问尧舜禹时期有没有文字？没有文字他怎么能取出名字？没有文字，我们现在如何能够见到史官记录下来的典？典的原意是大册，我们跟大家解释过，对吧？竹简长二尺四寸，串起来的叫作典，经典嘛！没有文字，他做那么多的木头棍儿、竹棍儿干吗？串起来逗小孩儿玩儿吗？显然上面是要刻字的，对不对？记录下来才叫典。曰若稽古，然后我们现在叙述的内容都是要用文字记录下来，否则那个时候哪有语音记录啊？说明当时我们有文字了，这是不是一个证明？《尚书》的存在就证明着中国上古有文字，这是一个很重要的结论！

这一讲时间到了。谢谢大家！

（九）

戊戌年三月二十　2018年5月5日

作者通过《尚书》、《论语》的对比讲解，让我们体会到中华文化心法的传承是一以贯之的，在施政方针上，以民为本，以德化民，宽容治下。本讲作者强调念头的重要性，念头决定方向、决定命运；做出正确的判断，需要有智慧，而智慧的获得需要有德行，所以积德非常重要！

尊敬的各位同胞、各位同人：

大家上午好！

我们接着学习《尚书·大禹谟》，今天是《〈尚书〉通解》的第九讲。刚才有位老先生来问今天讲的内容为什么书上没有。我记得在前两讲当中，我们提示过大家，由于《尚书》传承的历史比较久远，在这个过程当中，很多原始的《尚书》原文已经散失掉了，由原来的三千多篇，剩为春秋时期的一百篇，到了秦末战乱，保存下来的也就是二十八篇，把其中一篇分开就变成了二十九篇。所以你见到的版本有的会是二十八篇，有的会是二十九篇，这是没有争议的流传下来的《尚书》版本。现在我们讲解的是按照从东晋以后，梅颐贡献出来的夹杂了一些被后人考证为伪书内容的梅氏《尚书》。我们学习的过程当中发现，所谓的伪《尚书》不是完全臆造的，它是在流传过程当中后人加进去了一些内容，进行了修补。所以有的学者认为这一部分不可靠，干脆就全部删掉，不学。我自己的意见是由于补进来的这个《尚书》尽管传承无稽，好像是不可靠，但其中有一些思想十分珍贵，根据其他的典籍来印证呢，它也不是完全不靠谱儿，是属于真伪杂糅的情况，所以我们还是选择比较全的版本来讲解。如果你现在手头的版本没有《大禹谟》这一篇，那《尧典》之后就是《皋陶谟》，所以见不到我讲的经文。那就认真听好了，反正我们的讲解是每念一段，给大家解说一段。讲座之后，如果感兴趣，可以再找一个全的版本作为参考。

《论语》记述，心法传承

今天接着讲的《大禹谟》这一篇是梅氏伪《尚书》的第一篇，我们一提起伪《尚书》呢，老是感觉心里不踏实。既然是伪《尚书》，那么显然应该是不真，那我们学是不是会学差了。根据我自己学习经典，对照历史，然后揣摩、探究、体会其中经文的意思，这里面的内容大部分是真的，尤其思想是完全正确的。至于史实是不是当时史官录下来的原话，这个可能会存在着争议。我们今天这一讲提到舜作为天子他要传位的时候是希望大禹来继承天子位。可是又发生了一个讨论，记录下来，叫《大禹谟》，那个"谟"我们说过一遍，是讨论、谋划的意思。讨论的结果还是由大禹来接任天子位。在这个过程当中，本篇记录了舜当众讲出来的一大段话，非常非常重要！其中十六个字，被称为中华文化的心法。听过我们讲《〈论语〉通解》的同人可能会有印象，就是《论语》最后一篇叫《尧曰第二十》，"尧曰：'咨！尔舜！天之历数在尔躬，允执其中。四海困穷，天禄永终。'舜亦以命禹。"就是后面这句话特别关键！我们知道《论语》流传下来是中华文化经典传承当中生死攸关的大事，如果这二十篇没有传下来，我们的儒学几乎就找不到可靠的教材，这个根就失掉了。很多挑剔的学者对于《论语》和《孟子》当中记录的历史对话，也不怀疑。所以《论语》当中的记述十分可信，也可靠。

显然尧在传舜的时候，说的话好像在《论语》当中的记述比较简单。在舜传给禹的时候比这个要多得多。但是后面"舜亦以命禹"，这就告诉我们就是舜把尧传位的时候告诉他的心法，叫政治遗言，就是老天子要退位给新天子做政治上的交代，那个意思传达给了接任者大禹。并没有遗漏，至于话语是不是完全像复读机一样，一个字不差地转述，我认为这个倒没必要。为什么呢？我们看中华文化尤其是唐以后记述的比较细致、比较精微的历代祖师和传承者之间的传承记载，领会心法以后每一代的表述，那个偈言，也就是我们所说的诗，中华文化原始意义上的诗，没有一样的。可是它要传述的那个内核、那个思想完全一致。这个大家可以到禅宗里边去参证、印照一下，就可以知道。所以我们总的观点还是说，尽管《尚书》现在有各种版本，真伪杂糅，我们还是以能够全面地了解《尚书》历史的出发点，把全体能见到的《尚书》都讲解一遍。但是每讲到一篇的时候会着重地强调一下，这一篇是没有争议的，或者这一篇是有争议的，是梅氏伪古文《尚书》的第多少篇以示区分。

念正德积，方入正道

益曰："都！帝德广运，乃圣乃神，乃武乃文。皇天眷命，奄有四海，为天下君。"

大家往下看，上一讲我们讲到大禹有个名字，他有功德。舜在这个时候就讲了一段话，说大禹这段话说得对，帝尧的功德非常了不起。然后益开始接话评论，前面这个"都"就是一个语气词，说"帝德广运"这个帝多家解释都是指帝尧，也就是大家认为还都是凑在一起，歌颂尧的功德。"广运"无论您拿到哪个版本，书上都有注解，当然是好的，广，我们今天说广大；运，解释说是远，反正是美好的意思。如果把它解释成我们现在能够理解的运字的表面意思，它可能也有动词的含义，就是这个德很久远地、很广泛地传播到了能够传播到的地方，"帝德广运"。

"乃圣乃神，乃武乃文"，这样的句式是《尚书》里面的一个特征，就是四个字一个词或者叫一个句子，相对称，形成叠加，形成排比，有气势、有文采，非常美！包括后世出来的《诗经》，大部分的语句也都具有这个特征。就是当时所谓的四言诗，四言的表达，占据了夏商周文献的主要的表述方式。如此圣，如此神，如此武，如此文；或者说他能达到那样圣的境界、那样神的境界，文武双全。这是在夸赞、表扬帝尧的功德。

我们可能会记得孟子有一段话，叫"可欲之谓善，有诸己之谓信，充实之谓美，充实而有光辉之谓大，大而化之之谓圣，圣而不可知之之谓神"。这是孟子对善、信、美、大、圣、神六个字的定义。其中有互相关联的地方、递进的地方，可以作为一个参考来理解什么是"乃圣乃神"。那孟子这段话是什么意思？"可欲之谓善"，就是值得追求的东西，这个愿望才是善的。不是追求的东西就是善，而是值得追求的，这里面包含了伦理判断，非常重要！

我们很多人，读经典读不明白，就是因为念头错了。念头，念头，起头的时候你那一念就错了，所以怎么学都不精进，都不能突破。精进要讲究正精进，不能邪精进。有些人很勤奋，但就是上不了正道。没有正知正见就非常麻烦！他就理解不了经典当中所传述的正道，讲给他也不懂。就是他能重复你的话，他也不能真正地领受其中正确的含义，这是这些年我亲身体会到的。很多人你无论如何给他怎么讲，他即使都能够把经文倒背如流，他还是不能入那个正确的境界，就是那个"大中之境"，《大学》和《中庸》之境，正道之境。

他永远不能把心放对地方。说一千，道一万，你磨破嘴，他一问，你发现他还是不在正道上，就是那个念头始终就不对，这真是邪了门儿！

后来我就体会到，为什么道家最重要的经典，被奉为祖师的，流传下来的经典叫《道德经》，就是那个德你积不到，那个慧就不开！就得不着，非常奇怪。这人可以很聪明，很有才华的样子，可是正道始终入不了。不入正道，不入正流，当然就不入圣域。所以孟子这句话的开头极为关键，"可欲之谓善"，要在善道上迈开步。所谓差之毫厘，谬以千里就是这样，你心里的那一个念就是我们行为的起头，这一念错了，这一生错了。如果按照有些门派的思想，那生生世世都错了。想回来的时候，不知道几世几劫，像看《红楼梦》，几世几劫，无论那个绛珠仙草，还是那块吸收日精月华的石头，投入到人间走一回，在红尘当中未必能够想得起来自己的出处。

中华文化非常的神妙，这个神妙不是玄虚，而是它达到了普通人根本难以揣测的境界。但是如果印证到以后又非常自然，叫道法自然。就是非常的质朴、天人合一的境界。包括解释天人合一，很多人也想歪了，想得很玄、很远，其实不是。时时刻刻无一时一地不天人合一，你明白它是合一，你不明白它也是合一；你飞黄腾达它是合一的，你今天说自己倒了八辈子霉，它也是合一的。怎么造成的？天人之间有感应。不懂，就越看越迷糊，越看越分离。懂了以后，就触念而通，至诚才能感通。这一切是因为你走对了路，心念搁对了地方。人的思想在一个正确的境界上才能明白。否则的话一读经文，总是觉着隔了一层，啥意思不知道，领会不了。解释完了以后，将信将疑，印证不了。皓首穷经，十年八年下去，还是一身瓦裂，困苦不堪，命运不改，还不知道反省，就很麻烦了。

教化根本，持续学习

怎么教呢？你教他最根本的，他不上路。什么叫不上路？我就拿我自己做例子，比如说现在摆在下面专柜上的书，除了英文版，已经有十二本了。第一本是经济学的著作，很多人以为看了这个书以后我立即能掌握发财的秘诀，看完了之后失望，没找着。但也有找到的。那本书是起头的，是让大家奠基的，在学术上是给出一个根本性的理念。因为我们从1840年以后，国运衰颓，这个文化被埋没已经一百多年了，不知道什么是正确的观念，你突然提出有自己的经济学，他都无法接受、无法理解，天然地去维护economics那个经济学。这倒也不错，如果说这个economics从西方传来是正确的话，那我们也没有必要非得抠出一个说我们本有的经济学含义。但是由于那个经济学脱离了最本质的文化联系，把人教坏了，教成了一些自私自利的、只图竞争谋利的所谓的经济人，这不是我们中华文化应该有的教化的结果。

所以我们认为，在文化复兴的时候，这个彻底的经济理念，华夏文明本有的经济理念，就应该回复到世间。从这个角度说，我们先从理念上进行纠正，至于后面策略型的、技术型的、制度型的，包括管理的具体的方略，那都是技术环节，所谓细枝末节的东西，就慢慢收拾、慢慢修理。像跑马圈地一样，你先把地圈回来，然后再慢慢地精耕细作。但有些人就是不懂，你告诉他让他积德，他就说没工夫，没工夫听你说一些不着边际的。我现在着急的就是GDP；我现在着急的就是我年终的奖金和利润；我现在着急的就是会计核算期之内，未来的一年我能拿到多少利润。你跟我谈别的都是扯淡，少来这套。可是你怎么去跟他解释，当你的德行是一个大坑的情况下，是一个巨亏的情况下，你在这个上面想要建一个空中的楼阁，那可能吗？那是绝对不可能的事情！所以你就能看到整个世界，非常有意思的现象，李嘉诚搞地产，能够赚得盆满钵满，对不对？然后有的人去搞地产，就赔得四处欠款。同样，人家搞互联网，好像是很快就可以成为中国的首富、亚洲的首富，乃至于世界前多少名，而有些人几天就破产。什么道理？背后有一个深刻的积淀在，他不懂。不懂还不谦虚，说了还不听，这就麻烦。

我们反复地跟大家解释，中国古代经文上那些话，说破了天机，但因为老生常谈，小孩子都可以说，而且一到一个场合，天天都能看到，书房里、厅堂里都挂着，习以为常，熟视无睹，根本就不思想它背后的真义。比如说厚德载物，能明白吗？他德薄得什么都盛不住，怎么能够变现物质财富？厚到一定程度，才能载动这个物啊，非常简单、非常明白的道理，听不懂。一提《道德经》服不服气？服气。为什么？老子的境界他达不到，你让他活一百六十岁以上，他连活一半儿的信心都没有。谁敢保证站起来就说"我保证我健康地活八十岁"？现在就很少有人敢这么说。因为没掌握那个武器，没掌握那个方法，没见到那个道，所以就没信心。

学呀！我们说儒家最重要的经典，翻开第一篇就告诉了我们一个非常最重要的根本性的道理——学而第一。在人世间学是最重要的，排第一，比什么事情都重要！那怎么学？当然向圣贤学、向经典学、向天道学！道法自然嘛！只有这样才可以。为什么一提起这些事情，你说我的话就变得啰唆，是因为我看着周围这些人，你怎么教，也可能是我德行鄙陋，人微言轻，他就听不明白，或者是不愿意去听。就追逐一些虚无缥缈、引入歧路的一些个教训。短短七八年间见到的太多了，不知道在一个正确的领域里持续地用功，一直挖出水来，把井打成。挖一锹换一个地方，挖两锹再换一个地方，始终就不成。不成你就不能叫作"有诸己"，你不能把这一个道修到自己身上，所以就"无诸己，而后非诸人"。

帝德广运，以民为本

"帝德广运"这个词挺有意思，"广运"，不是广州运动会，是迅速广大传播的意思。那未来他诞辰三百年的时候，也就是我们2118年的时候，是个什么状态？为什么建议大家读《皇极经世》，就是按照宋代邵康节先生给出的规律，"五会十二运"是中华大运的时期，我记得当时那个明确的数字是2103年。当然不是邵康节推算的，是我们现在也有掌握了这个方法的高人，也不具名，推算出来的，到2013年。大家看，也就是整个未来这一百年当中，我们的国运昌隆。常读南怀瑾先生著作的同人也可能会记得，老先生曾经明确地讲过1987年之后，华夏有两百年大运，不止一百年，两百年大运，那就是将近三个甲子以上，不到四个甲子。按照我们现在进行的中国古代盛世周期的研究，没有超过三个甲子的盛世大治。那两百年就已经超过了，说明这一次国运非常昌隆，超过以前，而我们现在居然都能赶上。

大家可以算一下，"十九大"规划的"三步走"，2020年全面决胜小康社会，我们全能赶上吧？那就是近在眼前啦！第二步2035年，基本实现现代化。这是比较谦逊的说法，按照有些学者的解读，就解读成中国在各方面的经济指标已经世界第一了，离我们很近吧？大家算一下2035年，自己的年龄有多大？然后剩下的就是好好修啊，你把吕祖的《百字铭》，还是陈抟祖师的修行方法，还是张三丰祖师的修行秘诀，你拿来变成自己身上，这个"可欲"是善，你想看着国家繁荣昌盛这个欲望，我认为是善的，然后"有诸己之谓信"，你把它修到自己身上，充实。别人一看这老人家有德行，因为显现出德相啊！"君子黄中通理，正位居体，美在其中，畅于四肢，发与事业"，透露出来的，你有德相！这就是从内而外的美。那就是充实而有光辉，就是一个"大"，这一辈子可以做成一个大人。那后面能不能神、能不能圣，那就看你自己的心量了。越是无挂碍，越是奉献得多，越能够成就得大。完全放下，真的全心全意为人民服务，那你试试看。把全心全意为人民服务，翻译成古文怎么表达？"摩顶放踵以利天下"对吧？墨子说的。再往前推，我们回想一下，帝尧传天子位的时候，有些人推荐他儿子丹朱，他说如果传给他儿子，天下会怎么样？病。传给舜呢？天下得利，得利益。这不就是为人民服务吗？为天下百姓、万国、万邦来考虑，不传给自己的孩子，都做到这一步了，不叫全心全意为天下人民服务啊？！

　　所以很多的研究课题，说我们的民本思想从周代开始。我说那真是没仔细读《尚书》，读了也没读明白。民本思想在《尧典》当中，就清晰地展现出来。宁可不传给自己的儿子，也不能让天下人受到损失、受到损害，这是什么思想？他是为谁考虑？他为了自己考虑、子孙考虑，那直接你提议传给我儿子，这可不是我要自己传的，顺水推舟，半推半就，那还有舜的份儿吗？所以我认为从古到今，民本思想一脉相承，从上古就传到今天。而今天呢，我们是要把这个思想推到全世界。我们的战略就是这样的，打造人类命运共同体，就是天下人民如何能活得更好。有了亚洲基础设施银行，有了"一带一路"倡议，有思想、有境界、有情怀，然后有制度、有措施、有技术。我们生逢一个伟大的时代！

辨别吉凶，分析影响

禹曰："惠迪吉，从逆凶，唯影响。"

益曰："吁！戒哉！儆戒无虞。罔失法度，罔游于逸，罔淫于乐。任贤勿贰，去邪勿疑。疑谋勿成，百志唯熙。罔违道以干百姓之誉，罔咈百姓以从己之欲。无怠无荒，四夷来王。"

"禹曰：'惠迪吉，从逆凶，唯影响。'"大禹把话题接过来，这九个字非常的精练。"惠迪"我们现在不这么用，这三个字倒不麻烦，写起来也容易。但是凑在一块儿，就不太容易理解，可以把后面那个拿过来，相对照，就清楚了。"从逆凶"，前面那个"惠迪吉"，那就相当于是有道则吉，无道则凶。你要是与道相合，那就吉；你要是跟恶、逆一条道上走，那就是凶。所以顺道则吉，逆道则凶，就很简单。"唯影响"，我们今天也经常说，你注意点儿影响啊，或者你小点儿声，或者你那个衣服好好穿一下，注意点儿影响。都已经习以为常了，就没想一想什么意思。影呢，就是我们身的影子，它是一个被动的，由谁决定的？由我们自己身体吧？身体决定了影子。那响呢，比如说现在我坐在上面，通过麦克风在发声，外面的人一听，啊，这里面有动静、有声响，这就是产生的效果。有什么影响？这就是影响。所谓的"唯影响"就是你要照顾那个根本。身正不怕影子斜，这是我们常说的一句话。但是他现在的说法是你要照顾影响，连影子的歪斜都要看一看，会不会引起歧义。那我们现在就知道了，"影响"的这个想法从哪里来？从《尚书》里来的。最古老的史书，孔子及其弟子都是由它教育出来的，唐宋八大家更不在话下。你看看《大学》、《中庸》，包括苏轼的文章里面，有多少次引用《尚书》里面的段落、思想、语句，就知道它哺育了整个中华文明。

你要是让你自己的小孩子立身端正，那你做父母的在家里面就要注意影响。包括现在天气热了，今天立夏了，你自己在家里面穿、行、坐姿都不能太随便。否则小孩子有样学样，你那就是在教，叫不言之教。他看你穿衣服随便，将来他也不庄重。他看你身子歪斜地在上边一靠，那他身姿也不正。形成习惯了，到外面去，让他突然一下子变得庄重，可能吗？

"唯影响"，就讲这三个字，讲到年底都不够。你就注意吧，把我们的起心动念产生的那些影响，好的方面，不利的方面，后果，全都给大家详细地拿出来说，那就讲吧，就类似《华严经·净行品》一样，起心动念产生的后果，你如何去做判断，那无量无边哪！一想到这一点，那我们岂不是惭愧死了。过去做错了多少事情，举手投足，起心动念，包括穿衣、吃饭、待人。所以中华是礼仪之邦，在过去让外面那些未化之邦，蛮夷之人，到这儿一看，那确实是不一样。人们见面有规矩，说话有规矩，吃饭谁在哪一个位置，谁先动筷，怎么吃，你第一筷子叨什么位置，高人就看你这一个动作，就能判断出你有没有家教，出身如何，将来会有什么发展。如果没有碰到明白人教化你的话，你这一辈子就定下去了。这个思维定式、行为定式，然后，"式"嘛，它就产生一个推动的结果，你就会照着这个路走下去，如果没有人提醒说错了，一辈子错到底。所以"学而"第一，真是要向经典学习。我们今天呢是指现在这个时代，中华文明伟大复兴的时代，好的东西就是要继承、就是要践行、就是要复兴，然后再传承下去。那会产生一个伟大的影响！礼仪之邦，华服盛美，华夏文明，这几个字当中包含着无量义，说不完。我们只能是慢慢体会、慢慢践行。

求全之毁，不虞之誉

"益曰：'吁！'"又是一个感叹词，这些叹词呢，我始终就是不理解，不理解在什么地方呢？在古代刻一个字那么不容易的情况下，为什么这些重要的人物说话之前都要有一个叹词，而且还都记录下来，为什么？我们现在上讲台给大家做讲解的，一大忌讳就是，哦，这个，啊，那个啥哈，就怕这一点。最好一句是一句，起承转合，抑扬顿挫，给大家讲得清楚。不要有那个，嗯，这个嘛……就这些个东西都要去掉。但在当时记录文字，不像我们今天"唰"的一下可以复制好多，非常方便，还能理解，你哼一下我也给你记录下来，你"啊"一下，打个喷嚏都记录下来。古代不容易呀！为什么这些语气词记录得这么详细？我到现在没想明白，作为一个问题提出来供大家参考。

"戒哉！儆戒无虞，罔失法度，罔游于逸，罔淫于乐"，这个句子很美的。"戒哉！"带有感叹的意思，重点强调这个"戒"。就像我们今天发感叹：哎呀！这个戒呀，真是重要！或者领导感叹：这个纪律呀，太关键了！就类似这种感叹。杀一儆百那个儆，大家都了解，"儆戒无虞"。孟子说，人有求全之毁，有不虞之誉。人生求全会让人产生"亢龙有悔"的后果，差不多就行，不要太追求极致。有的时候追求极致，会把人累成高血压。为什么呢？因为你的心念高度地往上拼，血就往上流。尤其是在肺气受损，肾水不能够滋养全身的情况下，血压就容易升高。这是我的体会，亲身的体会。

比如说我跟大家报告过，2014年在海事大学体育馆有一场论坛，刘力红老师出场要讲座的那天中午我陪他吃饭。点完饭以后，上菜的时候，那是我认识刘老师这么长时间以来第一次说，刘老师您给我把把脉吧！把完脉之后，他就这么看了我一下，你不咳嗽吗？我说我咳嗽了三个月了，才好。他说伤及肺金，伤及肾水。金生水呀，咳嗽时间长了肺气虚，伤肺就伤肾。这也是南京的徐老先生让我讲座不要超过一个半小时的原因。而且他听我以前讲座，他说你讲座的这种表述方式，把能量全部给出去，不能时间太长，否则自己自损太大。讲的时候如果自己身体的内部循环达到一个最佳的状态，人是不累的。就像大家看到我通常会准备一个杯子，讲之前喝两口，放在这里，以备万一，正常情况下，都不会喝的。我最近，应该说开始讲座以来，将近六年了，只有一次在讲座中间喝了一次。因为不礼貌嘛，人在下面坐着听得很认真，都不喝水，你在上面喝水，这是一个。那真实的原因呢，就是一个合格的传统文化里面的文化人，不要说讲两个小时，你讲四个小时都可以滴水不沾。自我循环顺畅，津液不断，这说明身体健康。你达到了这个程度，别人才能相信你呀！说明你身体是健康的，身体健康说明你是"有诸己"。"有诸己之谓信"大家明白吗？否则我怎么相信你？讲半个小时喝一杯水，要不就口干舌燥，那说明你修为不到。所以讲《大学》的时候我记得，斗胆告诉在座听讲的各位同人，你要是真的是打什么禅七呀，修什么道家功法呀，包括有自称

272

什么儒家大师的，给你讲的时候不停地在上面喝水以润喉的话，你走人算了，这是真话。

"有诸己之谓信"，到底怎么信？你要信孔子的话，那他的话你肯定要信吧？"始吾于人也，听其言而信其行；今吾于人也，听其言而观其行。"你做不到你不要忽悠我们玩儿嘛！所以这个人有求全之毁，到后来他就装，做不到就做不到嘛，不必要装，道法自然。有一次我被邀请参加一个论坛，我就发现有一位，他修行不到，然后看到你以后呢，他老是要显摆自己如何如何，这比较麻烦，没有必要。我认为这属于求全之毁。不管男女，你有自己的特长，你就做你的好了嘛，为什么别人要做到了，我做不到我也想装，我跟你差不多，那怎么可以？所以就搞得很累，那你让一个城市里面一千多人怎么看呢？

道家崇尚的是真人，不是假人，不能作假。所以人有求全之毁。但人也有不虞之誉，就是"儆戒无虞"，无虞和不虞大体上差不多。这里面可能您拿到的《尚书》版本解释那个"无虞"应该是没有差错、没有失误。但"无虞"也有一个什么意思呢，就是没想到。不虞之誉，你没想到的赞美，或者是说不匹配的赞美，不相符合的赞美，名不副实的赞美。这是孟子说的，人有求全之毁，不虞之誉。怎么来的？有些人说话不信实，没做到这一点，他不知道出于什么样的心理，就说你如何如何好。那反面就可以平白无故地编派你如何的糟糕，都可能发生。有不虞之誉，就有不虞之毁，这两面都是相对的。大家现在就想一想，以前的生活经历当中是不是碰到过这种情况，自己是不是有求全的心念在？自己是不是遇到了不虞之誉？就是当对方夸你的时候，你自己就觉得他也好意思说出来，我根本就没那么好啊，对不对？那怎么办？人家夸你，我们没达到，要生大惭愧心，要想象他是好人，他是老师，等于是用这种方法鼓励我去赶上，做到。他认为你高，你说我现在低，赶上去就好了，提高自己的境界和修养就好了，对吧？不要想别人歪，其实你知道他说话不靠谱儿，或者说你是甲方，他是乙方，他有求于你，故意说好听的话，给你买好吃的，甚至送你好用的，包一个包儿。今后这个时代，不能干这种事情，新时代已经开始了，别给自己找麻烦。所以踏踏实实、老老实实、光明磊落、自自在在地干事情，能就是能，不能就是不能；行就是行，不行就是不行。然后，争取给人解释清楚。你说得罪他，得罪他没办法，得罪你也得干，要坚持住，否则后患无穷。这就是"儆戒无虞"，没发生之前要清楚，这也是君子不立危墙之下。你一直这么坚持，无论是夏天打雷，还是冬天半夜鬼哭狼嚎的，都不害怕。永远不立危墙之下。

益言警戒，心上把握

后面就是我们说的标志性的语句，形成排比，很有气势，也非常优美。"罔失法度"，"罔"，直接把它理解成不、勿，不失法度，勿失法度，无，都可以。"罔游于逸"，安逸的逸，逸豫的逸。"罔淫于乐"，淫是过分，不要过分地耽于娱乐，就是玩儿大了，这就不行。后面有《五子之歌》，就是因为太康失位，出去打猎不回来了，不理朝政了，那就是属于淫于乐。

再往后边，"任贤勿贰，去邪勿疑，疑谋勿成，百志唯熙"。还是四个字的句式。如果你任命一个贤人，就不要用二心去对待他。刚刚任命了，然后自己又反悔，这人行不行啊；已经都领结婚证了，哎，我是不是嫁错人了；已经都娶进家里来了，大妈给我介绍那个是不是更好。很麻烦，心不安。所以"任贤勿贰"可以推广，好像就是说领导人任命一个贤明的人，不要怀疑他，不要有二心去对待。做任何事情都可以用这句话来警戒自己。当然你要判断得准，判断错了的话，你还坚持到底，那反面的成语我们也一大堆，什么怙恶不悛、死不悔改，这就需要智慧。真正智慧的获得，就是我们前面唠叨的，你要积德才有真正的智慧；你要积德才有真正的善财感得而来；你要积德你的孩子才会听话，取得好成绩，有好的事业发展；你要积德，你的身体健康才会有保证，因为病者过也，因为《黄帝内经》里面说德全不危，你德全了就不会有危。那反面的说德缺了，就会有危。一个好人真正的内核、秘密就是德不缺，所以是好人。论证来论证去，身体上的缺陷、不足、病痛来源于伦理上的德行不足，有亏。这就是中华文化一个伟大的揭示，叫一以贯之。所以医圣讲"天布五行，以运万类；人禀五常，以有五藏"。以仁义礼智信五常为代表的道德你不能够践行，你的五藏就无法健康；五藏无法健康，用现在的话说，不但是病，而且是大病，是要死人的。不严重吗？缺德不严重吗？现在有些人说管他缺德不缺德，能赚到钱就行。这就叫不要命，赚钱不要命。也有些人不服气，你说那玩意儿它也不现世报啊，这都是我亲身经历。这都是读到博士的人说的话，蒙昧到什么程度！非得要求现世报我才能够相信你说的这个道理。这是我以前讲过，把时间轴拉长了，中国人的好处，就是历史给我们记录下来的时间轴足够长。为什么我们敢说中国传统经济学里面的一些公理，是公理，它不是人为推出来的定理，它是公理，就是因为在我们悠长的历史当中，被正反两方面反复证明了这个道理。你要违反，那就碰触红线。所以君子乐得做君子，逍遥自在；小人辛苦、冤枉做小人，你看他一天天忙叨的，很可怜啊！

"罔违道以干百姓之誉，罔咈百姓以从己之欲。"不要违背正道，然后来获得百姓对你的赞誉；不要违背百姓的意愿，以实现自己的私欲。所以对应前面那句话，去掉自己心内的邪念，就不要迟疑，这不是怀疑。发现自己心内的杂质、阴暗的念头、肮脏的想法，不要迟疑，干脆立即果断地去除，叫斩立决，连根拔除，叫"去邪勿疑"。然后能够让你产生坏的结果的那些个谋划，就不要付诸实施了，"疑谋勿成"。做到这一点，"百志唯熙"，志是士之心，我们现在谈的是中华心法，心性层次的，或者心念境界的道理。从哪里修？从心念上修，在心念上把握。就是在开始，在初心上把握，叫"去邪勿疑，疑谋勿成，百志唯熙"，你的正面的志向，才会兴旺发达起来，才会实现，这叫"可欲之谓善，有诸己之谓信"。

"无怠无荒，四夷来王（wáng，或者四夷来wàng，以你为王，叫wàng，动词）"，不能懈怠、不能荒政，干得时间长了，周围的这些所谓蛮夷之地，我们以前是以中原中华自居，四面的那些都是边边角角的、缺少文化的野蛮人，"四夷来王"，以你为王，就是来恭敬你的意思，朝拜的意思。

德唯善政，政在养民

禹曰："於！帝念哉！德唯善政，政在养民。水、火、金、木、土、谷唯修，正德、利用、厚生唯和，九功唯叙，九叙唯歌。戒之用休，董之用威，劝之以九歌，俾勿坏。"

帝曰："俞！地平天成，六府三事允治，万世永赖，时乃功。"

帝曰："格，汝禹！朕宅帝位三十有三载，耄期倦于勤。汝唯不怠，总朕师。"

禹曰："朕德罔克，民不依。皋陶迈种德，德乃降，黎民怀之。帝念哉！念兹在兹，释兹在兹，名言兹在兹，允出兹在兹，唯帝念功。"

帝曰："皋陶，唯兹臣庶，罔或干予正。汝作士，明于五刑，以弼五教。期于予治，刑期于无刑，民协于中，时乃功，懋哉！"

皋陶曰："帝德罔愆，临下以简，御众以宽；罚弗及嗣，赏延于世。宥过无大，刑故无小；罪疑唯轻，功疑唯重；与其杀不辜，宁失不经。好生之德，洽于民心，兹用不犯于有司。"

帝曰："俾予从欲以治，四方风动，唯乃之休。"

帝曰："来，禹！降水儆予，成允成功，唯汝贤；克勤于邦，克俭于家，不自满假，唯汝贤。汝唯不矜，天下莫与汝争能；汝唯不伐，天下莫与汝争功。予懋乃德，嘉乃丕绩。天之历数在汝躬，汝终陟元后。人心唯危，道心唯微，唯精唯一，允执厥中。无稽之言勿听，弗询之谋勿庸。可爱非君？可畏非民？众非元后何戴？后非众罔与守邦。钦哉！慎乃有位，敬修其可愿。四海困穷，天禄永终。唯口出好兴戎，朕言不再。"

那大禹接着说，又是一个感叹词，"於！"大家念的时候，看自己的心气怎么舒服、怎么自然，去体会这个发音。"帝念哉！德唯善政，政在养民"，有人让你写字，写四个字，如果对方是一个公务员，那你就可以给他写"德唯善政"，做领导人的要推行善政，这和前面的论述是一样的。"去邪勿疑"嘛，心内的邪念去掉，做事情要从善的方面去考虑，"可欲之谓善"，不要忘记孟子给我们做的注解，在值得追求的政绩上去追求才是善政。这个政怎么判断呢？就在于养民！在养民！后世有一个著名的学者，在表述自己的学习心得的时候，变成了"在亲民"，知道吧？"大学之道在明明德，在亲民，在止于至善"。

"政在养民"，那你看我们国家的民本传统从哪里开始？我们到2020年全面建成小康社会。也就是说我们国家没有贫困人口。大家想象一下，这是一个什么目标？这是一个伟大的目标！哪一个政党，敢于提出这样的目标？而且敢于说定期实现！克期有证啊，就定下一个日期，到那天一定要完成！多大的魄力！

"德唯善政，政在养民。"那后面，"水、火、金、木、土、谷唯修"，五行加上一个谷。"正德、利用、厚生唯和"，这两句话要对应着看，前面"唯修"，后面"唯和"。你拿到的书的注解，可能会把"和"读为宣，有没有看到的，宣扬的宣，聊备一说，我自己读就是和（hé）。

"九功唯叙"，就前面这水火金木土谷要修，"正德、利用、厚生"这三事儿加在一块儿，"九功唯叙"，这九件事情做好了。"九叙为歌"，事情做好了，要把这件事情的功德讲透。中华人民共和国刚成立的时候，某位领导人说，缺点要讲够，优点要讲透。要么就是优点要讲够，缺点要讲透。反正是正反两方面都要做到极致，总结经验和教训，以利于将来的工作。"九叙为歌"，那这个就是我们历史上著名的《九歌》嘛！我们现在说诗歌，习以为常，诗是诗，歌是歌。

"戒之用休，董之用威"，就是董，注解为督（dū），也可以就念董，解释是督察的督。"戒之用休"，这个休呢，是休息的休，戒是戒律的戒，戒除、预警、警戒，前面有提到"儆戒无虞"嘛！提前去提出防范的措施，用什么呢？用停止的方法？是这样解释吗？我这个版本就是这样的。但是我翻到后面呢，同一本书，在另外的一个场合出现这个字，又给出了美德的解释。真是莫名其妙！一个人注解一本书竟然前后矛盾。所以我把后面的那个解释拿过来用在这个地点，发现更能够容易让人理解，就是用美德去戒，能明白吧？提前警告，告诉你这样是符合道德的，那样是不符合道德的，那么显然是按道德一方去做，所以"戒之用休"，休为美德。"董之用威"监察嘛，要收拾他了，诫勉谈话了，甚至要"双规"了，那就得用国家政权的威权。"劝之以九歌"，劝世化人，就是用正面的歌颂。"俾勿坏"使为政所做的一切功德，也就是"九功"不要受到破坏。

舜赞禹功，欲传帝位

禹说完了以后，舜帝就说，"地平天成，六府三事允治，万事永赖，时乃功"，"地平"是说明水土得到了治理，"天成"说明风调雨顺，五行顺畅。《汉书·五行志》要看，读完《五行志》，你能明白为什么说天人合一是中华文化的核心观念，是对世界文明最大的贡献。然后，更能理解医圣张仲景那十六个字"天布五行，以运万类；人禀五常，以有五藏"，对于所谓天人感应，就是汉代董仲舒名闻天下的学说有一个初步的了解。

"六府三事允治"，就前面提到的水、火、金、木、土、谷和正德、利用、厚生，"允治"那就是不折不扣地得到了实行。"万世永赖"为万世开太平。"万世"哪儿来的？也是从这里原出而来。

"帝曰：'格，汝禹！朕宅帝位三十有三载，耄期倦于勤。汝唯不愆，总朕师。'"你看前面这个话呢，他们在讨论帝尧的德行，然后讨论出做帝王的，做臣子的，一般人要做事情应该怎么做。主要的还是在于国家大政方针，如果治理国家。现在就要涉及一个很重要的关口，就像我们一开始说有铺垫，先寒暄，寒暄完之后进入正题。你欠我多少，尽量还多少，就来真的了，是吧？前面那个客套话就省了，现在他要交代了，交代什么呢？我就是"朕"，那个时候的朕不是像后世所谓皇帝的专称，这个我们以前提过，那温故而知新，再说一遍。你看《楚辞》，屈原写的《离骚》里面就有"朕皇考曰伯庸"，就是我的爸爸名叫伯庸，显然屈原的爸爸排行老大，伯嘛，伯庸。孔子行二，他哥叫孟皮，他叫仲尼，仲就是行二。伯、仲、叔、季。有些时候这个季不一定是第四，有可能是伯、仲、季，没有那个叔。所以刘季就是刘邦，人们称呼他刘季，就是刘老疙瘩，就是刘三儿。看元曲，就有人写，刘邦作为一个庭长，后来荣归故里，有看热闹的老汉挤到人群当中，说看汉高祖，看完了之后，回头说了一句话，我以为汉高祖是谁呢？原来不就是淌着鼻涕穿得破衣喽嗖的刘三儿嘛！就非常活泼，这就是后世用文学手段，来描写人的心态。

现在他提到这个"宅"就是居的意思，在位的意思，"朕宅帝位"我在天子位，所以我说秦始皇说他自己是始皇，后面的人也就跟着说他是第一个皇帝，这都是不读《尚书》造成的。这是舜自己亲口说的"朕宅帝位"，帝嘛，前面还有"皇天眷命"对吧？充其量秦始皇他是把皇和帝在一块儿，以前皇天、帝、上帝这都是古文献里面经常出现的词汇，不足为奇。但是后面这个年岁要注意，"三十有三载"，三十三年了。大家看一下，他说这句话的时候多大岁数？上一讲我们提到舜生三十征，三十岁的时候征用。庸三十，我们论证了，这个跟《史记》上有区别了，这就六十了吧？"在位五十载，陟方乃死"，所以是一百一十岁，他到底是一百岁还是一百一十岁，我们再去考证。"舜生三十征，庸三十"也就是六十岁的时候，真正地接替了帝尧的帝位，对吧？那么在帝位三十三载，多大了？九十三岁，即使您按照被篡改的，说三十明显是二十的那种说法，他也是八十三了吧？

然后说"耄期倦于勤"，我到耄耋之年了，耄是耄，耋是耋。中国古代对于年岁的称呼各有其名。因为我们这文化非常发达，十岁的时候叫"幼"，对吧？有一本书叫《幼学琼林》。二十岁的时候"弱冠"，这个词常见。三十岁的时候为"壮"，后面一个字是什么？室，家室的室，"之子于归，宜其室家"，三十岁的时候该娶妻生子了。四十岁的时候为"强"，五十岁的时候为"艾"，六十岁的时候叫"耆"，耆逸，这个词大家记住，古诗古文里面常有，耆宿，说明这个人在这个领域里面很有造诣，德高望重的意思，可以称为耆宿。那到七十就是"老"，也可以称为"古稀"，这是唐代以后的，七十在这个里面有两个称呼了，一个老，一个古稀。八十岁就是这个"耄"，九十岁"耋"，耄耋之年就八九十岁了。九十岁以上到一百岁了叫"期颐"，颐和园的颐。这里面"耄期"就说明什么？我呀，已经百十来岁了，耄是八十，期是期颐，快到一百的意思。"倦于勤"，年龄太大了，干了这么多年了，感觉到有点儿累，再勤政的话有点儿力不从心了。"汝唯不怠，总朕师"，大禹呀，你不要懈怠，你接我班接着往下干。"总朕师"这个总，总统，总理，打理，总管。师就是全体人民。

大禹谦让，推崇皋陶

再看大禹的反应，"朕德罔克"，你看他也称朕，所以这个朕就不是后世所谓皇帝的尊称，或者专有的称呼。我的德不能够胜任，"克"，是胜任的意思，"罔克"，不能胜任。"民不依"，要注意，你看他表达什么思想，我自己德行不行，老百姓不答应。这是什么时候的词汇？在那个时候能把"民"作为自己行与不行的一个判断的依据和标准，你说我们的文化是不是一以贯之传承到今天。

接着往下看，这就比较有意思了。"皋陶迈种德"，那个迈呢，有的解释成是勉励的励。"德乃降，黎民怀之。"本来天子说我老了，累了，干不动了，你来接位，接着往下干，他说我德行不行，老百姓不答应，皋陶这个人他这些年勤勤恳恳的，境界高迈，树立了深厚、广大的德行。而且水德下润，也就是惠民，老百姓都怀念他的恩德，"黎民怀之"。就这句话非常非常重要！我德不行，你让我接帝位，民不依，老百姓不答应，皋陶德高望重，老百姓全怀念他呀！"帝念哉！"领导，您可千万要知道这件事情！"念哉！"当下一念，念是今心哪！

后面一连串的排比，"念兹在兹，释兹在兹，名言兹在兹，允出兹在兹，唯帝念功！"你一定要考虑他的大功、功德！"念兹在兹"就是你老人家一定要考虑到这件事情，念，怀念、感念皋陶的功德，或者说要慎重地去考量接班人这件事情。而且他的功德达到什么程度呢？你念，知道，它在；你把它放下了，它还在。"念兹在兹，释兹在兹"，释呢，就是放下，"释怀"这个词听说过吧？就是心里边有挂碍，对不对？不能释怀，就是心里面老想着端着这件事情，不放心。

放心就是释怀。所以这个"释"，我的解释跟我拿的这个版本的书的解释是不一样的。因为是对称的，我通常是依据原文来揣摩，读它个几十遍，感觉出自己的理解，报告给大家。就是你能够感念他的恩德、他的德行、他的功德呢，他的功德也在；你即使就是把他放下不提，没想起来，他还是在，就是功德大到你无法忽略。

"名言兹"这个"名言"应该是动词，你从前后句式上看是动词。看《道德经》"道可道，非常道，名可名，非常名"就是这个名。言呢，自己说为言。语呢，我们说《论语》，它咋不说"论言"呢？因为语是有问有答。而且在古汉语里读四声的话，语（yù），就是我告诉你的意思，语（yù）之，也有读成语（yǔ）之的，实际上作为动词讲，告诉的意思，应该念四声。"名言兹在兹"你把它用语言表述出来，歌功颂德，说出来，它在那里，"允出兹在兹"，行动，践行出来，展现出来，还是在那儿。

他说完了之后，舜帝就开始顺着禹的话头跟皋陶讲，"帝曰：'皋陶！唯兹臣庶'"，这些臣民，"罔或干予正"，几乎没有人冒犯我要做的国家的政事，德唯善政、政在养民嘛！怎么做到这一点的呢？是因为"汝做士"，这个士大家都知道，皋陶是主管司法、刑罚的长官。"明于五刑"这个我们详细解释过，古代的五刑非常的残暴、残酷，现在的五刑那个图形还在，对吧？一些杀人的方法一般都废掉了，不再解释了。"明于五刑，以弼五教"，以辅佐、帮助教化。就是本来都是好人，不需要刑，是为了防止万一，真的不听话，真的对社会有伤害，做出了负面的事情，那只好惩罚了，所以"以弼五教"。从这句话上来说，就说明在古代刑法、制度、法律是作辅助作用的，教化德治是根本性的、主要的施政方法。德治是主要的，法制是辅佐的，这句话是明证。

"期于予治"，这符合我治理国家的预期。"刑期于无刑"这些刑罚设立本来是希望没有受刑罚的，那我们可以扩展一下，就是止戈为武，动用武力是为了什么？是为了不动武！战争呢，是为了消弥战争，保卫和平。你看世间这些事情相反相成。"民协于中"，人民和谐在这个治理方法的后果之中，这也是一个很精警的词。"时乃功，懋哉！"能做到这一点，这是你的功劳啊！太好了！"懋哉！"他说大禹你来继承我的帝位，然后大禹说，哎呀我不行，皋陶行。然后舜紧接着就说，皋陶实在是太不容易了！做得真好！这时候看皋陶的表态。

皋陶盛赞，舜帝施政

"帝德罔愆"，这个帝就不再是指尧，而是指舜，您的施政没有什么失误。"临下以简，御众以宽"，这些词都特别美，"临下"，他是君嘛，君临天下，"临下以简"，就像刘邦刚刚取得所谓的胜利以后，就是"约法三章"，这大家都知道，约法三章，很简单。"御众以宽"，能够宽容的就宽容，不会有什么苛捐杂税，不会有一些条文特别烦琐的法令，让大家无所适从，不是那样的。"罚弗及嗣"如果惩罚他，不会延及他的子孙，叫"罚弗及嗣"。"赏延于世"，好的事情，封赏却可以延续到子孙，这就是特别宽容的表现。

"宥过无大，刑故无小"，宽宥的意思，宽宥过错的时候，再大的过错，就是无心造成的，也宽宥他，因为他不是故意的。可是如果你故意犯罪，那不行，"刑故无小"你说我这个事儿吧尽管是故意犯的但影响不大，那不行，一定要惩罚，因为你是故意的，就是态度恶劣。就是跟我们前面讲的那个念头有关系，这个念非常重要，他一定要止恶，你故意的，就不宽恕。如果是无心有过失，造成了很严重的后果，他也宽宥你，因为不是你故意的。

"罪疑唯轻，功疑唯重"，你有罪，但是不能够断定你确实犯了罪，证据不足，所以从轻处罚。"功疑唯重"你到底有没有那么大的功德，好像是也不能够有定论，好，算你有那么大的功德。就是有功的话尽管不能够服众，或者断定一定有那么大的大功，但是给赏的时候给予重赏。

"与其杀不辜，宁失不经"，就是绝不能杀害无辜，宁可放了他，违反经典，违反圣人之言，我也不杀无辜，这就是大舜施政宽泛的政德。所以"好生之德恰于民心"，所谓上天有好生之德，那个上天未必指我们想象当中那个上天，指一个伟大的明君圣主。"好生之德恰于民心"就是特别符合民心。"兹用不犯于有司"，老百姓自然地就不跟官府对着干，没矛盾。这是皋陶的表态，对禹的称赞和舜帝称赞的一个回应，就是你夸我，我夸你，大家感受到了吗？一团和气，你说我的长处我说你的长处。

然后舜就说，"俾予从欲以治，四方风动，唯乃之休"，你这些功德，使我能够按照人民的愿望来治国理政，"四方风动"天下人民就像受到了风吹草一样，为德所化，这是你的美德。就我们刚才提到的那个休，有印象吗？你的美德，"唯乃之休"。

后面这句话就是我们强调的，非常重要的，通过《论语·尧曰》能够得到印证的中华文化的传承心法，尧传舜，舜传禹，传到今天。我们这一讲来不及详细解释，把它念完，就是一气儿念完，大家听一下，美不美。

"帝曰：'来，禹！降水儆予，成允成功，唯汝贤；克勤于邦，克俭于家，不自满假，唯汝贤。汝唯不矜，天下莫与汝争能；汝唯不伐，天下莫与汝争功。予懋乃德，嘉乃丕绩。天之历数在汝躬，汝终陟元后。人心唯危，道心唯微，唯精唯一，允执厥中。无稽之言勿听，弗询之谋勿庸。可爱非君？可畏非民？众非元后何戴？后非众罔与守邦。钦哉！慎乃有位，敬修其可愿。四海困穷，天禄永终。唯口出好兴戎，朕言不再。'"

这一段话是一个将要传位的天子，对后面要继位的后任君主所做的表彰和传法，是中华文化的心法，这一段应该背诵下来。

下一讲我们接着讲。谢谢大家！

（十）

戊戌年四月初五　2018年5月19日

　　《尚书》学习需要有老师教，中华文化的心法更需要师传。本讲主要叙述了舜将帝位传给大禹的整个过程，也是中华文化心法的传接过程。从舜帝的临下以简，御众以宽，到大禹的克勤于邦、克俭于家，不自满假，让我们对"天之历数在尔躬"有了更深的理解。

把握心法，需要师传

尊敬的各位同胞、各位同人：

大家上午好！

我们接着学习《尚书》，今天是第十讲。上一讲讲到大禹、帝舜、皋陶进行讨论，讨论的特点是每一个人都很谦退、谦让，每一个人都说其他人的长处，进行褒奖，都认为自己德行不够，不足以配得上别人的称赞，这本身就是一种示范，在中国文化传承的过程当中有正史传承下来，到现在由于我们古代的传承秩序以及规矩断了好多年，所以很多人得不到老师的心法传承，也就没有信心，那个信心不坚固，学起来就比较犹疑，总是产生一些怀疑，就是所谓的信念不坚定，造成动摇。

《汉书》记录着《尚书》的传承，最初我看《汉书》的时候，就产生了一个疑问，《尚书》也没有功夫在里面，为什么需要一代一代地传承？好像没有老师教，弟子就不容易学得懂，学得明白。随着自己研究的加深，发现了，如果没有老师教，想要得到正确的心法，确实很困难。除非这个人在其他的传承当中把某一部经典已经贯通或者是有正统的文化传承，才可以了解得正确。按照现代学科的那种研究方法去研究《尚书》，我的结论是一句话：很难得其要领！

所以，中国人自己学习《尚书》的时候心念要摆正，就是我们以前伟大的传统，史官记述是有独立性的，在中国古代秉笔直书是史官的责任。记录下来以后，被记录者是不能看的。不能说我职位比你高，你把你记录的东西调出来我审查，这是不可以的。大家还记得春秋时期，有个姓崔的篡位，史官就记录下这件事情，那他就把史官杀掉了，然后史官的长子继承这个位置，重新写，还这么写，把长子也杀掉，由弟弟再次即位，弟弟还这么写，他就不敢再杀了。所以这件事情在《论语》当中我们还能够读到，还能够知道。现在也有人说，到后代，再往后这种制度就被破坏掉了。

怎么破坏掉的？就是当政者可以调阅史官的记录，而且可以命令他修改，按照有利于当政者的说法来修改，那就等于篡改历史了。比如非常有争议的唐朝的"玄武门之变"，无论贞观之治有多么伟大，无论唐太宗李世民有多么英武，"玄武门之变"始终是一个被诟病的事件。说宫廷政变也好，兄弟之间为了争皇位自相残杀也好，总之，它不是一个能够垂范千古的事例。"讳莫如深"，就是史官讲它的时候通常都很隐晦。我们现在能够看到的正史，对这一段历史的记述是有利于唐太宗这一派的，也就是说是有利于存活下来这一派的。然后还有史学家考证，说是唐太宗曾经调阅过史官对那段历史的记录，所以更加使人怀疑是被改过的。

临下以简，御众以宽

我们学习《尚书》的困难在于时间太久远，我们通过前几讲比照《五帝本纪》司马迁的引用和《尚书》原文就知道，汉初的时候，也就是说距离我们现在两千两百年左右的时候，司马迁已经把引用过程当中所涉及的生僻字置换成了汉代的通用字。我们原文至少比对过两大段，大家可能会留下一个比较深刻的印象，而且我们也建议当你读

《尚书》的原文读不通、读不懂的时候，可以参阅《五帝本纪》的记录，就是通过离我们稍稍近一点儿的历史记录再去推演《尚书》原文的含义。但是上一讲我们讲的这一段内容没有古僻字，非常简洁而清晰，我们可以重温一下。

皋陶评价舜帝表明了他的伟大的德行。比如说"临下以简，御众以宽"，他作为天子，面对部下发号施令或者说治理天下，法令简洁，而且掌握的尺度从宽。

下面就是举例子怎么从宽呢？当他要罚的时候，只罚当事人，不祸及子孙，叫"罚弗及嗣"，对后嗣没有影响。不像我们后面听到的，比如说宋、明、清有一些案件，一个人犯罪，九族被诛。著名的明成祖灭方孝孺，十族被诛。通常灭九族，他不服，你灭我十族，我也这么写。最后皇帝气得冒烟，说这是谁教出来的这种人，本来老师是不在被灭门一族当中的，不是九族当中的一族，所以就加上了老师一族，把老师家也灭掉了。

但舜的执政不是这样，他要罚就罚当事人，跟你的后世子孙没有关系；可是赏的时候，可以赏你的子孙，叫"赏延于世"。你不在了，好，给你儿子，你儿子不在了，给你孙子。我看中国的史书，后世，这成为了一个规矩，就是你的先祖有巨大的功业，你可以世袭他的爵位，只要不犯谋逆之罪，这个爵位你就可以传承下去。所以看《汉书》的表，通常是传七代、八代、九代，他家子孙没有了，就拉倒了。

"宥过无大"，无心犯的过错，再大也宽宥；可是你故意顶风上，再小的毛病也要惩罚，这是防微杜渐。有罪的时候，产生了疑问，就是到底是不是犯了这个罪，罪有疑问的时候，从轻发落。但是赏功的时候，从重、从高、从大。他到底建没建立那么大的功勋，有争议，好，这个有争议，那么他按照上线来进行奖赏。叫"罪疑唯轻，功疑唯重，与其杀不辜，宁失不经"。你说杀错了，那不可能，有疑问放掉，宁可违反经典、法律。

为什么我们重复皋陶这一段，就是因为他把握的这个标准，也就是通过他口里来转述的舜的执政德行，是彪炳史册的，有利于国家长治久安的，有利于天下归心的。而且我们重复它，对于我们普通大众的帮助就是，当你犯了犹疑症，就是决断的时候不知道何去何从，常念这几句话，你就知道了选择的标准、对错的标准。假如说你还是单位的领导，是一个组织的领导人，还是一个家长，不管以什么样的方式，常念这几句话，你就能够体会出为人做人赏罚的标准、判断对错的标准。选择的时候，根据他的原则来做，保管没有错，会积累大德。当世你享不到它的功用，那么它会延及我们的子孙。

积功累德，子孙昌盛

积功累德这件事情，很多人以为虚幻，但是它真真切切。所以在过去的四年当中讲座，我不厌其烦地劝大家早一点儿积功累德。今天上午听到，你不要等到说讲座结束，当下心念就转；这一节课听到的，不要想到下午，下一节自己去改，当下就改，那时空就转化了，这就是天人合一。也就是说我们的天，以天为代表的环境，天地人事物，一切物质环境，是根据我们这个人这个核心来展现的。你有什么样的人品，就有什么样的时空世界；你有什么样的内心轨迹（也就是你的心念），就有什么样的人生轨迹。

你说我已经改了很长时间了，外面为什么还有些人对我诽谤、嫉妒、障碍、打击？这种疑问是经常见的，不要怀疑，接着做下去。你越是修得诚恳，越来这种事情，越值得恭喜。当中国古代的经典看多了、史书看多了，你就明白为什么值得恭喜。因为它是迅速转化的一种现象，是人生掉头的现象，如果你看过船在波浪当中前进你就知道，它要掉头的话，激起的浪花漩涡比平常要大好多。人也一样，你突然要转向，突然要升华，也会有人拽一拽的。自己要坚定，不要怀疑。因为如果《尚书》里面的传承是假的，中华文化不会传到今天，早就断掉了。就是因为德行积得真、积得厚，我们到现在还能够使用几千年以前的文字，还能够大致读得通几千年的文字的读音，了解它们的含义，代代往下传承。全世界没有第二家，其他的古文明都已经成为真正的"作古"的文明。

上天垂象，降水儆予

后面这一段，也就是舜坚持自己的想法，要让大禹接位，在关键的时刻说出来的这句话。尽管我们说这一段是梅氏伪《尚书》的第一篇，真伪杂糅，我们无从知晓哪一句是加进来的，区分哪些话真哪些话伪没有意义，因为表现出来的思想、意思完全相合，就是即使它是后人增补过的，也是一个高手。

上一讲我们建议大家把这一段背下来，因为一段一段地念，一遍一遍地背，那个东西会把我们化掉，就能够体会到中华文化的心法。我们所说的心法，就在这一段当中。可能已经有同人能够背下来，我们现在等于是温故而知新。

"帝曰：来，禹！"这是称呼，"降水儆予，成允成功，唯汝贤"。天降大水儆的是谁呢？他没说别人，要注意这一点，舜开口就说"降水儆予"，那个"予"就是我呀！你看后世的皇帝的诏书，经常说"朕既不德"，我德行鄙陋、缺乏，导致天下有灾害，我的人民受到苦难。皇帝首先就做自我批评，能感觉到这个传统吗？我们现在的人首先就把皮球踢出去，把责任推出去，这事儿跟我无关，我早已经说清楚了，是谁谁谁干的，不是我干的。这是两种选择、两种道路、两种境界，所以也就是两个天地。所谓圣贤，首先想到的是我错了，我没做好。

我们解释过"神"字，上天垂象，天、地、人中间贯通，是那个"申"的意义，旁边那个"示"，就是告诉你的意思。天垂象或者说天地之间挂出来的一种象，八种象叫八卦嘛，挂在天地之间，从哪儿来的？这些说法就是叫"道生一，一生二，二生三，三生万物"，或者说"无极生太极，太极生两仪，两仪生四象，四象生八卦"，变现出来的，最后统归于一合相。我们这个世间宇宙就是一合相。

不要以为一提到一合相是《金刚经》的词汇，我们多次举例，翻译《金刚经》的是中华文化里的儒道高手，包括医学的高手，他用的就是地道的中华文化的词汇。他没贯通那个境界，他是表示不出来的，是翻译不过来的。没有《道德经》传承的"一"的表述的传统，他怎么能够理解什么叫一合相？怎么能够理解"无我、人、众生、寿者相"？就像我们说讲的与听的是一体。回到"一"我们才能够知道中华文化的伟大，因为"天人合一"。你合不上就是"二"，起码是个"二"。合到"一"你就知道，为什么天子在天下有灾难的时候会说出"朕既不德，百姓受苦，上天垂象，以示警告"。所以"降水儆予"就是天降大水，儆的是谁呢？我！但是我们讲《尚书》讲到现在早已经知道了，这个水不是在舜接位期间来的，这个水已经存在好长时间了。

水患是什么时候起的？尧执政的后期。尧一方面要找一个年富力强的接班人；另一方面就要找一个能治水的能臣。这个对话我们已经反复讲过了，大家推荐：您儿子能够接您的位；那个叫鲧的能够治水。尧不同意他儿子接位，四岳又谦逊，尧也没客气，可能也认为他们不行，说那就找，就这样把大舜从民间找回来。我们的分析是尧已经考察舜好长时间了，早已经听说，他故意的。现在呢，等于是老丈人和自己的女婿变成前后任的天子，合力把尧后期把持重要朝政的四凶放逐了，不是杀掉是放逐了。我们分析当时的政局，尧没亲自动手，或者说他已经在一定程度上被架空在天子位上，说话不那么好用了，他一说，就有跟他建议相反的人和方向。所以他要找一个新人来，新一代的天子。前后任两代天子，把四凶放逐，也就是把扰乱国家政局的人铲除了，用我们今天的话说就是铲除腐败，留下政治清明。

随后就是舜帝辅佐尧二十八年，然后又谦让了三年，尧过世谦让了三年。但是他还是要负责政事，真正发布命令的时候，是各个领域里面都找到最杰出的领导人：谁去治水，谁去管农业，谁去管山泽，谁负责鸟兽，谁负责教化，谁负责刑法狱讼，国家各个部门或者说各条战线都有杰出的领导人去处理，才有了大治的局面。

然后大禹治水成功。实际上现在我们谈论的时候，应该把《禹贡》那一篇拿过来，现在就讲。鲧治水没成功，然后由他的儿子大禹去治水，把整个当时所说的华夏划分成九州，多少年三过家门而不入，所以禹建立了大功。就是因为他有这样伟大的功业，舜才把天子位传承给他。所以现在其实应该讲《禹贡》，可是《尚书》的编排，我们十二讲讲完了都讲不到《禹贡》。也要注意这一点。现在等于是大禹的功业已经建立了，然后舜传位。我们回过头去还要再补，禹是怎么治水的。这个大禹治水就涉及了华夏文明可验证的这个阶段，就是我们今天的九州还是当时奠定的说法，大致还是那个样子。"成允成功，唯汝贤。"

上天降下大水，是对人间的警告，也是人间行为和自然的感应，这是我们从《尚书》一直到董仲舒著作综合而言，综合中国从上古、中古所有的经典和史实，包括《五行志》记录，得出来的一个结论，它是相应的。就是上天出现什么样的自然现象和人间人类的行为是有着一一对应的关联，只有中华文化有这样的内容、有这样的观点、有这样的机制揭示。为什么会出现这样的现象？它意味着有什么样的人类行为？别的文化是没有的。所以邵康节先生在北宋那个时代，利用数来推演，从古到今产生了什么样的天象，然后应对什么样的朝代和事实；反过来有什么样的朝代和事实，就会对应着什么样的天象；两方面进行推演叫《皇极经世》。

因为以前是读经典的读经典去，认为中华文化伟大极了。然后自己呢，自名成，自成名，躲进小楼成一统，不管春夏与秋冬，他自己清楚。说科学昌明，各个学科都在极细微的领域积累了极其繁多的公式、公理、道理，这是现代科学的领域，所以两下不搭界、不相关。而我们现在到了一个二者必须结合的时代。比如说《尚书》的记录，可以用天文观测来验证。尧让人在东南西北四方观测天象，定下历法，一年365天，而且知道闰月闰年。怎么实现的？听来匪夷所思，但已经实现了，白纸黑字。我们依据的还是一个残缺不全、破破烂烂、只剩下一小部分的《尚书》。真要是随着考古的发掘，看到全部的《尚书》，那可不得了。

因为现在的手段比以前要好多了，先进多了，不用掘开，通过探测就能知道里面大致什么结构，会有什么样的物质，比如金属的、木质的，木质里面哪些是书、哪些是建筑，根据超声波是什么都可以探测出来。就像那个《永乐大典》，因为现在世间已经见不到全文了，当年皇帝死的时候带到墓里面一套。可是现在我们知道通过探测，即使把墓打开也见不到全文。因为探测的结果是墓穴里面已经灌满了水，地下水。

明代编的《永乐大典》，一定是有我们现在很多想看又看不到的经典，一代一代地就这样流失了。唯一的现在我们能指望的，就类似甲骨文、青铜器、玉石这样的文物，因为它比纸更抗腐烂，比竹简、木简更抗腐烂。尤其是青铜器，虽然锈迹斑斑，清理之后还可以很清晰地呈现文字，这个是可以挺个万八千年，就是一万年仍然可以记录下来。为什么我特别地祈祷大禹铸的宝鼎能够出土？因为青铜的，这么巨大的青铜器，我们在课堂上已经说过两次了吧！我希望大禹铸的青铜宝鼎能够出土，更希望黄帝当时铸的宝鼎出土！因为黄帝获得宝鼎是史书记录下来的。既然是宝鼎，那就说明黄帝那个时候可以炼青铜，也铸了鼎，按照史书记载这个鼎上还会有铭文，那是比甲古文更古老的文字。那一定是文字！我们现在拿到一件商代的青铜器就已经震惊得不得了，如果禹的宝鼎出现，那就跨越了整个夏代，我们的历史又会重新书写。所以很多埋汰中国历史的、虚无中国历史的观点和文字一瞬间烟消云散。

现在讲历史，只能是利用三重证据法。就是有文献记录的、有文物证明的，第三重呢就是我们现在现实活生生人的人生体验，可以证明，它不会错。饶宗颐先生过世的时候，有学者说饶先生提出三重证据法，我说他那个三重证据法是不完备的，是2.5重证据法，可以归类为文献。就是饶先生提出来的第三重可以归类为文献，不构成一个独立的证据。我们现在提出第三重证据，是可以应用古籍与文物记录下来的方法，我们自己现在验证。就是你活生生地把当下这件事情能够验证准了，你就知道古籍上说的对不对。就像我们在学习多本经典的时候，对于某些字词的含义解释众说纷纭，然后我们很坚定地选择了某一种，为什么？亲身体证，你验一下到底哪一个是对的。我把这个亲身验证，称为第三重证据。它是"实践是检验真理的唯一标准"这种判断下的一个可靠的证明路径。

说了这么多，为了证明什么呢？就是当上天降下大水，对于当时的那个华夏子孙来讲，也就是以舜、尧为代表的华夏人民来讲，意味着什么？我们曾经解释过一次，意味着当世有相当多的人贪腐到了一定程度，那必须治理。所以治理分两方面，哪两方面呢？第一方面，知道了一定是有很大权势的人贪腐，但怎么贪腐史书上没有记载，可是从结果来看，他既然能放逐，那就说明很严重，就是没杀你，把你散到国境的边上去，留了一条命，你就反思吧，相当于是这样。这是在处理人上。事儿上呢，就是找能臣去治理这个水，这水已经下来了，你祷告上天，说把水收回去，他也不会立马出十个太阳把它晒干。还是要靠人来处理。所以双管齐下，一方面，用舜把四凶放逐；另一方面，大禹把水治理好。

不知道大家感没感觉到这个思路。"天人合一"，天象怎么处理，也就是天地自然的事物怎么去处理，人事上怎么处理，都有一套应对的方法。史官当时记录只是记录史实、记录对话，背后所依据的理论并没有写。也许对当时的人来讲是常识，不需要写。那我们现在解读就不能对着历史光说历史，那《尚书》的价值确实就被视为史料，写历史的资料，聊胜于无，那就没有意思了，就不是一部宝典。

所以舜对大禹说当上天降下洪水警告我们的时候，我们当然要治理，人间治理，世间治理。可是这个很不容易，能够实现我们的诺言——"成允"，我们要把这件事情做好。"成功"就是事情要办到，办到底。"唯汝贤"，只有你做得好。他不说就咱哥俩儿做得好，不可能，肯定就是只能表扬大禹，没有自矜自夸的，没有说自己的功劳，他只是强调"成允成功"你做得好！

克勤于邦、克俭于家

"克勤于邦，克俭于家"，我们上一讲就已经把克让、克谐、克明、克强、克勤、克俭这一连串的词汇给大家说了。起名字，后世多用这样的词汇，来自古代的经典，来自《尚书》。"不自满假"，不自满，这不用解释。不自假，作假。要是读成"xiá"，我以前看到一种说法，还是"xiá"，闲暇的暇，各有解释。"唯汝贤"。对于国家大事，勤政爱民，所以用了一个"勤"字；对自己的家，用了一个"俭"字。就说明这些人不贪腐，"克勤于邦，克俭于家"。对于一个公务员来讲，这八个字足够了，能够做到那几乎就可以说全心全意为人民服务，绝对是名垂千古、名垂青史！而且自己还会子孙昌盛。

"克勤于邦"，那就是你在自己的官位上能不能一直一心一意地想着国家政事，不懈怠，不懒政，不是不作为。"克俭于家"，家里面够用就可以。什么叫够用？养老的，老人有饭吃，可以养老；壮年的，有活儿干，有衣穿，有饭吃；小孩子，有教育。前面我们讲过，专门有负责教育的，敦行五典，教大家明白父义、母慈、兄友、弟恭、子要孝。违反法令那有典狱，皋陶就是专门负责司法典狱的，要处理。所以这八个字，已经可以把一个做公务员人的职责、操守、选择，说得很清楚。既不自满，也不偷懒。做到这一点，德能勤绩廉，组织部一考察，好干部，还可以接着擢升。现在相当于是舜帝代表组织部门把考察意见公开念出来。这就是考察的结论，连着两个"唯汝贤"。

不自矜夸，功德圆满

"汝唯不矜，天下莫与汝争能；汝唯不伐，天下莫与汝争功。""不矜、不伐"在《道德经》里面出现过这个词汇。所以熟读《道德经》你就会知道，《道德经》也是传承，不是老子独创的。它是中华文化以老子语言的方式进行的一次总结和传承，把过去的梳理一下，经过他自己的咀嚼加工，再转述一遍。语言好像不同，核心的道没有不同。

翻开《论语》是中华上古文化经过孔子及其弟子还有请教他的人表现出来，语言好像不同，所传承的东西仍然是一以贯之的，没有不同。你自己不以自己为贤良，叫不矜，那么天下人无法与你争能；如果你自己不自夸，天下人想跟你争这个功也没办法，他争不去。

所以我们的文化是天人合一的文化。你只要不矜夸，精气神就足。能明白吗？现在你产生一个功高我慢的念头在心里，没有说出来，都是自己精气神的损害。这是推到极致了！所以真正修道的人，不会自损的、不会自亏的，更不会大亏。他为什么叫不夸？就不能夸自己，不能生出贡高我慢心，生出来以后能量是受损的。所以叫如如不动。"居一切时不起妄念，于诸妄心亦不息灭。住妄想境不加了知，于无了知不辨真实。"就可以了，做到这一点就过关了。否则的话，你一直夸，觉得自己了不起，还没等跑到家，就累死了、渴死了。那个火就灭了，就亏的那个火，呼扇呼扇的，得不到先天元气的增补，就灭火了，也就死掉了，阳气没有了，所以渴死了。

渴死是什么？没有肾水的滋补，他要有一瓢水，不就活了吗？那水是哪儿的？天一生水，你先天那个肾主水。所以精卫要去填海，跟夸父追日，是变着两个故事告诉你人体修道的道理，明白这个道理以后，读古书会越读越有滋味、越读越有趣味，而且不足为外人道也。那我为什么嘚啵嘚非得把这些秘境说出来呢？是增加大家的信心！否则的话，没有几个人有兴趣、有耐心，长时间地去读我们古代的经典。现在你就明白了，里面有好东西。对谁好？对你自己好啊！读明白以后，你把身体修得好好的，到八十了，人以为你才过五十，这是值多少钱的事情！更年轻的听完以后就可以向吕祖的境界进发，百岁童颜！有了这样的人，根据天人合一的道理，那中国一定进入盛世。是因为有人才会有境界出现。所以有好人就会有好事儿，有好事儿就有好的现象。我们要立足于中华优秀传统文化，就是回到我们真正的传承当中，回到经典当中，把人救回来！按照孔老夫子的话说人在政兴，你这个人躯壳在，正心不在，那个政能兴吗？没有用！那就是行尸走肉，会行动的尸体，会跑动的一块肉，人间就不是文明的世间。

天之历数，一人担当

"予懋乃德，嘉乃丕绩"，我赞美您的德行，我嘉许您的伟大功绩。小的时候我听广播，经常念一个领导人的名字，叫陈丕显，就是这个丕。丕显，大显，就是好的功业显露出来。可能比我年龄大一点儿的，年龄差不多的都听过这个名字。

注意！更有名的名言来了——"天之历数在汝躬"，这句话是《论语·尧曰第二十》开篇的一句话。"咨！尔舜！天之历数在尔躬。"差一个"尔"字，这里面是"汝"字，不同版本之间的区分，但没有实质差别，都是表示你的意思。天地运转的变化，这个数到了什么时代呢？到了一个新的时代。这个位置要落到你的身上。"天之历数在汝躬"，天下是繁荣昌盛，还是困顿不堪，决定于你一身的担当。"汝终陟元后"，你呀，终于、终将、终要登上天子位。

前一段经文，舜在摄政的时候就有叫"班瑞于群后"这句话，四方各地的长官要么叫牧、要么叫后，还有印象吗？别忘了温故而知新。《管子》开篇就是《牧民篇》：凡有地牧民者……就是你有土地，在当时是君王、国王。牧民，我们今天说牧人，牧马人，牧民，牧的是牲口。古代的比喻呢，就是现在你管理的是人民。群牧就是一群官长、领导人。群后，称呼不同，好像是这个后的位置会更高一点儿。因为验瑞的时候，就是符瑞，是主要的领导人才有这个符瑞进行验证，是不是天子给你颁的这个印信，对上了，说明验明正身，你是合理合法的行使权利的人。演变为后世的虎符、大印、官印。

现在写字有印章，目前这个时代写一幅字不给盖印章，那可以说不承认，这不是我写的。盖上印表示负责。最初是表示负责，不像现在好像有显摆的意思。最重要的还是表示负责，这件事情我干的。物勒工名，这个杯子制造出来以后，烧造的时候，底下印一个章，烧出来以后，固定了。玻璃杯现在没有这么干的，主要是紫砂壶，大家一看那个底下，有一个章，制壶的师傅、大师，表示这是我做的，好与不好我来负责。都是从远古那个时期"班瑞"来的。所以，牧和后都是官名，但是前面加上一个元，就不一样了，元后是专指元首、天子、最高领导人。"汝终陟元后"，就是你终究要登上最高领导人的位置，叫"元后"。

镇馆宝鼎，铭文有疑

我今天早上在微信里发了三个图片，第一个图片是青铜器，绿色的，是被称作司母戊大方鼎铭文的字样。现在也有说叫后母戊大方鼎，对那个字体到底读成司马的司还是读成王后的后，有争议。为什么我要发这个呢？是因为我对现在公开的资料给大家的说法有疑问，所以借着讲《尚书》把这种疑问讲出来，供大家进一步地了解、研究做参考。什么疑问？如果你光看资料，你不会产生疑问，比如说1939年河南安阳当地的哪个村咱就不用说了，挖出一个很大很大的青铜器，在里边铭文写的字，就是后世被考证出来的所谓三个字，叫"司母戊"，因为这个鼎是方形的，就变成了司母戊大方鼎，是现在我们发掘出来的最大的青铜器，一般是称作镇馆之宝。

1939年日军侵华时期，为了保存它，最初那个发掘人，又把它埋起来，费尽周折，没被日军掠走，他还花了20大洋还是20元，买了个假的，被日军拿走，掩护下真品，最后使它得以留在中国大陆。蒋介石败退台湾的时候，据说也曾想把它运到台北去，但因为体型过大，不方便操作，反正是没运走，现在被列为我们国家不准出境展览的重要文物，不可能运出国境去展览，就重要到如此程度。

我的疑问在什么地方呢？史书记载就出现矛盾，所以为了取得征信，有疑问的地方我都是照着原稿念。

在《史记·殷本纪第三》里面记载说：帝甲崩，他的儿子禀辛立。禀辛崩，他的弟弟庚丁立，叫帝庚丁。庚丁崩，帝武乙立。注意这个天子叫帝武乙，这是一个很奇怪的人，当上皇帝了，非常莫名其妙。哪儿莫名其妙呢？"为偶人，谓之天神。"扎一个木偶，说这就是天神，"与之搏"，他与这木偶搏斗。天神不胜，他就侮辱这个木偶。就好像精神不正常，自己扎一木偶，好，你是天神，我就跟你打，就像大战风车似的。然后，木偶怎么能跟活人来比呀？最后他判定，你输了。你看你天神输了打不过我们人类吧？干这种事情。"围革囊，盛血"，找一个皮革做成囊里面盛上血，挂到高处射，命曰"射天"。射人射中了以后不是出血嘛，射动物也是吧？他把那个东西射破了，流出血来，他叫"射天"。这个人你想一下是不是脑子有病，不正常。就是帝武乙，记住这个人，不是因为他有什么伟大的功绩。

"帝武乙猎于河渭之间"，黄河、渭河之间，打猎，这本身就是杀生，再加上他前期积累的一些古怪的行为，在他打猎的时候有暴雷，就突然打雷，这个雷声很烈，"武乙震死"，他就这么死掉了，就所谓我们说遭了天谴，就上天不是不灭他。他死了，他儿子继承皇位，也叫"终陟元后"，对吧？按照司马迁的记载，他儿子叫帝太丁。他没有什么特别的故事，就直接过去了，然后下面就是"帝太丁崩，子帝乙立"。一句话，他死了，他儿子继位。

我们再看，我这个版本的《史记》是中华书局的。这一本书是商务印书馆的，都是著名的出版机构，书名叫《中国历代大事年表》，我曾经给大家说过这本书。在它的第5页，商这一朝代的天子的世袭表当中，没有太丁元年，叫文丁元年，是公元前1112年，干支纪年己丑，这是根据我们国家夏、商、周三代断代工程列出来的年表，相对来说比较准确。叫帝文丁，上面他的爸爸叫帝武乙，元年是公元前1147年，干支纪年是甲寅，是虎年。帝武乙没问题，我给大家念了，这哥们儿有多么奇怪，然后被暴雷震死了。他儿子按照司马迁的记载叫帝太丁，可是我们现在这个书叫文丁。注意，不一样，对吧？我们现在考订的一个叫文丁一个叫太丁，那么就两大出版机构出版的比较权威的书当中就出现了矛盾，到底叫太丁还是文丁，就是一个疑问，对不对？好，在第147页，记录各个天子重要事件的时候，对这个叫文丁的天子记录了这么一段话："第二十八代国君"就是商朝的第二十八代国君，"文丁杀周首领季历（季历跟文王什么关系？太王，王季），又铸后母戊鼎，为现存最大的青铜器。"安到他身上了，就是说这个鼎是谁铸的呢？是这个叫帝文丁铸的，为现存最大的青铜器。

可是你上网搜，现在我们在网上看到的关于司母戊大方鼎的归属，就是到底谁造的？是武丁的儿子，要么叫祖庚，要么叫祖甲，他们差了好几代。武丁是一位著名的天子，他的著名是因为甲骨文。还有一个著名的是因为他有一个勇敢的媳妇儿，叫妇好，这个听说过吧？没听过武丁，可能听过妇好，比他有名，是公元前1250年到公元前1192年。按照网上的解释是武丁的儿子祖庚或者是祖甲为了祭祀他们的母亲，因为这个武丁身体特别好，娶了一大堆妃子，他这两个儿子之一就是为了祭祀他某一位母亲，铸的这个青铜大方鼎。然后据说考证出来的这个母亲的名就叫作那个"戊"，甲乙丙丁戊己庚辛的戊。所以您看，或者是回想我们初中以来学习大方鼎的记录，说那个字叫"司母戊"对不对？我之所以把那个图片在微信上给大家发出来是什么意思呢？就是我认为这种解读是存在重大疑问的。他说这个鼎上刻了三个字的铭文，叫"司母戊"。那后世还有学者认为，那个"司"不应该读司，应该是后，就是我们今天讲《尚书》涉及这个"汝终陟元后"的后，或者叫"后母戊"，也就是王的母亲的名字"戊"，是这么解释。听来好像有道理吧？就是不管叫"司母戊"还是"后母戊"，似乎应该是确凿（záo）无疑的事情，或者说确凿（zuò）无疑的事情。

回过头来还是说这个司母戊还是后母戊大方鼎。跟大家描述到现在，我的疑问就出来了，中国的汉字很有书写的规范和规矩，在重大礼器上写字，更应该遵守礼数和规矩，这没错，对吧？而且即使不是"元后"（假如我们说那个字念后），就是即使不是商王，不是天子，就算是后，他也是诸侯一级的，也就是说国家重要的领导人。他要铸一个体型巨大的方鼎来祭祀自己的母亲，为什么不按规矩写字？我们所说的规矩写字是从上到下，假如说"司母戊"三个字我认为应该是从上到下司、母、戊，对不对？如果读后，那就是后、母、戊，上、中、下三个字。可是你仔细看那个铭文，那个司或那个后下面，左侧是戊，右下面是像一个女人蹲在那里，像个母亲的母的甲骨文或者是上古文字。

为了了解古文字，我现在跟着孩子们一起学甲骨文。在甲骨文当中，就有相当多的字体不是我们现在所了解的均匀的上下结构、左右结构，而是也有这样的字体，叫左上右下结构。有相当多的字就是左面的那一偏旁就像往上飞了一样，然后右面的这个偏旁坠在了右下方，这个字体是斜的。到了离我们更近的西周《毛公鼎》，因为这个字口儿更加清晰，有很多字也是这种结构，就是它不是标准的左右或上下结构，而是斜形的。大家看，不是我们所说的标准的方块儿字，那方块儿就像被推挤扭（东北话变形的意思）了一样。看这个字，我把它命名成左上右下型的汉字。这个就更加明显，这个是孙子的孙，大家看到了吗？不是我们今天标准的左右结构，左面写一个子，右面写一个小，那正体字右面像那个系别的系，对吧？它几乎相当于是一个上下结构，但是上面的那一块儿偏左。

什么意思？我怀疑被解释成所谓三个字的司母戊其实是两个字。如果是两个字，那么1939年这个大鼎被挖出来以后，所有的注解就错了。因为只有两个字它才更符合汉字的书写规范。你不管上面那个字读成司还是后。然后我查了一下接近的字体，如果左面那个字就念成"戊"的话，这面是女或者是母，跟它字形最接近的一个字叫越，有点儿像某一个天子的王妃的名字，那具体是哪一位，现在还不得而知。就是我们手头商朝的资料太少了！甲骨文出土了好几千个字，还没有被全部读出来。现在能够读出来的据说也就四分之一，我掂量掂量自己的年龄和寿禄，想要把剩下那四分之三的甲骨文全部读通，不知道够用不够用。也许未来还有聪明的人，聪明的孩子出来，可以比我们更快地把这些字都准确地训诂出来。就是查证它到底是哪一个字，使我们比现在更准确、更通畅地阅读甲骨文。甚至说大禹的鼎出现，全本儿的《尚书》出现，不用我们在这儿猜，很多历史直接就见诸原始记录，也有可能。

所以我就告诉自己好好活，想开心事儿，不跟他们扯淡，一心一意做自己能够做的，讲好经典，写好自己的文字，慢慢地等。你就是祖师坐在少室山石洞里面，你也得等，该来的时候他才会来，对吧？

总结一下，我认为司母戊大方鼎那个铭文，应该重新考证一下到底什么意思。郭沫若先生和罗振玉先生都认为是"司"，而且罗振玉先生还认为那个司其实是祠，就是祠堂的祠，因为古文即使没有偏旁它也被读成某一个我们现在加了偏旁的字。这个大家可能会遇到，包括我们讲《尚书》后面《皋陶谟》里面那个亦，要加上走之儿，读成迹，迹言。好多这种情况。比如国家的国，古字是没有现在外面那一框的，有熟悉古文字的吧？就是把里面正体字的那一部分，戈护着一个口，这就念成国，跟疑惑的惑是同一个字，但是没有底下的那个心。所以到底是哪一个字，专家A读成这个字，专家B读成另外一个字，专家C说你们俩说的都不对，我有第三种方法。然后来个姓钟的说，你们三个都不对，我有第四种提法。

那我们不是随便说，因为我从来没看到过三个字的汉字在礼器上可以写成品字形的，我们读字有这么读的吗？"司母戊"，如果你说为了尊重伟大的母亲，显示她的地位，把这个戊提高了，但是为什么提高成一个字的结构？我们通常是说你要显示它重要，那个字要大一点儿，对吧？就写得要大一点儿，可是那个戊显然变成了一个偏旁的大小。由此，通过对汉字的常识，我认为它是两个字。解释成三个字不能说完全没有可能，但至少违反汉字书写规范，违反古代礼仪，尤其是违反礼仪这件事情上，出现在我们能够见到的最庄重的礼器之上，这件事情是矛盾得无法解释。所以我会在以后慢慢地写一篇历史考证的文章，把这个疑问变成历史学的论文提出来，让考古系的专家进一步地去论证这件事情。我只负责提出疑问，因为我没有那个义务。

现在大家对我的定义呢，说你是学经济的，是个经济学的博士，那你就应该去研究如何赚钱，如何投资、买房、国家经济政策的建立，什么金融、财政之类的，其他的事情你就属于外行人说外行话，所以我只能提出疑问，聊备一说。

本位行事，遵守规矩

"人心唯危，道心唯微，唯精唯一，允执厥中。"这句话不用解释了，为什么呢？我们多次引用它，也解释过。在《论语·尧曰》当中出现的是："天之历数在尔躬，允执其中，"该你干的事情你一定要负起责任来，千万不要跑，一定要在这个位置上，"允执其中"。

"人心唯危"，我们想象一下，我们自己的起心动念为什么会带来危险？我曾经看过一段唐代翻译的经文，叫"南阎浮提众生起心动念无不是罪"，一下子我就想到了《尚书》里面这句话"人心唯危"。也就是说我们心里的那点儿小算盘、想法，有多么混乱。为什么要学习文化？把人化掉。就是把危险去掉。全世界的高人都慢慢地意识到，真正的战争和危险其实就在人的心中。所以在联合国教科文总部前面的大石头上，多种文字写着这句话：战争存在于人的心里，要在心里筑起防范战争的长城。

"道心唯微"，这句话在《道德经》当中就变成了好几句话来解释：微明，袭明，窈窈冥冥，古之善为道者微妙玄通。道心唯微。可是人有道心以后危险就化掉了，进入了一个奇妙的境界。

"唯精唯一"，精一、专一，这个精跟我们的物质能量直接相关，我自己的体会是养精蓄锐之后，人的记忆力、洞察力、分析力包括预知能力均有提高。有这个精就有这个能力，没那个精就没那个能力。所以小孩子不能受惊吓，受惊吓以后直接损伤他的记忆力，尤其是男孩子，十二岁以前，受惊吓以后晚上可能他会梦遗，这个梦遗不是成年以后那种，他被吓得精关不固，变成物质流出来，就是能量已经化成可见的物质流出来，这是很危险的，他的记忆力会受到很大的损害。所以用大连话说不能"吓唬"孩子，要教导他、引导他、疏导他。有了那个物质能量，自然某些功能就出现。

道家的打坐要求"百日筑基"，说白了就是不准漏丹，不准漏丹就是不准梦遗，否则的话得重新计数，再筑基一百天。这中间有一次走漏了精气，就不算数，你还得再筑一百天，养足了精气神才能够搬运河车，往上运。想一下内经图，就是把自己的能量顺着后面的天然的"轨道"，那个山河，水从底下往上流，这叫高尚。后背是我们高尚的实质。你是不是炼精化气、炼气化神、炼精补脑，补你的后脑，也就是骨髓，我们现在说就是骨髓、脑髓，那是我们的精气神。现在网络词汇叫"脑补"是不是？不叫补脑叫脑补。比如说这个领域我不懂，脑补一下，好像是这个词。中国的功法是直接补脑，补益我们大脑，脑子化了，这个境界是不一样的，人人不一样。听起来好像很玄秘，但其实不是，就像我们在这个空间，假如在座的有某一位感冒了，他会觉得冷，哆嗦，会觉得不适。没感冒的，就会觉得挺舒适的、挺正常的。人人不同吧？感受不同。脑子炼化了以后，世界会不同。

"无稽之言勿听，弗询之谋勿庸。"我们今天也说你那是无稽之谈。稽是稽核，就是不可查证，不出于经典，等于是自己编排的，这样的话就不要听。你没有经过咨询，没有问过智囊，这样的谋略想法就不能用。听用、听用，中用、中用，中庸那个庸就是用。独断的想法就不要用了。这等于是传位的时候告诉心法，而且也要忠告他遵守哪些规矩。

君民关系，载舟覆舟

后面的就论述天子和人民之间的关系，领导人和人民群众之间的关系，相当于后世所说的水与舟的关系。

"可爱非君？"这真是让我们怀疑这是当时的句式吗？不是后了，直接用的是君王的君。"可爱非君？"除了君王还有谁可爱吗？"可畏非民？"除了人民还有什么可敬畏的吗？勉强解释，这种对偶句是中文特有的简洁、优美，意韵清晰而深远。用白话文解释出来以后，就像纯度高的酒被掺了水一样，所以大家勉强凑合着听。但是一定要记原文，引用的时候就直接说原文。

"可爱非君？可畏非民？众非元后何戴？"这个"元后"又一次出现，指天子。元代表第一吧？元旦就是第一旦，旦是早晨，第一个早晨，就是新年的第一天，叫元旦。元首，首是脑袋，元是第一，元首就是第一领导人。那元后呢？就是第一后，群后当中的排第一的那个，他就是领导人当中的领导人，最高领导人。人民群众如果没有元后，他拥戴什么呢？就是除了最高领导人，他还有什么可拥戴的吗？"众非元后何戴？"

"后非众，罔与守邦"，为了读起来方便，我试着加一个字，"后非群众，罔与守邦"。这不是真正要往上加，因为三个字，读起来一下子就感觉好像是语气的节奏变了，"后非民众，罔与守邦"，"后非大众，罔与守邦"，这一说大家就知道了。就是领导人如果你成了孤家寡人，干起来了，没有人在你身边，那你怎么守这份家业？怎么让国家繁荣昌盛？所以君民之间要团结为一体。天地之间才有泰卦，上行下达，下行上达，上下相交，经纬相交，以成经教，所以天地清明、风调雨顺、国泰民安。

后面就感叹了，等于交代完了以后，要进行总结陈词。

"钦哉！"哎呀！注意呀！好呀！钦哉！这个最好不翻译，您念的时候就体会当时的意思。

"慎乃有位"，可以有两种解释，一种是谨慎行事才会有大位；还有一种是你已经有位了，但是一定要珍重、要谨慎，不可造次。

"敬修其可愿"其指的是人民大众，代表天，恭敬诚意地去完成他们所希望的事业，敬修其可愿。我们引用过孟子那段话，"可欲之谓善，有诸己之谓信"，有印象吗？后边是大、圣、神，先有圣，后有神。大而化之之谓圣，圣而不可知之之谓神。

"四海困穷，天禄永终。"这八个字是《论语·尧曰》第一段里出现的。所以确凿无疑是尧传舜、舜传禹的话。也就是没有异议的是哪几句话呢？"天之历数在尔躬"，这是一句；"允执其中"，这是一句；"四海困穷，天禄永终"，这是《论语》当中记载的，绝不会错！也有可能在编辑《论语》的时候，那些能够背诵或者局部背诵《尚书》的孔门弟子，并没有原文照录当时全部的引文，只是截取其中最重要的，把它编入《论语》。就像我们今天有过编辑书籍的经历，有些重要的话你未必从头到尾这一段全抄出来，有可能局部引用，把其中最核心的两句话抄过来，底下一个注解，取自哪个人的哪本书哪一页，这种事情是有可能的。最关键的就是《论语》当中说"舜亦以命禹"，就是这段话是尧说给舜的，舜又把这段话原封不动地告诉了大禹，构成了尧舜禹一贯的传承。"四海困穷，天禄永终"，人民对美好生活的向往，就是我们的奋斗目标。如果你把日子弄穷了，"天禄永终"，也就结束了。

我们现在进入后面的攻坚阶段，一对一扶贫，这三千万同胞在后年，今年2018年，明年2019年，后年2020年就要在现有标准下，完全脱贫，在现有标准下，中华大地上不再有贫困人口。四海不困穷，天禄会怎么样？不终，就有始，开始，就有发展，就有扩大。所以盛世荣光现在正在展开。

禹接大位，诚敬谦恭

"唯口出好（hǎo）兴戎"，另一种读法，"唯口出好（hào）兴戎，朕言不在"，口出狂言，狂言不是什么好东西，那口出"好兴戎"，这"好兴戎"也不是什么好东西。我拿到这本书的注解是"唯口，出好兴戎"，好，是好的方面；戎呢，是坏的方面；就说好说坏。"朕言不在"，那我说的话，也已经都不在了。我认为这个逻辑上解释起来好像解释不通，试着按照另一种读法，"唯口出，好兴戎"，就是这个人好什么？好打仗，好折腾事儿，这个不是好东西。如果你是有这种偏好的话，那我所说的这一切都不存在了，再也找不回来了。这逻辑上反而还能解释得通，也是聊备一说，供大家参考。

禹曰："枚卜功臣，唯吉之从。"

帝曰："禹！官占，唯先蔽志，昆命于元龟。朕志先定，询谋佥同，鬼神其依，龟筮协从，卜不习吉。"禹拜稽首，固辞。

帝曰："毋！唯汝谐。"

正月朔旦，受命于神宗，率百官若帝之初。

他说完了之后，大禹还推三阻四的。"枚卜功臣，唯吉之从。"一个一个地问问大家的意见，都同意了，他才遵守。

这时候舜帝就不客气了，没有什么语气词，直接就呼他的名字。当然，前一讲我们提出过疑问，"大禹曰文命"，这是《史记》上明确交代的。现在这本书上也说"大禹曰文命"，文命既然是他的名字，那禹是什么名？这个称呼怎么定义？是字还是号，后来又成为帝号，帝禹。怎么来的？没有解释。我们还得继续地考古，继续地挖掘。

直接称呼他的名字，"禹！官占，唯先蔽志"，国家正式地占卜，先隐蔽想法。我这本书的解释是先断定其志，他把那个"蔽"解释成断定。"昆命于元龟"，"昆"居然解释成后；"元龟"，就是他们在占卜的时候，承担着最重要的卜筮作用的元龟。"朕志先定"，朕是指他自己，就是他自己的想法先已经订下来了，然后叫"询谋佥同"。他已经有主意了，开始征询意见，大家还都同意。最主要的是"鬼神其依，龟筮协从"，他怎么跟鬼跟神沟通的没有说，"龟筮协从，卜不习吉"。就是一占卜，完全符合他的志向，那么没有必要再折腾了。

"禹拜稽首，固辞。"他又一次推辞。按照我们现在说，这个天子已经解释这么长时间了，而且都已经把自己整个占卜的过程，心念的过程都说出来了，应该见好就收，半推半就，答应他就算了。这大禹脑袋一根筋，"固辞"。以前的解释叫再辞，就再一次地推辞。

舜帝就说："毋！唯汝谐。"相当于说别再推辞了，只有你能够承担这个任务。"唯汝谐"，只有你合适。后面大禹说没说话就不记录了，那就说别再废话了。按下不表。

"正月朔旦"，直接交代日期，又一年开始，初一。"受命于神宗"，初一的早上，那就相当于在新年的第一天，"受命于神宗"。就是在文庙，文祖，受到天命。"率百官若帝之初"，就跟舜帝当年率领他们接尧位一样，接下了大位。所以这一段完成了舜和禹职位的交接，中华文化的心法也阐释清楚了。

下一讲再见。谢谢大家！

（十一）

上天垂象，圣人则之，大禹因此制《洪范》——治理国家的根本大法，由夏、商传到周，传到今天，中华文化真的源远流长！作者通过"鼹鼠食郊牛角"以及神算邵康节的故事，提醒我们对中华传统文化要抱有敬畏之心，不要轻易地以自己的见识、见解、观念去推断他人。

尊敬的各位同胞、各位同人：

大家上午好！

我们接着学习《尚书·大禹谟》，今天这一讲是我们学习《尚书》的第十一讲，在今年夏至休夏之前，这是倒数第二讲。

很快就到夏至了，按照我们学习《黄帝内经》以后所遵循的养生的规矩，就是每到夏至、每到冬至，一年两次，各三十六天的保精期，涵养身体。讲的人闭上嘴，回去好好地养精气神；经常来听的同人呢，也不用大热天地往外跑，"哪儿凉快哪儿待着"好像是一句不大上台面的俗话，但确实是真的。

这些年我们观察，如果不注意这些细节，年轻的时候，体力盛壮的时候，精气神满壮的时候，你感触不到邪气、寒气、阴气入体对人体造成的伤害，就是年轻气盛，隐藏一点儿疾病之源，挺一挺也就过去了。比如说外面很热，大家穿得都很单薄，衣服也短，超级时髦的一些年轻人，有露肚脐的、露后背的，导致身体大量的关节、要害的部位全部暴露在空调之下。现在条件好啊，到任何一个稍微有点儿经济基础的场合，大热天的都打空调，外面热，刚刚出汗，哪怕是微汗，也是毛孔打开，突然一下子进入寒冷的、寒凉的、有空调的房间，急剧地收缩，寒气入体，老年一定是病。所以我们一再地强调，要遵守这个规则，可能是一两年之间，你还感触不到有什么收获和差别。但长期来算，它就是关乎到我们能活多少年，能健康、无病、无灾、无痛地活多少年的一件人生大事，所以不可轻忽，要认真对待，到了某一个季节，按天象来做事儿。

枚卜功臣，唯吉之从

我们上一讲讲到舜帝要传位的时候，把从尧那里继承来的中华文化的心法和盘托出，又转告给了大禹。我们用整整一讲的时间来分享这段话。但我还是认为讲不透、讲不尽、说不完。

接下来呢，大禹还是有一个推辞，八个字，"枚卜功臣，唯吉之从"。这句话的意思呢，导致的结果就有点儿像我们今天组织部考察干部，要把所有列入考察对象的人全部考核一遍，而且要很精细，古代就叫"枚卜功臣"。任何一个有大功的人，都要对他进行占卜，卜的结果，就是看一下上天的旨意。这在今天我们受过一点儿高等教育，受过一点儿科学教育的人来说呢，就有点儿像无稽之谈，就有点儿靠近了所谓的封建迷信。可是古书读得多了，经典读得多了，世间的世事看得多，品味得多了，再加上我这一辈子到目前为止有限的人生体验，我对这件事儿越来越充满敬畏之心。

所以今天特意再给大家加一段《汉书·五行志》的内容。上一讲跟大家提过，劝大家回去读一读《五行志》，但我估计大家都很忙，没有时间回去找来读，那我们就一起来分享一段，把震动我的地方，简单地跟大家说一下。因为以后可能讲到著名的那篇《洪范》，还要详细地解释关于五行的事情。

如果你学中医，那张仲景的《伤寒杂病论》一定是要读的，序言前面的十六个字，在我们过去五年的讲座当中，我引用可能不下二十遍——"天布五行，以运万类；人禀五常，以有五藏"。只要有机会，我就向全国各地的同胞提示这一偈示，这一偈示我认为是石破天惊的偈示，把天理、道理、伦理、心理、生理、物理一以贯之，解释清楚。理解这十六个字，整个中华文化的宝库豁然开朗，黑匣子打开。不理解这十六个字，就像敬善媛有一次领我们去京郊的一个农家庄里面，隐藏着一位高人，问我们读什么书，提了几本以后，我们摇头说没读过，他说那你出去讲传统文化不是骗人嘛，这我跟大家说过。比如说雍正皇帝写的《御制拣魔辨异录》读没读过？没读过。那你出去讲传统文化不是骗人嘛，所以回来赶紧用功读。

我认为五行这一关不过，那你出去讲传统文化，讲中医、讲养生、讲健康，尤其是冠以中华传统文化名义的话，基本上是胡诌八扯，或者在表面上转，就没深达里面的内核。

禹制《洪范》，箕子传周

我把《五行志》前面的这一段，先念给大家听，因为大家可能也没想到我今天会加一个《五行志》，我估计百分之百的人手里都没有《汉书》，所以认真听就好了。

"《易》曰（也就是《易经》上说）：'天垂象，见吉凶，圣人象之。'"上天垂象，就是我们能观察到天地之间有自然现象，能够显现出人事的吉与凶。因为对大自然来讲，没有吉凶的概念，吉凶是人造成的概念，这能理解吧？这件事情好还是不好；我买这股票涨还是跌；这一次投资是赚还是赔；所有的事情都面临着一个吉凶的判断问题，成功的问题，赔赚的问题，甚至生死的问题。"圣人象之"，人间有圣人，他根据天垂象，能够把这个道理说清楚，而且可以模仿它，根据天垂的象，做人间的事情。

"河出图，雒出书，圣人则之"，这段话大家耳熟能详，黄河里面出了图，雒河里面出了书，一个被伏羲看到，一个被大禹看到，所以一个画卦，一个制《范》，《范》就是规矩。都是道理，都是天理，落实到人间，就变成了人间的律法。所以我们古代的法律，不是人编出来的，人伦，也不是孔子自己臆想出来，是根据大自然的秩序，落实在人间，客观地总结出来。套用一句话，它不是以我们个人自己的私意，个人的意志为转移的。

刘歆以为伏羲是继天而王，就说明我们那位中华文化的始祖给我们画了卦，开创了《易经》传统的伏羲，"继天而王，受河图，则而画之，八卦是也"，这个历史大家都很清楚。"禹治洪水，赐《雒书》，法而陈之（或者读阵之）"，他根据乌龟的形状划分九州。那九宫格怎么出来的，每一格什么数，这个在以前的讲座当中我们也多次说过，所以此处不详细说。"《洪范》是也"，最初就叫《范》，规范的范，师范的范，模范的范。为了尊重大禹，为了尊重这篇文章伟大的贡献，所以后人把它加上了一个洪大的洪，叫《洪范》。读中国思想史，这篇文章不了解，没读过，即使你得到了毕业证，我们也不承认你毕业了。这一篇要弄通了，没发给你毕业证，我认为你合格了，就有如此重要的意义！它是我们中国古代体会天道，顺应自然，治理国家、天下的根本大法，叫《洪范》。

"圣人行其道而宝其真，降及于殷"，殷就是殷朝，也就是我们说的商朝。"箕子在父师位而典之"，箕子是皇族了，这我们都知道，《论语》当中也提过，这是商朝的三位圣人之一。什么箕子啊、比干啊，这些人，一个被流放，一个被刳心，还有被圈起来的，那就是亡国之兆。商纣王是自取灭亡。"典之"，就是把它记录下来，笔之于书，史书。讲《尧典》的时候，我们说过，什么是书，古代那个书不是我们的纸，是竹简、木简。所以通过《尧典》这个称呼，我们就知道，除了把文字表意刻在龟甲兽骨上，很早很早以前，就已经制作了木简和竹简，否则不会有册这个字的出现。那个册，正常情况下，一尺二寸，典是两尺四寸，就是又长又宽，是记录最为重要内容的，称之为典。所以我们今天说经典、典籍，那都是最宝贵的文化内容。

"周既克殷"，就是武王灭了商朝，"周既克殷，以箕子归，武王亲虚己而问焉"，"虚己而问"就是谦虚而问。这个在《尚书》后面详细地记录武王向箕子请教治理国家的大法，箕子和盘托出，记录下来，就是《洪范》。谁传下来的？大禹传下来的。大禹传给他的子孙，夏朝代代相传，夏朝灭了，这个东西没灭，在商朝的皇族贵族流传，然后传到周朝，传到今天，我们仍然能读到。要注意，我们和大禹之间，就隔着一篇《洪范》，读懂《洪范》，你可以跟大禹进行文化和精神上的交流和往来。读不懂那一篇，那大禹是大禹，我们就是我们，相隔将近四千一百年。

"故经曰：'唯十有三祀，王访于箕子，王乃言曰：乌呼，箕子！唯天阴骘下民，相协厥居，我不知其彝伦迪叙'"，他引用这段，就出自《尚书》的记录，至于这个经指的是什么，是不是书经，那没有明言。《尚书》是不是最原始记录这一天的，那我们也无法断定。但是《尚书》既然是上古的一个朝代的正史的记录，那么我们姑且认作它就是最权威、最原始、最全面的一个记录。很清楚，周武王不耻下问，因为他已经做天子了，商朝已经翻篇过去了，现在的天子已经变成了周武王。那么他去访问前朝皇族，请教治国纲要。在世间的位置上来说，等于是下问，还是谦虚。但是你看武王说的这个话，"唯天

320

阴骘下民，相协厥居"，上天有好生之德，暗暗地希望人民过上好日子，不要有灾难。"阴骘下民，相协厥居"，就是大家都安居乐业，就是通常我们所讲的风调雨顺、国泰民安，大家都安居乐业。但是我不知道这里面的规矩，"彝伦攸叙"，我应该怎么做才能把安抚下民、代表上天治理人间这件事情做得更规范、更好，请您教我。就是这个意思。

"箕子乃言曰"，也就是箕子就回答了，说"我闻在昔"，我听说在古代的时候。箕子武王离我们现在大约三千年了，已经很久远了，三十年算一世的话，距离我们已经是百世了。可是呢，在他那个时候还是说"我闻在昔"。所以中华传统文化到底传多久，尚不得而知。

中华文化，探源工程

最近新闻公布所谓的重大成果——中华文化探源工程，考察了以河南偃师二里头遗址为代表的几个古代文化的遗址，包括辽宁的一处，我就提出一个质疑，就是现在中国史学界所依据的标准是西方史学界给全世界的标准，西方的历史，没有像中华文化这样，至少有文字记载就五千年，而且是传承不断，没有，全世界只此一家。然后他们的观念只局限在物质判断之上。比如说进入文明社会的三个标准：城市、文字和青铜器，没有这三点不算文明。真的如此吗？我提出反例，我们现在国家提出文明要建设精神文明、物质文明、政治文明、生态文明，就是文明划分很多种形态。那么请问精神文明怎么去判断？你能够用物质文明的手段、阶段去判断一个精神文明的高度吗？

这么说好像还是在论理，大家理解的不够清晰，我就举一个例子，我们现在每一位手里都可以拿一个智能的手机，买一张票你都可以坐上高铁，日行千里，买一张飞机票，今天晚上你就可以到达海南，甚至出国，跑到欧洲去，隔一天可能就到了美洲，风驰电掣。物质条件发达不发达？极其发达。可是在座有没有一个人敢站出来说，我在精神文明程度上，远远超过老子？你学《论语》，出生就开始学，你现在敢不敢站出来说我的精神文明的境界超过孔子？我认为只要脑子正常一点儿的，没有人这样。即使你达到了这些圣贤的境界，也会跪下来磕头，感恩他们把这道理说出来，使我们能够接近那伟大的境界。越是学到后来，人越平和、越谦卑，绝没有说我了不起，有这一念，就起不了。南先生说的，你有这一念，就是障碍、就是昏暗，看起来就不是通透的。你身体的光里面就有这暗气，甚至黑气，这一念就遮蔽了，不会是透明的。那意味着什么？非常简单，物质文明的标准不能成为精神文明判断的尺度。所以对于中华文化而言，对于中华文化早熟的特征而言，我们不能接受西方物质文明的判断标准，来划定中华文明的起止。

比如说，找到了青铜器，是在什么时候呢？在商朝。好，你们中华的历史从商朝开始，因为商朝也发现了甲骨文，这种文字记载的历史，只证明到商朝。那你说夏朝呢？那对不起，没找到夏朝的文字，所以不能算。我还是那句话，我从来就没见过我高祖的骨灰。我想大家在座的也没有见过自己高祖的骨灰。请问，谁会认为我的高祖不存在？什么是高祖？爷爷的爸爸叫曾祖，爷爷的爷爷叫高祖，对吧？往上数五辈，很长吗？不很长。你见过吗？四世同堂相对还算容易，五辈几乎就没有。所以绝大部分人跟自己的高祖，那就相当于是熟悉的陌生人，顶多听过名，甚至有的连名都不知道。我只知道我爷爷的名字，我那位曾祖的名字我都不知道。可是人同此心，心同此理，谁站出来说，因为我没有挖掘到我高祖的骨灰，所以不能证明他存在？那同理啊，你没有挖到夏朝的有文字记载的什么龟甲兽骨和礼器，所以夏朝就不存在，这个道理是一样的，对吗？

为什么不相信我们的史书记载？你可以怀疑你说这个记载是不是准确，这个可以；当时的原话是不是就这么表达，这也可以；但是它的精神、它的框架，我认为是不容怀疑的！这个道理简单到就是常识，可是在庙堂之上，堂而皇之地被废弃。所以，我对这次所谓探源工程，什么重大发现呀、重大成果呀，毫不以为然，我不需要你去证明。就像以前讲座当中，我所期望的，我说我就发出愿力，在我活着的这一世，就见到大禹的那个鼎出土，或者是全本《尚书》出土。不是不可能啊，为什么呢？你想想看，商代的那些龟甲兽骨都能保存到今天，那青铜铸的鼎，它怎么说飞就飞了，就没有了？德行与所得是相配的，国运衰颓的时候，很多宝物是找不着的，到一定程度还会再出来。

人在政兴，反求诸己

"我闻在昔，鲧堙洪水，汩陈其五行。帝乃震怒，弗畀洪范九畴，彝伦攸斁。鲧则殛死，禹乃嗣兴，天乃锡禹洪范九畴，彝伦攸叙。"那个"锡"是赐给他的意思。这个历史《尚书》里头讲过了，由于发大水，尧帝就开始找能人，谁能把这个水治理了。最后推荐了好几位，都被他否了，最后大家推荐鲧，尧还是不同意，认为他不行，不能担当大任，但底下人已经形成政治集团，强烈推荐。那作为天子，估计他也不能一而再，再而三地否决，所以只好接受，九年没成功，这都是被历史证明了。但是这其中一个重大的关键被很多人忽略了，就是"汩陈其五行"，我们理解这句话，他没有很好地运用五行的规则，这个水就没治了。"帝乃震怒"，这个帝有的解释是上天，上天震怒，其实不是。我们读《尚书》会知道这个帝指的是天子，不是尧就是舜，最后把他杀死，然后由他的儿子大禹接着干，最后成功。他用什么治理成功的？《雒书》、九宫格、五行，这就能显示出中华文化里面五行的重要，非常重要！

"武王问《雒书》于箕子，箕子对禹得《雒书》之意也。"历史明确地记载下来，这个《雒书》是由大禹进行总结的。

"'初一曰五行；次二曰羞用五事；次三曰农用八政；次四曰叶用五纪；次五曰建用皇极；次六曰艾用三德；次七曰明用稽疑；次八曰念用庶征；次九曰向用五福，畏用六极。'凡此六十五字，皆《雒书》本文，所谓天乃锡禹大法九章常事所次者也。以为《河图》、《雒书》相为经纬，八卦、九章相为表里。昔殷道弛（商朝要灭亡），文王演《周易》；周道敝，孔子述《春秋》。则《乾》、《坤》之阴阳，效《洪范》之咎征，天人之道粲然著矣。"

什么意思？每当一个朝代衰落的时候，一定有圣人出来，把文化的意思重新写清楚，所以文化兴朝代兴。商朝要灭亡了，尽管他把周文王囚禁起来，但是周文王演后天《周易》，周朝大兴。周朝要灭亡了，衰敝的时候，也就春秋的时候，孔子述《春秋》，把天地阴阳的规律，昭然揭示于世间。就是希望大家明道，这就是天人合一的妙处。所有的人能够明白这些道理，那么根据天人合一观，人是明白人，以人为核心的时空世界，按照广义相对论所揭示的物质决定时空的道理，整个世运随之转化，世界就变了。这道理如此简单。也就是说，有人，有事业。化为《论语》的话就四个字"人在政兴"。人不在，政就息，人去政息，就是这么简单。

所以我们在以前讲《论语》的时候就建议过大家，如果你对自己的生活不满意，所谓你的生活就是你时空世界里的现象，不能够如己所愿。君子是求之不得，反求诸己，这一次没如愿，不要抱怨领导瞎了眼了，不要抱怨同事对你不好了。反求诸己，你看你能不能做到，做到了以后，自然就会转化。我记得说这件事情的时候，我还跟大家强调过一点，别做了三天五天的好事儿，就开始向世人要礼，要自行车。我都做三天了，我做公益事业已经小半年了，那个姓钟的大骗子，他说会转化，我怎么没转化？我的运势好像还不如以前，我以前跟人理论的时候，还能维护一点儿我的利益，现在我做好人的时候，怎么谁都熊我？我不是大骗子，我是个传声筒，我是把我从古代书里面读出来的文章，转述一次，希望你能明白。它像还账一样，有些人一笔就还清了。所以人家可能一转念之间，就今天上午，比如说听到这个说法，他中午出去，他的世界就变了；有些人欠账欠得多，那还两三年都还不完。这不是切身体会吗？超出你的能力，那你就得想办法，一点儿一点儿地把它补足。所以因人而异，没有一个人是一样的。但道理绝不可能错，错了，中华文化就倒了。因为错了，天人合一这个观念就不存在，就被破了。天人合一观念不存在了，在物理世界广义相对论就错了，也就是物质决定时空这个道理就错了，那么整个儿二十世纪的物理学最前沿的一部分，也就是爱因斯坦揭示出来的广义相对论，那也就错了。所以它不可能错，要坚持下去。

鼠食牛角，上天告诫

把前面这一段相当于是理论的，给大家念完。然后，给大家念更好听得懂的，就是举事例。不谈到孔子著《春秋》了吗？其实《春秋》是鲁国的史书，在孔子之前就有，但孔子的贡献，是把天道的内容，微言大义写了进来。以前的人没这个境界，大概记述历史，就像流水账。某年某月某一天某一群人在某一个屋里做什么事儿，大概就这么记录。但孔子呢，简洁的一个词，一个字，它能够把文化褒贬之意放进来。我要给大家念的这一段，是鲁成公七年的事情，在《春秋》里面。记录的是一件什么事儿呢？原文是这样的，"正月"，也就是古代历法的第一个月，"鼷鼠食郊牛角"。老鼠是很小的动物，这个鼷鼠还是鼠类当中体型很小的一类鼠，叫鼷鼠。"鼷鼠食郊牛角"，牛的体格是比较大的动物种类，鼠食牛角，一个很小的小鼠食牛角。你想象一下，或者说用贯通的思维推理一下，意味着什么？"改卜牛，又食其角"，古代用来问卜的牛，体型就更大，改成这样的牛，又食其角，这个小老鼠又把这个牛角给吃了，就记录这么一件事情。如果你不理解天人合一观，如果你不理解五行的关系，读古书读到这么一件事儿，你会读得茫然无味。什么意思？这个现象太琐碎了，起码要记录一下，比如说鲁国的庙堂之上发生了什么事情，对吧？值得记录下来的，那起码中央政治局开了一次什么样重要的会议，这是国家大事儿，需要记录下来。怎么"鼷鼠食郊牛角，改卜牛，又食其角"这件事情，要记录下来？且看下面的分析。

"刘向以为"，是汉代的啦，"刘向以为近青祥，亦牛祸也，不敬而傭霿之所致也"。给了一个断语，这是什么祸呢？牛祸。因不敬而导致的天气阴暗，才会出现这样的情况。那个傭和霿是很少见的字。刚才我下去用网络查这个字，就是想确认一下字音。

"昔周公制礼乐"，注意后面的解释，大家都听得懂，"成周道，故成王命鲁郊祀天地，以尊周公"。武王伐纣以后很快就去世了，他的儿子继位，为成王，成王年纪小，由他的叔父帮助辅佐，这个历史都清楚，对吧？所以周公这几个兄弟就说，这哥们儿不靠谱，他把大哥的这个儿子的天子位窃取了，这就是后世唐诗里面写的"周公恐惧流言日，王莽谦恭未篡时"，说的就是这一段。周公那个时候有没有恐惧之心，应该是有。因为他做的事情别人不理解，那他有才华、有德行，而且容貌非常好，这《论语》当中孔子记载的，"如有周公之才之美，使骄且吝，其余不足观也已"，就是你达到周公那样的外表，有那样的才华，既骄傲又吝啬，那其他都不足观。周公是一个大圣人，所以成了周道，周大兴，能够稳定天下，殷商的残余势力反扑没有成功，天下安定下来，礼乐教化制度颁行下去，天下归心。谁的功劳？至少周公是第一功劳。

所以，成王命鲁国，因为周公的封地在鲁国，命鲁郊祀天地，以尊周公。就是一个诸侯国，可以享有天子祭祀天地的这种礼制，等于是把你视同天子。所以鲁国在当时的诸侯国当中地位非常特殊，它代表着这个国家最高的礼仪制度的享受者、继承者、传承者、解释者，相当于我们说周代的周礼哪国可以进行解释？鲁国可以进行解释，其他国的解释都不权威。权威不权威这个判断很重要啊，我讲完《孙子兵法》，被出版社整章删去了一讲，问什么理由？你不是权威。竟把中美关系战略上判断的那一讲整章删去，我说删就删吧，我不跟你理论，用不了十年，全本肯定会问世于天下。

"至成公时，三家始颛政"，鲁成公的时候，就是三家权臣季桓子他们就开始专政，国君就不能说了算了。"鲁将从此衰"，鲁国将从此衰，这就是历史展现出来的。注意！关键的地方来了，"天愍周公之德，痛其将有败亡之祸，故于郊祭而见戒云"。上天怜悯周公之德，哀悯周公之德，痛其将有败亡之祸，就是周公的封地，子孙将有败亡之祸，所以在郊祀天地的时候，出现了小老鼠吃牛角的这个现象，让你看明白，有小人上位，要僭越天子的礼数，大家都明白了吧？祭祀的时候，出现老鼠啃牛角，就这一个现象怎么解释？就是你鲁国将要发生小人、臣下僭越天子之位，他要弄权了。老鼠跑到牛角上去了，它把它吃了，就这种事情。

再看后面详细的解释，"鼠，小虫"，鼠是一种小动物，"性盗窃"，老鼠的天性就是盗窃、偷吃；"鼷又其小者也"，就是鼷鼠又是鼠中比较小的种类。"牛，大畜"，大牲畜，体型庞大，"祭天尊物也"，它是祭祀天地的时候尊贵的那个物品，就是最高级的牺牲，"牺牲"这个词来源不就是杀牛嘛，祭祀天地。"角，兵象，在上，君威也。"这个牛角啊，象征着什么？兵，兵权，最高的权力。"在上，君威"，牛角长在牛头之上，那不能再高了。我们现在经常说，最高领导人，这个词大家耳熟能详。那牛身上最高的就是牛角了。"小小鼷鼠，食至尊之牛角"，象征着什么？"象季氏及陪臣盗窃之人，将执国命以伤君威而害周公之祀也"。这一句话太清楚不过了吧？我再念一遍。"象季氏及陪臣盗窃之人，将执国命以伤君威而害周公之祀也。"重要的事情说三遍，大家都是聪明人，我们念两遍就够了。

"改卜牛，鼷鼠又食其角，天重语之也"，就是上天再一次通过天垂象，再一次告诉你，鲁国呀！你们国家要出小人了！他要伤国命，伤君威，伤周公之德。"成公怠慢昏乱"，但是，当时的国君鲁成公没当回事儿，怠慢昏乱，四个字的评语，这已经差到极点，就是糊涂到极点了。"遂君臣更执于晋"，晋国，大家可以去查历史，君臣更执于晋，讲《论语》的时候，我记得说过那个事儿，跑到晋国去躲起来一段时间。"至于襄公，晋为溴梁之会，天下大夫皆夺君政"，可不得了，当时的天下，好多诸侯国，所谓的大夫，都夺诸侯国国君之政，就是国君没有实权，已经被底下的权臣压制住，就出现了小老鼠食牛角这种现象。"其后三家逐昭公，卒死于外"，就是鲁昭公，鲁昭公不是想有所动作嘛，结果没打过这三个权臣，最后逃亡国外，而且死在外面。鲁昭公是死在鲁国之外，相当于组建流亡政府，没回国内，就直接客死他乡。"几绝周公之祀"，周公这位大圣人，古代的祀是很重要很重要的，也可以说头等大事，无比重要，几乎被灭绝了。你想他的子孙都死在外面了，自己的家里被外姓的权臣掌控着，谁还去祭祀周公呢？几绝周公之祀。

这上面是刘向解释的。下面是董仲舒解释的，"董仲舒以为鼷鼠食郊牛，皆养牲不谨也"，就是饲养大牲畜不谨慎。"京房《易传》曰：'祭天不慎，厥妖鼷鼠啮郊牛角。'"不慎重，然后就导致这种现象出现。如果你能够兢兢业业、恪尽职守，每个人都在本位上成就，不会让小人得其便。

下面这又一段，还是很类似。鲁定公十五年，"正月"，注意，正月就像我们现在过年了，有的家里面也都还是要上供的，尽管形式上草率一点儿。我跟大家报告过，我小的时候就看妈妈煮饺子，第一碗饺子放在灶台之上，放上一双筷子，意念上就是供养祖先、灶王爷、天地圣贤，反正就是有一种敬畏之心。现在过年呢，也是在桌子上摆上，我看老人家就叨咕一圈儿逝去的这些长辈，欢迎回来过年。表示在的人这种哀思，有时候还给倒上一杯酒。人在的时候一种情感的表达，所以在正月的时候都进行祭祀。

鲁定公十五年也不例外，所以时间还是正月。又出现"鼷鼠食郊牛，牛死"，牛死了。"刘向以为"，还是刘向解释的，"定公知季氏逐昭公"，定公是昭公之后继国君之位的，是吧？那么你明明知道这几个混账东西，把他的这个前任，那是至亲啊，驱逐到国外。"罪恶如彼"，就到了这一地步了，"亲用孔子为夹谷之会"，看过孔子电影的都对它有印象，齐鲁之间有一个会盟，本来齐国强大，鲁国弱小，受齐国的欺负，但是因为孔子在场，大家可以去读《史记》，孔子多么有气魄、有智慧，是怎么做到的。对方不但没有侮辱鲁君，而且还归还了好几个城池，有印象吧？"齐人俫归郓（就是山东郓城的那个郓）、谨、龟阴之田（都在山东），圣德如此"，结果不用孔子，用谁呢？还是用季桓子，"反用季桓子，淫于女乐，而退孔子，无道甚矣"。做国君的不用圣贤，反用季桓子，而且耽于娱乐，声色犬马，纸醉金迷，无道甚矣，就是昏君无道，已经达到了很严重的地步。

"《诗》曰：'人而无仪，不死何为！'"《诗经》上说的，这个以前跟大家分享过，直接开骂了，人要不讲礼，你不早点儿收拾收拾去死还是干吗呢？人而无仪，不死何为？"是岁五月"，这一年的五月，正月的时候出现了这种征兆，五月的时候，"定公薨"，定公薨就是国君死了，"牛死之应也"。原来就已经出现这个征兆了，最高的代表国君的那个物象死了，那就预示着什么？六个月之内，所以五月份定公薨。"京房《易传》曰：'子不子，鼠食其郊牛。'"

下面还有一段，"哀公元年"，注意啊，到鲁哀公了，"正月，鼷鼠食郊牛"，还是这个现象，从成公七年，定公十五年，到哀公元年，每年的正月都出现这个现象，上天是一而再，再而三地发出警示，重要的事情说三遍的依据在哪里？在《春秋》里面。上天三次警告还不醒悟！

"刘向以为天意汲汲于用圣人"，上天已经一而再，再而三地告诫你，如果用这个圣人，你的国运还会起来，周公之德还会复兴！孔子一辈子就想复兴周礼，他有没有那个德行？有；有没有那个能力和智慧？当然有！南怀瑾先生讲《论语》的时候说，孔子要想造反，他夺天下是很容易的，什么人才都有，势力庞大，而且全是当时的一时之选，各方面的精英都有。像子贡这样的大政治家、大外交家、大经济家，有；像子路这样的军事家，也有；那其他方面的人才，七十二贤人，比比皆是。但是呢，圣人是这样，他不会去做跟自己的本位不相干的事情。

"逐三家，故复见戒也。哀公年少（哀公年龄还小），不亲见昭公之事"，昭公那属于爷爷辈儿的，被撵出去，最后客死他乡。他不知道，所以痛也就不深，"故见败亡之异"。哀公，你看这个庙号就是很惨，"已而哀不寤，身奔于粤，此其效也"。

《汉书·五行志》，小小的一部分，看完之后，大家对天人合一观，对张仲景"天布五行，已运万类；人禀五常，以有五藏"这个阐述有没有更深切的理解？

邵子神算，仙客愕然

《梅花易数》被传得神乎其神，邵康节先生在北宋的时候，就用他自己总结出来的这个易数，推测世事无不奇中。他学的是什么？中华传统文化。而《梅花易数》最神妙的地方就是当场起卦。什么叫当场起卦？假如您现在就想，我明天中午在哪儿吃饭？跟谁吃饭？几个人吃饭？几男几女，我坐在什么方位？如果此时您就这一个想法，就想知道，你想到的第一个字，您看到的第一个场景，就给了你答案。可是很多人茫然无知，这中间的连带关系推断不出来，所以就不知道。那邵子是怎么能推算出来的，他把《易经》的数理用得神乎其神，关键是实践是检验真理的唯一标准，他当时就是推算得准。现在那个版本，就是九州出版社出版的《梅花易数》里面还记载着一件事儿。

有一天，一个道人来访，你不是算得很准嘛，这道人就来试探一下。那大师就是大师，不动声色，你有问我就答，结果这个道人不小心把椅子坐破了，他就问，你能算得很准，这个椅子一下子坐烂了，这件事情你算过吗？据说邵子笑而不语，把他坐坏的这个椅子翻过来让他看，椅子底下贴了一张纸条，上写"某年某月某时。此椅被仙客坐破"。他家里的可能每一样杯子、茶具，他全贴上纸条，寿命如何，被谁破坏的，怎么破坏的，时间、地点、人物，写记叙文的要素一应俱全。据说那位仙客当时愕然！最后飘然而去，走了。不服不行啊！

但今天说起来这个，有些人说你可能在蒙我们。我还是那句话，对中华传统文化抱有敬畏之心！这是第一点。第二点，不要轻易地以自己的见识、见解、观念去推断他人。你做不到的，别人能做到；一时做不到的，可能他未来就能做到。第三点，就归到我们自己了，把那个心思、眼神、耳力，全都收回来，关闭，闭关嘛，解决自己的问题。别没事儿老去寻摸别人，他跟你一点儿关系都没有，你把自己的事情解决好了，天下太平！这就是天人合一的道理。你自己圆满了，你外面的事情随之而转。自己没做到，天天去跟人纠缠、计较，那真是没完没了，那才叫苦海无边。所谓苦海，不是说有一个海，叫苦海，是你自己造的，那是苦海！回头，什么是头儿？念头，念头，心里的一念才是"头儿"。你把这个念转回来，这个头就回来了，所以回头是岸。当下安然、淡然、坦然，哪儿凉快哪儿待一会儿，怡然自得。把自己家庭、本分那个事物维护好，就圆满，在本位上就是圆满，不用想太多。

所以加入这一段，是希望各位同人能够对中华文化升起敬畏之心，升起自信之心，升起好奇研究之心。

如为大众，天机可泄

就像我们举过例子，我记得我在这个课堂上举过例子，李仲轩老爷子学形意拳的时候，他的老师带他去找尚云祥，人称"铁脚佛"，是江湖上有号的人，是一位大师。尚云祥一般不收徒弟，他老师就说了一句，这是谁谁谁的外孙。"哦，王大人的后人。"当场就收了。王大人是干吗的呢？八国联军进攻北京的时候，他是北京的一个守卫，就是一个武官，为国家战死了，国家忠臣，所以整个行当都敬重这种忠臣。

现在有些人找我取名字，我问那你父母干吗的？你爷爷奶奶干吗的？姥姥姥爷干吗的？有一个国家的忠臣、烈士，打过日本鬼子的，好，没问题，无条件的，我尽我的所能帮你。什么都没有，你以这个孩子的名字捐助一名失学儿童，这是我以前的规矩；或者是捐助出去为大家做好事儿，随你选。尤其是当爹的，要负这个责任。讲条件，你说你做不到，或者不愿意做，那对不起，我也不是招之即来，呼之即去的，你得为国家做点儿贡献，我才能为你头拱地帮忙。这就是德行，可以告诉你，没德行的，你自己会受殃累，不能轻易地说。还有，除了这一点，如果你帮他，他可以为人民做出重大贡献，那也是无条件的，那就帮吧！

所以这个规矩，哎呀，天机不可泄露，上天都泄露信息，只不过我们不懂。鼷鼠食郊牛，一再地吃，上天用这小老鼠食牛角的方式，让牛死的方式提出警告，这就是天的语言哪！所以张仲景那句话，天布五行以运万类，我为什么说对于我读中华传统文化经典有石破天惊的作用，他等于把天机的规则告诉我们了，还不明白吗？自己去悟啊！那是理论总结，没悟明白，看史书啊！这里面的例子举得非常清楚，自己读不懂，还有前任大师帮着解释，一会儿刘向解释，一会儿董仲舒解释，那没准将来还加上一个"钟永圣以为"，（众笑）后来人说这个差点儿，差点儿也比没有强啊，（笑）忝列在里面。这是什么？看心。看发心在哪儿，看你的目标是什么，你是为国家社会民族天下大众，为万世开太平，你把天机全部泄露，我都认为一点儿问题都没有。因为上天之心就是好生之德。天人是一体，你有慈悲之心，为整个国家扶植贫困人口之心，想怎么做都可以。只要合理合法，没有什么禁忌规矩。那个东西平常是有，但为公心，它就化了。

所以有些人看我就莫名其妙，有些人我自己主动说，写幅字送给你呀？那有一些人呢，他反复地管你要，那我真没时间写，是真的。这中间的区别，到今天完全说破。而且逐渐地你就能发现人心外露，你不用去猜测他到底怎么想。人同此心，心同此理，他内心是不是纯净，是不是忌妒，是不是有私心，是不是有一点点阴暗，你自然就知道。读经书，读古文，时间多了，很清晰地就知道。高电压会流向低电压，当你比他宁静一点儿，你就能发现他的波动，这个太简单了。所以多读经书，经书是帮助我们安静身心的法宝！

说完了这些，回过头再看《尚书》这句话，"禹曰：'枚卜功臣，唯吉之从。'"大家能不能理解我们上古的天子、能人、能臣说这样的话是什么意思？如果这个人不行，在卜问的时候出现的那个现象就给了答案。你说这个靠谱儿吗？我们不做一个统一的结论，大家自己下去研究靠不靠谱儿。

我记得我们前几讲有一次我拿着一期中国书法杂志，上面有一篇甲骨文，是武丁时期，他自己在龟甲兽骨上记录的是一次测算，测算有敌人进攻，结果几天以后（因为那个时候没有电话，没有这个互联网，信息传递比较慢），说边地真是有人侵略进攻。由于是天子进行的占卜，所以意义非常重大，这个甲骨文字上面有涂朱，用丹砂涂上红色，现在还能见到是红色的，三千多年了。所以我们对古代的事情要有敬畏之心。

而且我们发给大家的一期论文里面，我也提到1983年的时候，我们一位天文学家根据《尚书·尧典》里面的记载，在全国各地四个点测算日月星辰的运转，测算律历那个例子，推算尧这么做的时候，距今跟我们大约是四千零七十年，对吧？推算得非常准确。将来我们还可以做一个跨学科的研究，就是史书上没有明确地说哪一年，但是呢，这一年里面，比如说发生了一次日食月食，那马上就可以进行天文推算。最近好像有这么一个文章说了，那一年发生了一次日食，然后一推算呢，好，他的这一年的元年正好是公元前八百九十九年，天文推算会非常准确。就丰富了我们史书上当时认为可能是不需要记录的内容，现在通过自然科学的推算，就可以把它确凿下来。

"帝曰：'禹！官占，唯先蔽志，昆命于元龟。'"这个上一讲我们讲过了，现在我们再提示一遍。他们所做的这些事情，并非非常愚蠢、非常落后，好像我们古代这些人呢，傻傻的，用一种封建迷信的方式去决定国家大事。看一看《五行志》，想一想天人合一观，我们就能够知道，有一些方法可能是我们现代不了解了，甚至有一些自然现象是我们现在依然解释不清楚的。因为后面的这几句话我们印证不了，"鬼神其依"，你能印证吗？可是古代人就是这种观念，鬼神其依。古代每进行法律改革，比如说管子进行税制改革，他是在祖庙之前要进行上香叩拜，禀告上天之后，才能下令更改税制的，这在《管子》里面有记述。那我们今天根本就不考虑这个事情。过去的鬼神是指什么鬼神？他会认为天有天神，地有地神，水有水神，树有树神，山有山神，火有火神。他们怎么沟通，现在不知道。或者有知道的，他不吱声。我们讲《论语》的时候，讲到"还我清白"，大家还记得那个典故吗？公冶长，孔子的这个女婿，孔子把自己的女儿嫁给他，他是懂鸟语的人。这是历史事实，但今天听来呢，还是不靠谱儿的事情。可是它是事实，所以我说我们先怀着敬畏之心，先整体地去掌握，不要轻易地一棍子打死，这个落后，这个封建迷信，这个现在不符合科学。

后面不用解释了，上一讲讲过，接着往下看。

战前誓师，始于《尚书》

帝曰："咨，禹！唯时有苗弗率，汝徂征。"

禹乃会群后，誓于师曰："济济有众，咸听朕命。蠢兹有苗，昏迷不恭，侮慢自贤，反道败德。君子在野，小人在位。民弃不保，天降之咎。肆予以尔众士，奉辞罚罪。尔尚一乃心力，其克有勋。"

三旬，苗民逆命。益赞于禹曰："唯德动天，无远弗届。满招损，谦受益，时乃天道。帝初于历山，往于田，日号泣于旻天，于父母，负罪引慝。祗载见瞽瞍，夔夔斋栗，瞽亦允若。至诚感神，矧兹有苗。"

禹拜昌言曰："俞！"班师振旅。帝乃诞敷文德，舞干羽于两阶，七旬，有苗格。

"帝曰：'咨，禹！唯时有苗弗率，汝徂征！'"大禹领着百官在神庙前，等于是接过了摄政之位，因为舜帝还在，人还在，还没死，就像当年尧在，舜就开始行天子事一样，所以尧舜禹的继承一脉相承，传位的方式也很相似。但这个事发生得就很奇怪，有一些现代的史学家就认为征伐有苗一族这件事情非常不可理喻。为什么呢？打，打不赢，然后自己跳两天舞，他就服了，怎么会有这种事儿？就不大相信，所以我们看一下这个事儿。

舜跟禹说，现在这个有苗族弗率，就是不服从领导，不听政令，不听吆喝。你去把他打服了，平定他，征服他，解决这件事情。"禹乃会群后"，这个会就是现在开会的会，群后那个后不用再解释了，解释多次了，是不是？长官的意思，君长的意思，各方诸侯首领。"誓于师曰"，现在的军队打仗之前都要进行誓师大会，从哪儿开始？起码从《尚书》上看，大禹那个时候就有这样的仪式。就是战争之前，要进行誓师。誓师呢，一方面鼓舞士气，最关键的是把战争的性质、目的、打法说清楚。

比如说我们要推翻帝国主义在中国的反动统治，推翻买办官僚资本主义，那当年我们党在每次大战之前，都会誓师。都会有领导人给大家开会，讲清楚战争的性质、战争的目的，然后，这一次战争所要达成的战略目标。全体指战员都很清楚，我们为什么要打、打到什么程度、怎么打，事先都有一个周详的准备。这个誓师后来就演化成更多的是一种鼓舞士气的大会，一定要找到一个有说服力、口才好、有煽动力的领导人上去讲一通，然后就众志成城，万众一心，士气就起来了，最后能攻无不克，战无不胜。

下面所说的这些话的句式，类似于《诗经》里面继承的句式，因为显然《诗经》从时代上来看，要晚于《尚书》记录的这个时代。如果大家在座的有读过佛经的，因为现在汉文的佛经翻译，都是唐宋以前那些大师，就是儒道的大师们翻译过来的，你想象一下，是不是都是四句为主的那种佛经体？有人说是发明的一种佛经体，我认为不是，它就是《尚书》体，就是中国古代的《尚书》体。说错了姓钟的负责，在此做一个注解。

"济济有众，咸听朕命。蠢兹有苗，昏迷不恭。侮慢自贤，反道败德。君子在野，小人在位。民弃不保，天降之咎。"全是四个字吧？我自己在创作《莲心曲》歌词的时候，还没读到过这一段，当时以为自己受了《诗经》的影响，后面所谓的副歌部分，用唐诗的那种句式，就是像七言绝句一样，那前面全是诗经体，现在来看不是诗经体，是尚书体。大家可以试一下，就是《莲心曲》的歌词置换成大禹的这段话，还用敬善媛的曲子，你看能不能唱出来，都是四个字，你往下唱就行了。只不过如果用誓师大会的话，它显得过于平和，士气不高涨，大家全都回去静坐去了。

侮慢自贤，反道败德

"济济有众"，我们现在说人才济济，用的就是这个词，相当于说我们现在济济一堂，共同来研究《尚书》，这个济济最初源出《尚书》。"咸听朕命"，大家都听我说，都要服从我的命令。那个朕，就是指我。"蠢兹有苗"，就相当于骂人了，那些个愚蠢的有苗一族。"昏迷不恭"，不恭敬，不听天子号令。"侮慢自贤"，对别人侮慢，认为自己贤。这四个字在今天能不能见到？我扪心自问，就这四个字。所以我尽可能地减少出去丢人现眼。

这就是我以前跟大家交代过的，我说我不跟两个圈子主动地打交道，传统文化圈自命为老师的，很少主动打交道；自命学佛的，我很少跟他们打交道。为什么？后一种用南先生的话说，学得一脸佛气，满口的术语，脾气一点儿都不改，争强好胜的心态一点儿都没化，全是表面功夫。所以我看还是算了，我先回来解决我自己的问题。

现在传统文化逐渐复兴，复兴的时候缺人才，尤其是缺师资的人才，这就有空子可钻。据教育部的统计，估算，全国现在如果大中小学包括幼儿园，要都全面复兴传统文化教育，师资缺口在一百万以上。哪有那么多合格的师资啊？就像九十年代初，突然决定中国要建设社会主义市场经济，全国所有的大学，管他农、林、医，全都办经济管理学院，因为好招生，还热门，一让交钱，家长和学生乖乖地交钱，排着队交，赚钱啊！你办那些理工啊，好多专业没出路，招生很困难。所以什么火就招什么，哪有那么多合格的所谓对市场经济懂行的师资啊？刚毕业的研究生，一天实际工作部门都没接触过，转过身来变成老师，就教下一届的学生！MBA都是如此！这就中国教育的现状，这是事实。所以缺乏师资的情况下，就会出现良莠不齐，合格与不合格的，赶鸭子上架，都上岗了。

　　传统文化这个圈子里面也是这样，而且存在一种什么样的倾向呢？就这四个字——侮慢自贤。怎么侮慢？心里面认定自己了不起了，认定对方不懂。我最近出去开一个会，会上的主要议题，就是这个会的参会人员要解决传统文化进国内的一个一线城市的问题。我提出一个事例，我说，几年前，一百位大学里面主管思想文化的校领导，被聚集起来培训传统文化。那反推他们的策略，无非就是说把这些大学校长培训好了，他们认为传统文化好，他理解了，回去自动地一推，在大学校园里铺开，而且这些大学是中国排名几乎是前一百的学校，什么"985"、"211"的，具有示范作用。"射人先射马，擒贼先擒王"，他们领先推广，那后面的不就跟着学吗？在全国不就推广了吗？我想这路数应该是这样。可是这一下子搞砸了。那些大学校长回来说，这就是要推广的传统文化？绝不能这样做！拿我们当孩子、当傻子、当儿童。所以不是你拿着书本，念两句就可以为师，《礼记》上说嘛，"记问之学，不足以为师"，念都会念，大家现在都认字啊，在座的好多都是博士毕了业的，即使不认字，拿字典或者是网上一查也都能读下去，也有注解。

需要讲什么呢？除非你术业有专攻、有体会，或者我没有时间去查，就通过你这两个小时快速地叨咕叨咕，我们也能理解，所以这个作用是有的。那你假设对方根本就不理解，然后以为自己贤，我能教你，这不颠倒了吗？这件事情怎么能做呢？儒家讲的是什么？不请不教啊！佛家戒律，《大乘戒律》第一条，绝不允许自赞毁他呀！你潜意识里面，那就是你不懂，我来施舍给你，教给你，怎么可以？所以有大问题在里面！

我这人比较耿直，到场就要直说，因为给我买机票，供我吃供我喝，我认为不把我知道的说出来，那将来我欠这一个地区的债呀！我还得过去还。我直接说，知无不言，言无不尽，我说完了，做不做是你们的，等于我不欠债了，对不对？那回来我还是得把自己的事情做好，他这个事儿我就不参与了。骄傲的人，我不跟他参与做事儿；忌妒的人，我不跟他参与做事儿；自以为自己是了不起的人，我也不跟他参与做事儿；我就团结那些值得团结的朴素的同志们，一起往前走，安然、坦然，这才是济济有众啊！

"侮慢自贤"，自然就"反道败德"。这一讲将来一旦传出去，可能我又得罪人。得罪就得罪了，怕得罪的话，不会站出来。如果因为说这样的话得罪了，那这种人，我认为得罪也就得罪了。真修行人叫"朝闻道，夕死可矣"是吧？真修行人是闻过则喜。不能真欢喜，皮笑肉不笑装也得装一下，哎呀，《论语》上教了，圣人教了，闻过则喜，你老人家又让我进步了，装也得装个样子出来呀，对不对？装时间长了，装一辈子，装真了嘛！也得坚持做。那怎么能听到别人指出自己不足的话就讨厌了呢？那什么时候能进步啊？知道自己的错，算你开悟嘛，这是南先生讲经的时候说的。很多人就是不知道自己错在什么地方。

判断内心，为公为私

"君子在野，小人在位"，刚才我们举例子了，《五行志》上说的，如果你昏迷不恭、侮慢自贤，国君也是这样，领导者也是这样，单位的一把手，管他什么局长、处长的，如果你就觉得自己了不起，那你要小心，后果不堪其忧。为什么？君子在野，小人在位呀！大家都假设自己是君子，即使你不假设自己是君子，你也一般来讲，不会说我就是小人，对不对？很少有人这么假设的。你要是这么假设我倒是佩服你。一般来说，都是认为我还不错，他是小人，有一大堆毛病。你要是这样看，就停止进步了，而且真正能对你有帮助的人就不吱声了，他就不说了。非常严重啊！有些时候会害自己的命啊！

想到这里，我给大家再举一个例子。一个中医药大学教授的夫人，我们一起在华山学某种功法，这都有案可查，没有问题。因为我有好多个老师，老师背后教我，所以我知道一些问题的解决方法。有一天就在华山的云水堂二楼，我要下楼，然后有两三个人，有男有女，好像抬着一个病患上来。碰上了，有缘遇到，我就问一下他是什么情况，说好像是脑子出了点儿问题，然后影响到腿脚。我一看在左侧，我说从病理上来讲，很清晰呀！他现在既然神志清楚，能听明白话，要肯做的话，能够改过来啊！随后扶他上来的是亲朋还是志愿者，我也没详细问，一听眼珠子就亮了，把他撂下，就开始愿闻其详，等着我说嘛！我刚说没两句，那位中医药大学著名教授的夫人跟另一个同事，从三楼下来。我们在二楼楼口那儿，他们从上面下来，听到我给人家分析病情，要提供解决方法的时候，就射来一股阴冷的目光，就是那种眼神让你感觉就非常非常地诧异。我是个极其敏感的人，当时就觉得作为教授的夫人她怎么能这样的心态？我是为了救人，而且我先遇到的，我现在回答他们的问题，你这样的态度和眼神，里面含着不屑、忌妒、怀疑，尤其是忌妒。然后她就插话，这一插话就等于打岔了，大家知道吧？这一打岔，我就不吱声了，就没法吱声了，这个机会就错过了。就是这个人迅速得救的机会可能错过去了。因为我那时比现在还要年轻几年吧？年轻气就盛啊，气盛理就直。所以猝然之间碰到，一下子告诉他方法，他们怀着虔诚的心情，不远千里跑到华山来，就想遇到道士、高人告诉一方，碰上这样的话，那就是机缘巧合。所以有这么一缘，结果中间被打岔，岔过去了。后来那个病患怎么样我就不知道了，但是去年听说那个教授的夫人已经过世了。大家能听明白什么意思吗？我们对其他人做好事儿，不能怀有忌妒之心，能帮就帮，帮不了，你就在旁边哪儿凉快哪儿待着。静观其变，别轻易地干涉，你要搭茬儿，那你有把握就接过去，你负责到底。

这就是象（天垂象）啊！我们现在学到今天，每个人都要敏感起来，敏感什么呢？判断自己的内心，这一念对不对，我这一念是为公还是为私。为私，你就阴暗；为公，你就光明。这一念是能导致我成为圣贤，还是导致我成为一个小人，事实上的小人，管你承认不承认。人生两条路就分开了。没有第二条路可走，人生只有一条路可走，其他的路全都是邪路，关键是你保证不了健康。很多人学医学，他始终没明白《道德经》什么含义，《黄帝内经》里面讲的那个治未病是什么含义。都是说你给我立竿见影，给我敷药，药到病除，给我扎一针，针下去，我这边就通了，就好了。他不反思中医有六不治；他不反思自己缺德有多么厉害；他不反思自己的秉性有多么刚强难化；他不反思这个病为什么自己得，得在这个部位，得在这个时间，怎么得，为什么很多人他不得；完全就要求医生，要不就怨天尤人，我怎么这么倒霉，什么上天不公。从中华文化的角度来说，这都等于是没文化。真"文化"了以后，你能有"文化"，那个毛病就能化。

我反复地跟大家讲，周元邠先生告诉我，全部修行的秘密就在《庄子·逍遥游》里面，就两个字——气化，没有别的。有些人就是听不懂啊，听懂他也不相信哪！其实就那么简单，悟透了以后知道，这是老人家千金不卖的法宝啊！那个东西能凝滞成有形的，它反过来就能化。不能化，你路径没找对；不能化，你精气神不足。

我现在处于什么状态呢？明白机制、明白道理，但我精气神消耗多。所以现在开始涵养精气神，就等于火不足了，加把火。加上一个能量团，大了以后，自然就化。长个斑，长个小点儿，都可以化去。但是如果一直精气神不足的话，所谓年纪大了，容易长斑。但不是说一定要长，而是我们精气神不足了。以前我就不理解这件事儿，见到周元邠先生终于理解了，九十四岁的老人，脸上没老人斑，就是精气血全部充足。

而中医在这里面已经研究得非常通透了，补元精用什么药，补气用什么药，补血用什么药。比如说三七粉经常喝一点儿，早上三克，晚上三克，如果你觉得很缺血的话，照照镜子，尤其是女同胞，看看脸色是苍白还是红润，三七粉补一点儿。如果你认为我很健康，从少量开始补，补血嘛！气不足，老嘚啵嘚、嘚啵嘚地说话，能量水，能不能猜出里面什么药材？对了，黄芪。还有一味，泡出来，枸杞子，补气黄芪就最好了。如果已经很虚了，这个量要增加，因为正常医院给的药量是九到三十克吧？经常出大汗的，需要增加量三十到五十克，再严重就得五十克以上了，煮水喝。我这是泡出来的，就是放在茶壶里面倒进开水，热一段时间，稍微凉一凉，灌到这个塑料瓶子里面，可以补气。那补元精，好多好多，我们说全草药哈，你别说那哥们儿说了补元精，然后去一问什么补元精，甲鱼补，然后去买个甲鱼炖了。我可没说过那样的话，我举这个是反例，别听错了。我们推荐的全都是草药，《神农本草经》，从草药上找。实在不行了，火力衰弱，那你就找一个地道的火神派的中医加点儿附子，大热之药补下去，姜、桂、附补进下去。要到夏至了，下周讲完了，我们就开始休夏了。所以讲到这里提示一下，中华文化自己化嘛，慢慢化，有点儿毛病，诊断出来之后，看问题出在哪儿，是柴火不足了抱柴火，还是说这个自己能耐小，谋大了，累着了。总之要找原因，解决问题。

民弃不保，天降之咎

"民弃不保，天降之咎"，民在下，君在上，上情下达，下情上达，这就是天地之间出现交泰、交通，底下的气往上来，上面的能量往下去，水火既济，在中宫那个地方，两精相抟谓之神。中宫，所以女娲抟土造人，再提醒大家一遍，土为中宫，上气下气在中宫的部位相抟，然后人能有生命，否则的话往上走，人死了，往下走，人死了。一定要上下相交，才是安泰之卦，人如此，天地如此，天地不交，不下雨，万物不就渴死了嘛！所以天地气交，你看着蓝天白云，非常美的景色，那就说明天地气交非常好。偶尔来一阵雨，那个雨还是属于风调雨顺的雨，它和那个狂风骤雨还不一样，那个交得不好。天地气合，万物生焉；男女允谐，子孙生焉。所以父母在一个家庭里面就是天地，孩子就是那小苗，夫妻感情和谐，就是天清地宁，天地之间一片祥和的气氛，小孩子他自然就成长。你不用怎么费力地去叮嘱他，教他，他自然就成长，这是自然之理，道法自然。

如果说"民弃不保"，你把人民丢掉了，你自己高高在上，那你就把自己干起来了。炎上嘛，往上往上，上不去了就掉下来。所以君王很多都是这样，离开人民，就成了孤家寡人，最后死掉。

"天降之咎"，天怎么降之咎，天不是有意的，天没有什么心思，以人心为心。天心为本质纯净之心，人如果能感触到这个心，人心与天心合一，就是天人合一，就是道德，做到了这一步，就能够返回天道。

"肆予以尔众士，奉辞罚罪"，我带领大家奉舜帝之命，讨伐有苗之罪。"尔尚一乃心力，其克有勋"，大家要万众一心，把力量聚合起来，去伐有罪，达成战功，维护天下的正义安宁。

"三旬，苗民逆命"，就开打了，打了多长时间？三旬，快一个月了。服了吗？没有。"苗民逆命"，还是不听你的。就是打，没打服，僵持在那儿了。本来就想一下子摧枯拉朽，速战速决，结果，大禹吃瘪。你看这件事情奇怪在什么地方呢？大禹刚刚摄政，领着百官要行事，舜就交代给他这么一个棘手的活儿，然后没顺利地完成，僵持在战场上。这个时候谁出现了呢？益。这个人跟皋陶什么关系？父子吧？可以查一查。

益就对大禹说，"唯德动天，无远弗届"，这个话是不是《尚书》名言？以前写作文是不是用过？尤其是"无远弗届"，成为一个成语了，出自《尚书·大禹谟》。"满招损，谦受益"，这都成俗语了，没上过学的人都会说这六个字。后来老人家把它变成更朗朗上口的白话文，叫"谦虚使人进步，骄傲使人落后"。

所以《尚书》里面有文言之美、文学之美，它不但有思想之美，还有重大治国思想、治国理政的方略，这种宏大的文化含义，还能让我们领略文学表达最高的境界。语言洁静精微，读起来具有音韵性，流传久远，到今天依然具有强大的生命力。这些话写到自己的文章里面，甚至在合适的交谈过程当中自然地流露出来，会给我们加分的。如果您"掉书袋"掉得自然的话，那可不得了！

"掉书袋"就是说经常引用啊，有些人就讨厌这件事情，但有的人就引用得让人觉得舒服。有些人呢，引用得就是非常尴尬。比如说有人到你办公室去，谈论什么经，无论《论语》还是《道德经》，他背不熟吧，还想背，背到一半就卡壳儿，这就没有必要了。要么直接说你领会的意思，要么就是把你的座右铭，喜欢的那些词句，背得滚瓜烂熟，张口就来，别人会觉得这是一种美，就不能半吊子，说着说着，对不起，我这个没记下来，这不行。所以要向那些表演艺术家学习，几十年如一日，天天起来练功，吊嗓子，台上十分钟，台下有十年的功夫。这也是我不和一些圈子进行接触的原因，有传承、有功夫的人，老师是有要求的，不是这样轻飘飘地就走出来，然后还自命不凡，自命自己是老师，别人不请教，再奔那里一坐，就滔滔不绝，那个话就堵不住。

盗心不除，尘不可出

这次开会我就遇到了一位，早上吃饭跟我在一块儿的两位董事长，都是接近六十的人，修得也蛮好的。突然就来了一位自命为老师的，就坐在我旁边，我看谁都没问他什么，就开始谈，主动说我最近讲座有多少人听，然后有多么成功，我就给他们讲什么什么什么。我一听这个内容，当他告一段落的时候，我跟对面的两位老人家说，"盗心不除，尘不可出"。就像我们写经济文章，这句话如果是1991年诺贝尔奖获得者罗纳德·哈里·科斯某篇文章里面写的，出自于*The Nature of the Firm*必须指示清楚，否则的话你就属于盗用人家的东西。引用，你得把注解搞清楚，这是学术规范。哪有不请就教，然后教的又不是自己悟出来的原创，还当作自己的原创。

什么叫"盗心不除，尘不可出"？你说一句话当作自己的，这就是偷盗，因为它不是你的，为什么我们要说引用的时候要说清楚，不厌其烦，你也得说清楚。比如说"慎终追远，民德归厚"谁说的？曾子说的。在哪里说的？《论语》当中记载的，你得告诉人家，这不是你的。"满招损，谦受益"谁说的？益说的。记录在哪里？记录在《尚书》里面。为什么这样讲？证明这是古人之德，古人的智慧，不是你的，我们可以引用，可以传承，可以去表述，可以去转述，但你不能贪天之功，会得病的。我的医学老师就告诉我，这会得病的。当然我不能说出得什么病名，因为它不能完全往回推，这在数学上它不是充分必要条件。得了这个病未必是这个病因，但是你有这个原因，可能得这个病。那我要说出来的话，人家就是记得这个事情，就是说你胡说八道，我只能说得某种病。如果你感兴趣的话，课后可以跟你探讨一下，偷别人的东西得什么毛病。

越说越多，这也是挑人的毛病，自己这个臭毛病还得改（众笑）。我等于提示他不要偷，因为我引用的也是经文里面说的，当时我就告诉他，哪一个经文里面说的这八个字，"盗心不除，尘不可出"。你不除去盗心，做什么老师啊？这不开玩笑嘛！

有一次，我在电视上学打羽毛球，我想这个教练长得相貌堂堂的，他叫什么名？中央电视台请他来教，而且人家教得非常到位，简洁准确，充满了平和的自信。我就等着看，最后字幕一出来，居然是赵建华！年龄稍微长一点儿会知道，那是当年中国羽毛球界的"三剑客"之一，世界冠军，他教人，那我完全信服！你让我去中央电视台教打羽毛球，你说中央电视台真是疯了。这同理吧？游泳冠军教游泳，比如孙杨来教游泳，那大家都是服气的，他有说服力，教的也都是真正的东西。你让一个搞举重的人，说去教击剑，让姚明去踢足球，这都是不靠谱儿的。说起来简单，但很多人都犯这个毛病。所以提示大家，我们共同注意一下。

学习帝舜，至诚感通

后面说的，举的例子就是舜。舜的这个经历，乃是《二十四孝》的故事，我们全都知道。他一开始在历山耕种，父母对他不好，就是他那个瞎眼的父亲、后妈还有那个冥顽的弟弟，都要杀死他，他多次逃跑，这在《史记》当中有详细的记载。那舜难受吗？当然难受。所以这些圣贤全都是委屈撑大的，煎熬出来的，熬出来的！很不容易！

"日号泣于旻天"，对着上天号泣，号啕大哭。"于父母，负罪引慝"，对父母还是恭敬如初。"祗载见瞽瞍"，就是他父亲眼神不好，瞽是瞽，瞍是瞍，到底哪一个是有瞳仁儿，哪一个没瞳仁儿，有同瞳的还看不见，大家自己去查字典。"夔夔斋栗"，就是在父母面前，还是很恭敬，甚至显得觳觫害怕的样子。最后他爸爸受了感动，就是舜的大孝，感动了他的全家。

"瞽亦允若。至诚感神，矧兹有苗？""至诚感神"，后面我们也都强调说，至诚感通，感通者必至诚，至诚者必感通，能够感通上天，这样的家庭都能感化过来，更何况是有苗呢？就等于战争打得僵持在那儿了，局面难以收拾。然后出来益这么一个人，给大禹出主意。

"禹拜昌言曰：'俞！'"对，班师回朝。军队收拾收拾，班师振旅，回去了。然后，"帝乃诞敷文德"，这就挺奇怪的，这里面记述的极为简略。舜帝就开始"舞干羽于两阶"。"敷文德"，大施文德，这个不需要说，因为他始终是施行中道，中道教化天下。上一讲我们详细地说过，通过皋陶的嘴说过他的施政之德。

回来以后，拈着羽毛，拿着道具，在阶前跳舞。所以很多史学家都认为这事儿太不靠谱儿，而且跳舞，七旬之后，服了。打没打服，他在阶前舞几下子，等一段时间，七旬，两个多月，居然服了。"有苗格"，格物的格，和谐，听召唤了。

在中国的政治上，安放了这么一段，好像是别有心思。就是施政者强硬地去打压，未必会有好的效果，可是施文德可能会驯化。道理很深，到现在我都没琢磨透，如果在座各位同人有更深刻的见解，可以教我。

谢谢大家！下一讲再见。

（十二）

戊戌年四月廿六　2018年6月9日

　　本篇讲解《尚书·皋陶谟》，作者从学习经典要真学真行讲起，阐述善良宽厚的重要意义，强调对人对事要保持中道，最后结合文中精美绝伦的句式表达，揭示了中国上古天人合一观的最精妙、最明确的政治哲学。

学习经典，真学真行

尊敬的各位同胞、各位同人：

大家上午好！

我们接着学习《尚书》，今天是第十二讲，也是我们今年夏至以前最后一讲。休夏之后，要等到立秋的节气我们才能够重新开始。而且今年的秋天因为我的工作重心转移到了北京，所以可能恢复到以前每月至多两讲的状态。

有经本的同人可以打开，我们这一讲讲《皋陶谟》。

刚才有同人问，我拿到的这一个版本的《尚书》能不能跟上，这个以前我们解释过，《尚书》版本比较多，可以分为两类，一类是包含伪《尚书》的，另一类是不包含伪《尚书》的。关于《尚书》的传承，在最初的两讲我们讲得比较多，所以你拿到的《尚书》版本，你看一下，如果是二十八九篇的《尚书》，那就是不包含被认为杂进去了伪《尚书》内容的篇章，一共最多二十九篇，合在一块儿有的版本编成二十八篇。如果你看你的目录里面多到几十篇，至少是四十七篇以上的，就是包括了梅氏伪《尚书》的部分。我们现在所讲的是包括了伪《尚书》，所以如果你觉得你自己的版本内容少了，就再买一本全的作为参考。

所谓的伪《尚书》并不完全是伪造，它是属于真伪杂糅，就是里面有真的，也有补编进去的，也有后人记录的。但对于中国的历史，有些学者的看法是，只要你动了一个字，这个我就不学了。我也接触过一些儒学的学者，除了《论语》和《孟子》记录的儒家宗师的言行之外，其他的一概不予采信和理睬，我觉得这有一点儿过头。我们强调的是一个字行得真，你就可以入中道，就明白了儒家中庸的道理、大学的道理、圣贤的道理。如果千经万论，确确实实就是宗师他们亲口传下来的，可是你没有化入心性，不能落实到自己的起心动念，就是脑子里的想法没有被化，日常的行为性格没有转，这个学习全都是假的，雨过地皮干，转变不了我们的身家性命，命运是改不了的。所以我们一再地强调，学就要真学，才对得起自己的身体、时间、家庭、事业、老师、同人。不要弄假了，弄假了一旦被人觑破，不值一文。你行得真，哪怕有不足，也会感动天下。感动天下的后果就是好事儿你可以等，慢慢地做自己的，不要瞎忙活儿，它自然地会找到你的头上。听了我这样讲，你也不要数着日子，我行善一周了，做好事儿一个月了，我这十来年我认为我做得都不错。你仔细考虑一下，你这个心思相当于是往外怨，对不对？怎么还不来？那就怨天怨人怨地，领导眼睛不开，同事对我不好，你就天天地陷到苦海里面去了。

规矩生活，即是得道

现在思想观念多元化了，这是一个麻烦，很多人认为我要自由，不要限制我，实际上这是很危险的事情。我们也举过例子，比如说这瓶水，大家清清楚楚地看到透明的瓶里面是一瓶水，可是没有了瓶壁的束缚，它就会洒掉，你想喝的时候是没有的。非常简单的物象在给我们解释着深刻的道理！为人有没有规矩，有没有戒律，有没有党纪、家风、国法的束缚，标志着这个人能不能有成就。从小孩儿一直到成人，哪怕是老人，这个规矩同一适用。就是你不遵守，那就会散漫得漫无边际，才华再多也聚不成形。

昨天我和孩子的妈妈请教我们小孩儿的生物学老师，就是二十四中教生物学的秦老师。他们现在省级联赛已经结束了，有好几位原先被寄予厚望能够进入辽宁省集训队的同学没能如愿。我听老师的分析，其实不用很复杂地分析，就描述这个学生的日常行为，我们就知道他为什么最初有很好的势头，也有很好的基础，人也很聪明，但是为什么没能够进入省队。比如，老师说有一位同学迷上手机，到家里面，父母就必须把手机还给他。至于他看多长时间看什么内容，不知道。还有的同学可能不迷恋手机，但是不相信我们在讲座当中提倡的《黄帝内经·四气调神大论》，就是该睡觉的时候去睡觉，该学习的时候你会精神百倍，效果会好。他正好弄颠倒了，晚上就变得精神，一直到后半夜一两点钟，然后白天就开始困，到后来就是上午睡下午睡。我说这就是我当年体验过的和观察周围的同学失败的惨痛的教训之一。自己晚上以为自己很刻苦，学到很晚，然后白天没有精神，不能跟上老师的进度，然后以为自己很聪明，我看书就可以明白。那是太高看自己了。能够做老师都是经过国家选拔，经过大学教育过来的，经验是足够的，而且跟上他的进度应该是一个捷径。但现在的孩子们也有一些自恃聪明，活得颠倒。所以种种原因结合起来，没能如愿。

所以我们总结经验教训，无论孩子还是大人，都是按规矩来，堂堂正正、光明磊落。所谓大道至简，我们分析过，你就是按照自然的规律好好地生活，不用吃什么过多的营养品，也不用去做什么高级的注射、拉皮，人一样是容光焕发，而且越到老年越能检验出来。有很多人就觉得那我现在开始学习，也没觉得怎么有受影响，我学到后半夜，我觉得我照样可以，白天还是可以挺过去。有些人确实精力充沛。我们强调你这样用功是迫不得已，再就是到了关键时期，打攻坚战，必须有时限，必须实现目标以后迅速地休整，调整回来。还是按照正常的天地四时的作息来安排自己的起居，这是最大的人道、合道！因为上天整个环境，还有大地地气对人体的补益，超过我们自己所能了解的程度，绝大多数人不了解。所以不能拿自己的小小的生命跟天对着干，这就叫有德，你得到自然规律就叫有德。慢慢地就会在人的相貌、身体乃至于人生的走势当中体现出来。

我们讲《尚书·尧典》非常重要的一关，就是帝尧让他的有关部门的领导到全国各地去测量天象，定下春夏秋冬的时节，颁布历法，告诉人民，这叫大慈悲！就是按照天时来生活。所以为什么叫天人合一？人的规律要跟大自然的规律相合，这就叫得道。得道有不同的程度，你可以慢慢往上走，不要被这个词吓倒，以为神秘兮兮的非常玄幻，不是！有道之人都非常自然、非常朴素，就跟天地自然相合就是了。

转变思想，转化时空

我们这一篇的主角是皋陶，皋陶被传为是大法官，是吧？是我们现在司法的鼻祖。这么说也不错。这一篇里篇幅比较短，但内容非常重要。到今天我们会把整个《虞书》讲完，入夏之前我们讲《尚书》，《唐书》、《虞书》、《夏书》、《商书》、《周书》，今天会把夏以前讲完。当然这个里面也有分歧，《皋陶谟》和后面的《益稷》两篇，有人认为原始上就是一篇，这是后人给分开的，这是一种说法。因为我们现在需要历史文物的证据，比如说我今天又拿来这本《中国书法杂志》，我给大家看过，我珍藏了几本。这一本是专门向大家介绍甲骨文书法的一个专辑，封面和封底全都是甲骨文。

这个甲骨文，最初我们练字的时候，至少我自己感觉，这个字怎么能叫书法？我认为的书法起码得是像王羲之那样，写得飘若浮云或者是矫如惊龙、龙飞凤舞，得有一种风采。这个刻在骨头上叫什么书法？可是随着年纪的增长，阅历的加深和写字的体会，尤其是当这些字被拓片出来，您看封底这一篇，不知道是为什么，越来越感觉到它的庄严气象，法度严谨，所以审美居然在发生这种变化。

然后我教小孩子学书法，有那么一两个小孩儿，写甲骨文和毛公鼎的铭文，就非常顺手。一上手你觉得那就是一个可塑之材，天然地就好像会写这种文字。所以我就觉得中国文化其实离我们非常近，一点儿都不遥远，也就是说上古文化离我们很近的，只不过就是我们自己的观念把自己障碍住了，这个东西离我们很遥远，已经过时了，其实不是。你认真看一下，看看毛公鼎的铭文，散氏盘的铭文，非常美！越看越庄严、大气！当然这是我自己慢慢体会出来的，也可能您有自己的想法。

那么跟我们今天讲的主题有什么关系呢？尧开始测量天下，人间知道立法，立规矩，天人合一在政治制度上就显现出来。然后一个人君，也就是最主要的领导人担负着天下的安危。我们把它贯通到每一个单位和组织，这个单位的一把手、一个家庭的家长就决定着我们整个组织单位家庭的运势，所以你自己不能小看自己。明白这一点以后，历史的重担就传到你这一代，你自己这一身，就是"天之历数在尔躬"这句话，人人适用！不管张王李赵遍地刘，赵钱孙李，姓什么都不管，你的家族血脉传承到了这一代，寄托在谁的身上？对不起，不是别人，就是在座的我们每一个人。

从这个意义上说，每一个人跟尧舜的意义都是一样的，因为你所看的世界以你为核心，你没有那个身体，就没有那个世界；有那个身体，整个世界以你为核心！当你转化的时候，你会发现你周围连接的各个点，也就是说你的社会关系，会随之而转。当你心念变得纯净，那些不纯净的朋友慢慢地像受离心力一样，就甩出了你的生活圈子；然后你会在朋友圈中慢慢地去连接跟你有相同价值观或者三观的朋友，会越聚越紧密。这就是我们世界的变化。

广义相对论，我们说它是中国古代天人合一观的现代物理学版本，我认为这是我对现代学术界的一个贡献，超过了我总结中国本土经济学的贡献。为什么？它是最基础的思想观念，人人可以拿去用。物质决定时空，也就是物质决定时间跟空间，时间跟空间是物质的存在形式，也就是说我们的世界，包括我们的宇宙是由物质决定的。我们见到的宇宙是物质本身的存在形式，当所有的物质突然消失，时空世界就会消失，也就是宇宙就不存在。

那么反过来用在人身上，就是当你能动的活的物质开始受思想观念文化教育转变的时候，你最根本的物质开始转化，所以你的人生的时空世界就转化了。我们又把这个道理强调一遍，如果您对自己的境遇人生，包括健康状况不满意，那就重新检测一下自己的软件是不是出了问题；思想观念是不是出了问题；我考虑别人考虑自己是不是出了问题；这样反观内省自省，吾日三省吾身嘛，内省之后，知道错误，算您开悟！开悟就是开始觉悟，走上光明的道路，从光明走向光明，然后一直坚持到底，中间不跑岔道，然后不下道，你就沿着一条光明的正道走到底，就是成圣成贤的道路。人人有份儿，人人本来是圣贤，只不过就是被各种妄念、思潮覆盖着，没搞清楚自己的本来面目，所以人人是尧舜，往前走好了。那么经典上的道理，就是我们的道，这就是人道。他写的是天道，但落实到人间就是人道。你按照经典上告诉你的道理往下走，就走出了一条人道，你就得道，这就是得道。所以我们的人生终点应该是一个光辉的顶点，圆满无碍。

允迪厥德，谟明弼谐

尧舜被高推为圣人，我们通过讲《尚书》，大家可能都理解。为政很宽，智谋很高，有超常的耐心，超常的智慧来解决自然现象出现的问题。我们说是天人合一观下显现的，实际上是人间的人出了问题，两代天子合起来铲除腐败，然后把正确的观念传递到人间。您看舜帝安排国家政事的时候，教育的、司法的、管环境的、管鸟兽的、管音乐的，全都有。也就是说我们今天大块儿地想一个国家的大政，都具备，而且全都是一时之选，圣贤之人来做这些工作。《尧典》、《舜典》不管是一篇还是两篇，说明尧舜都是列为最重要的人物，叫作"典"。

皋陶谟

曰若稽古，皋陶曰："允迪厥德，谟明弼谐。"禹曰："俞，如何？"皋陶曰："都！慎厥身，修思永。惇叙九族，庶明励翼，迩可远，在兹。"禹拜昌言曰："俞！"

皋陶曰："都！在知人，在安民。"禹曰："吁！咸若时，唯帝其难之。知人则哲，能官人；安民则惠，黎民怀之。能哲而惠，何忧乎驩兜？何迁乎有苗？何畏乎巧言令色孔壬？"

皋陶曰："都！亦行有九德。亦言其人有德，乃言曰，载采采。"禹曰："何？"

皋陶曰："宽而栗，柔而立，愿而恭，乱而敬，扰而毅，直而温，简而廉，刚而塞，强而义。彰厥有常吉哉！日宣三德，夙夜浚明有家，日严祗敬六德，亮采有邦，翕受敷施。九德咸事，俊乂在官，百僚师师，百工唯时，抚于五辰，庶绩其凝。无教逸欲，有邦兢兢业业，一日二日万几。无旷庶官，天工，人其代之。天叙有典，敕我五典五惇哉！天秩有礼，自我五礼有庸哉！同寅协恭和衷哉！天命有德，五服五章哉！天讨有罪，五刑五用哉！政事懋哉懋哉！天聪明，自我民聪明；天明畏，自我民明威。达于上下，敬哉有土！"

皋陶曰："朕言惠可厎行？"禹曰："俞！乃言厎可绩。"皋陶曰："予未有知，思曰赞赞襄哉！"

那么我们今天学的叫作"谟"，上几讲的内容叫《大禹谟》，这一个字就能区分出来，无论是原始的《尚书》，还是后来补进去的《尚书》，中间有着一个细微的差别，能感觉出来吗？就是对尧舜是同一看法，写他们的事迹一个词来形容叫作"典"。我们说"典"是长大的册页，记述最重要的内容。那禹同样成为天子，记述他的内容，为什么就叫作"谟"了？皋陶没有做过天子，尽管舜传禹的时候，禹做推让说应该传给皋陶，皋陶的事功比较大，人民也都喜欢他，感念他的恩德，可是舜还是把位传给了禹。但是从史书上用词的所谓礼数上来讲，皋陶和大禹是不是等量齐观？这是《尚书》用词上、礼节上给我们体现的一个秘密，公开的。要琢磨为什么不叫"大禹典"，不叫"禹典"，叫"大禹谟"。皋陶当然他没做过天子，不能跟尧舜并列，不能叫"皋陶典"，所以这一篇记载叫《皋陶谟》，这是大家要注意的。那已经说明皋陶这个人物在当时从事功、从声望、从智慧上不输于大禹，而且从这一篇内容上来看，几乎就是皋陶是老师，禹是学生，对话相当于是这么展开的，所以我们往下看是怎么叙述的。

"曰若稽古"，我们考察古代发生的事情这样记录下来。"皋陶曰：'允迪厥德，谟明弼谐。'"开篇就干脆利索的八个字，在什么地方没有讲，和谁也没有讲，这个对话直接就是谁说，说的什么内容。这八个字非常关键，也不太好懂，因为几乎我们现在现代汉语根本就不用。古代汉语除了《尚书》，或者引用《尚书》，也很少有这么用的。

"允"，在《尚书》里面经常出现，我们可以把它理解为信实、诚意、真诚、一点儿都不作假。"迪"，启迪，现代汉语还用，这个迪单个儿拿出来，有践行的意思，走之儿旁嘛！所以告诉大家一个读古书的秘诀、方法。这个字字音不会没关系，看字形。因为都是六书这种字法造出来的。所谓四书是指儒家的四本经典，《大学》、《中庸》、《论语》、《孟子》，这大家都知道。但是还有一个词汇叫六书，现在学到初中都应该知道这六书是什么内容，就是汉字的造字法，对吧？象形、指事、会意、形声、转注、假借，六种书写汉字的方法，或者六种造字的方法。

秘诀是什么呢？就看这个字的偏旁、部首、结构，猜它的字义。

带着走之儿的这个字表示跟行动相关。比如说《道德经》的道，大道的道，一个元首的首，表示脑袋，然后有一个走之儿。走之儿就是走的变形，表示行动。所以你脑子想的那个东西，如果没变成真实的行动，本质上不能叫作道。道就是用来做的，用来真干。空口谈道，谈成口头禅，说得头头是道，背得滚瓜烂熟、倒背如流，然后该发脾气发脾气，该忌妒人就忌妒人，该障碍人就障碍人，那成就不了。这书白读了，没有用。文化、文化，那个文是用来"化"我们自己的，这叫功夫。

所以这个"迪"是践行的意思。"允迪"两字合一块儿是诚意践行的意思。有些人行，我做了，但是心里面想着，你看我做完之后，新闻媒体是不是该报道一下，报纸是不是应该写篇专访，领导是不是应该夸一下，群众投票是不是应该百分之百地赞成我。这里面掺假了，就不诚意了。诚意里面没这些想法，很自然地按照天理人伦就应该这么做，他也没这么想，该做就去做了，没有什么想法，叫"允迪"。

"厥德"，我们经常是直接告诉大家，一读"厥"大家就蒙了，直接念成"其"，其实的其，其他的其，这一下您就清楚了。"允迪厥德"，就是你诚意践行这种德行就可以了，你把自己的德行真实地行于世间，就这句话。

还有学过中医的，会知道中医的什么阳明、太阳、少阳、少阴，还有个什么阴？厥阴，对吧？厥阴哪儿来的？大家想一想。然后厥与阴成为一个词，那么你把厥和阴按照汉语一般同义反复的概念，做一个等量代换，代入到这个词里面，"允迪厥德"变成"允迪阴德"，您试试看，会不会给您一个更加透彻的提示。你就老老实实、诚意正心地去做你的阴德！

司马光说，积财留给子孙，子孙未必能享。他没那个福气，你留给他钱，他都花不着。积书，留下一箱子书、一柜子书、一图书馆的书给子孙，子孙未必能读。他嫌麻烦，那多痛苦，直接来钱多快，子孙未必能读。不如积阴德于冥冥之中。注意呀，宋代的大思想家、大政治家、大文学家司马光，人家是少年成名，小的时候"咣"的一下把一个缸砸了，从此天下皆知。所以他一生干了两件事儿，第一，砸缸；第二，编《资治通鉴》。这是什么意思？少年是神童，成年是大才，国家之栋梁。然后得出一个什么样的结论？留财留书给子孙，你不如积阴德，谁都偷不去。

孔子积了无量的阳德和阴德，所以到今天孔家子孙遍布全世界，繁荣昌盛，这我们多次举例。苏州范仲淹的后人也一样。昨天我太太读书，突然问我，范仲淹很厉害吗？一般问话我答得都会慢慢吞吞。但像这种问题，我毫不犹豫地说，那当然，圣贤。她说那怎么厉害？我说那是圣贤！论写文章，有《岳阳楼记》，论写词，有《渔家傲》，都是整个中国文学史上的顶级著作。《苏幕遮》、《渔家傲》，你看他留下来的两首词，再加上《岳阳楼记》，并不比苏东坡的一词二赋差太多，这是为文。为武，在西夏对北宋形成侵犯之势的时候，他到边关去做主要的军事领导人，一样可以御敌国门之外，到最后成为圣贤。四个儿子，各个出彩，他当到副总理，他的儿子培养成总理。怎么做到的？依圣贤而行。长子结婚，小两口商量如何布置新房，居然被他老人家听见了，叫来，如果你们要这么做，我就把你们挂上去那些稍微贵一点儿的装饰品，全部都给扔掉。孩子就听他的。所以到现在苏州范家仍然是名门望族，这就是"允迪厥德"，适合任何人，不管当官的还是在民间。

"谟明弼谐"，"谟"，就是《皋陶谟》的谟，表示谋划、决策、商量的意思。"明"，这个政策明智，就是"谟明"。"弼"是辅助，可能指辅助的设施、方法，也可能指人，就是大臣。"谐"，和谐，这就很简单。如果一个人能够诚意正心、老老实实地把自己本质上该做的事情，不论明暗，就是人前人后全都能够做得诚意正心、表里如一，那么就能够做到什么呢？他想决策的时候道理会很清晰，决策也是个明智的决策，然后辅助的大臣也跟你一条心，上下和谐。皋陶劈空而来八个字，一下子把中国古代政治哲学最根本的问题就直接抛出。你看看大禹的反应。

谨慎修身，各安本位

"俞！何如？"相当于说什么意思？什么内容？具体怎么办？相当于是这样的问话。然后皋陶做进一步解释。所以为什么说这一篇相当于皋陶是老师，大禹成学生了。就问怎么落实？怎么办？

"皋陶曰：'都！慎厥身，修思永。惇叙九族，庶明励翼，迩可远，在兹。'"怎么办呢？谨慎地修身，"修厥身"，您可以把"厥"再次代换，修阴身，阴身是什么身？我们以前解释过，阳是能量，我们身体的能量，对不对？我们现在叫身体是因为有那股能量，这个能量没有了，身体变成什么？凉透了叫尸体，对不对？每个人都有。所以唐代以后祖师骂人说谁是守尸鬼，说这人没思想，叫什么？行尸走肉，会走的尸体，会动的肉，有文化人骂人就是不带脏字的。

要谨慎好好地修这个身体，所以阴身是指什么？看得见的这个形体。看不见的是我们的灵魂、思想、境界这套东西，文化主要是解决这个。但是我们强调的是上一级的能量系统对下一级的能量系统是有决定性作用的，如果你的思想观念转化了，你的身体自然会转化。道理写在哪儿？《易经·坤卦·文言》"君子黄中通理"那一段，我们都背过无数遍了，大家回去温故而知新吧！所以谨慎地修身，有德相，身体健康，才能承担重要的工作任务。

"修思永"，修行的时候不要考虑的是暂时的，要考虑是永远这样做，所以不能作假。有些人说这个姓钟的真能装，我们学校的老师说我真能装，那你就装呗，装一辈子就装成真的了。所以别人对你的评价重要不重要？既重要也不重要，重要是因为他提醒你应该怎么做，比如说夸你，你就知道这方面应该得到鼓励。如果有人贬损你，那你要看我是不是真做错了，没做错，他是不是出于忌妒心。好，都考虑清楚了，两方面都是推动我们前进的动力。所以无论别人说好说坏，对一个明白人来说，全都是好事儿，都是帮我们的，不是正面帮就是反面帮，没事儿偷着乐去吧！

"惇叙九族"，"惇"，敦厚。"惇"不明白，你把"厚"带进去，也是读书的秘诀。"叙"，有一种规范，立规矩，找出等级秩序的意思。"九族"，就是指我们的亲人。第一讲我们就讲过，《尧典》的时候就讲过，"九族既睦，和谐万邦"。

"庶明励翼"，"庶"，指庶人，就是地位、学识、境界都稍微平凡一点儿的。"明"，指大人，道德、地位、智慧都比较高的，在古代用一个词来形容是"明"。所以这个明有形容词的意思，有名词的意思，在这里面我们采取偏向于名词的意思。就是如果你能这么做，那么从上到下，自天子以至于庶人，壹是皆以修身为本，他们都各安本位。普通人受到激励，他会奋发，所以"庶"对应的字是"励"。

位高的人也就是本身境界已经很好的人，那个"明"对应它的这个字叫作"翼"，"翼"是翅膀的意思，也就是前面"辅弼"的"弼"的意思，辅助你能飞。所以这四个字的语法是"庶励明翼"，但是现在表达成了"庶明励翼"。无论地位高低，都会结合自己的本位来为国家做贡献。如果你能做到这样，那就是由己身向外层层推进，由近而远，那么就会远者来，秘密就在这里，在兹。

什么秘密？修身的秘密，转化时空的秘密。你自己做得对，那么天下人，你的九族，你的族群受你感化，你的上下的部署也受你的感化，然后全体万众一心，军民一致，众志成城，成为一个伟大的国家天下。离你近的当然紧密地团结在你的周围，离你远的也纷纷地会聚合在这里。比如说到青岛去一趟，明天开会了吧？迩可远。大家好像不明白，上合组织要开会，这一届叫青岛峰会，是不是？

知人善任，国泰民安

"禹拜昌言曰：'俞！'"对啊！是这样哈！大禹几乎就没有说话的余地，只是听着。皋陶又说，"都！在知人，在安民。"读起这个话来，在音阶上大家感没感觉到是哪一个著名文章的节奏？《大学》是吧？尤其是把前面那一句话连起来，"迩可远，在兹。在知人，在安民"像不像"大学之道，在明明德，在亲民，在止于至善"。所以我怀疑当年曾子他老人家在孔子他老人家指导下读《尚书》的时候，《皋陶谟》读千百遍之后，他老人家就是不断地"在兹、在知人、在安民"。写的时间长了，自己写文章的时候这个句式自然就流出来，表达自己想法的时候，就受这种语式的影响。也可能我以小人之心度曾子之腹，但是我自己写作就有这样的感触，就是你把古书经典的文献读熟了，你自己下笔的时候，自然而然地就受他那种经典句式的影响，酣畅淋漓。当然我没表达过酣畅淋漓的文字，我是有这样的感受。

"在知人"，做领导的，尤其是做最高领导人的，一把手，最重要的任务，我们以前说过就四个字，还记得吗？知人善任，或者知人断事。你把人安排好，报告工作的时候做决断就行了，别废话，天下事情就很简单，你找不对人就不行。

前一段时间流传出来的碧桂园的老总，到哪儿都宣称自己是农民，没鞋子穿，现在可能是到很典雅的地方，也会光着脚把腿盘起来的那位杨总，问中国招商银行的原董事长叫马董事长，说你管的规模那么大，什么秘诀？说我哪儿懂。那你怎么管好的？我就是请能人。比如说出一千万元年薪，谁值这一千万元？好，行政总监、财务总监，全安排好。我不懂没关系，没问题，我找懂的人来做。一把手要是累得天天各个部门去救火，那他不懂得《尚书》的智慧，不懂得做最高领导人的智慧。所以在知人，知人善任。

"在安民"，把民安了就等于基础稳定，下情上达、上情下达、上下交通，我们反复地强调这就是天地之间的泰卦，国泰民安，这一句话里就蕴含着天、地、人三才和合的道理，就是《易经》的道理。

什么叫国泰民安？我们每天的身体，你今天早上能够醒来，是因为你刚刚经历过三阳开泰。子时一阳生，对不对？子丑寅，丑时二阳生，对不对？寅时呢，三点到五点之间就是三阳，三阳是什么意思？一共六爻，一半的阳气升起来了，所以你眼珠子"啪"不就开了吗？再晚到四阳的时候，眼睛也该开了，阳气生发了。身体是阴身，厥身表示阴身，阴身是什么？能看得见的，对不对？还不明白。眼睛一睁开，你能看到一个在物质之外的光明，能感觉到吗？灵光、灵光，心灵的窗户就打开了。这说的是什么？你心灵闪烁的东西就出来了。我们说有几个孩子好好的成绩、好好的基础、好好的资质，为什么老师特别痛惜他不能够考进省队呢？黑白颠倒，晚上该养阳气的时候，一阳生你不让它养，二阳升你不让它养，三阳生，你要睡觉，却睡得不实不沉。所以白天你没有足够的阳气，困是什么呀？没有足够的能量了，所以就困。一困就像气球里面没气了，人就开始这么奄拉下来，对不对？你浇花都有经验，我看我家我养的兰花，浇上一瓶水，两个小时以后，枝叶由苍白变翠绿，枝叶挺起来，甚至我都观察过，浇完水在几分钟之内，它要挺起来，枝叶都是颤抖、伸展。人是一样的，天地天天给我们吹气吹阳气，结果你天天就拒绝老天给你吹的这个阳气，该睡觉的时候你不睡，那人身体不就瘪成一个没有足够能量的皮袋子吗？所以皱纹越来越多，然后眼睛越来越黯淡无光，不往下说了（众笑）。

唯帝难之，授官安民

"禹曰：'吁！咸若时，唯帝其难之。'"像你这么说的话，真的是这样。如果这样的话，天下最难做的工作只有一件，就是做帝，对不对？你看一下其他人都很简单，为什么？我把我分内的工作做好就行了，不需要考虑那么多。但是层层往上推，最后那个人做天子的，他往身后一瞅，没人了，他上面是天，下面是万民，他必须做最后的决断。

　　所以大禹就感叹了，像你这么说，天下最难的活儿就是做天子，做帝。为什么？他必须把所有人都知人善任。就像做老师，因材施教。他什么材料你能判断得准吗？什么性格你能判断得准吗？你能掐到他的七寸吗？别人说话不听，跟父母杠上，然后你一句话点到他的软肋，他听话了，从此乖乖上路学习了，然后脱胎换骨，这是可以实现的。所以有些人就吹，说我现在要因材施教，我说你可拉倒吧，孔子复生啊，你要因材施教？我什么性格，你帮我判断一下，你知道吗？吹牛不打草稿，自己没明心见性，想要因材施教，我认为就是吹大牛！

　　"知人则哲"，这不用解释，你知道别人，哲学的哲，被日本人拿去翻译西方的philosophy，所以我们一百多年前有了一个词汇叫哲学。把我们的经济这两个伟大的词汇拿过去翻译西方的economics，所以我们这一百多年有了一个土不土、洋不洋的学科叫经济学。我们自己有自己的神鸦社鼓，还有开会研究，禹会群后嘛，对不对？开会的会这个词从哪儿来？从这儿来的。然后日本人拿去，把社也拿去了，会也拿去，加上一个学字，翻译西方的sociology，社会学。反正哲学、社会学、经济学整个这一套西方的那种分科的学术，一百多年前都是日本人翻译，然后中国人说我们没有，经济学没有。无知者无畏，开口就说。我们怎么没有哲学？我们怎么没有经济学？所以我大言不惭，你不说没有吗？好，我现在给你总结，从头儿给你总结，一条一条地梳理。但是有人说，你以为你是谁？你算老几？我就跟这些不服气的人讲，你们花天酒地的时候，我回到书斋里，你十年过去我也十年过去，是骡子是马拉出来遛遛吧！

　　"能官人"，你能知人，就能授人以官，知人善任嘛，这是做天子的。

"安民则惠"，在知人，在安民，安民则惠是什么意思？惠是惠及的意思吧？我们现在党中央的政策就惠及七千万贫困人民吧？这是脱贫嘛！受惠于好的政策，对不对？就是这个词，安民则惠。

尧伟大不伟大？为什么发大水？看看下面，驩兜啊、有苗啊，然后巧言令色那些孔壬啊，怎么来的？你伟大，那就出一些反面的东西，检验你是不是有智慧去处理。世间事情的安排，神妙无比，圆满具足。

"安民则惠，黎民怀之。"再举一个例子，以前我举过。将近十年前我妈妈亲口告诉我的，当时我们说过，中国历史上免除农业税的朝代，现在有文字记录的第一个是在汉文帝，十一年减半，十二年不征收，天下大治，天下归心，文景之治。

"能哲而惠"，你能做到知人为哲，安民为惠，能哲而惠，"何忧乎驩兜？"领导人如果做到这一点的话，他担心那些腐败的佞臣吗？"何迁乎有苗？"还用把他们迁到远处去吗？"何畏乎巧言令色孔壬？""孔"字在古代春秋时期再往前，是"很"和"大"的意思。读《道德经》有一句话知道吧？"孔德之容，唯道是从。""巧言令色"这个词更熟悉吧？翻开《论语》第三段，"巧言令色鲜矣仁"。

壬癸的壬，很多书都解释成佞，巧言善媚的意思。所以做领导人总是被那些花言巧语的佞臣所围绕、所困扰，最后给他搞掉。从古到今都是。齐桓公厉害不厉害？被易牙、竖刁、开方围绕着，所以管仲一死他就没好日子了。最后他死无葬身之地，太惨了，没有人安葬他，最后蛆虫都爬出来。还有秦始皇，铁骑踏破中原大地统一华夏，怎么样啊？死后为了防止人们闻到尸体发臭的味道，把鲍鱼放到他身上。谁干的？赵高干的。那活着的时候，把你捧得舒服极了。所以最后捧着摔，"活埋人"，温水煮青蛙，把你送上历史的耻辱柱！如果在座有做领导的，尤其是做一把手的，不要听着那些心里特别甜蜜滋滋的话，沾沾自喜。你试试看，慢慢就把人毁了。所以读书最关键是读明白，判断清楚。

九项原则，保持中道

"皋陶曰：'都！'"他每次都很权威地说这个字，我认为只要说这个"都！"就像以前小时候看电影，县太老爷把惊堂木一拍：都！大概是从《尚书》里学的。他一喊"都！"底下那几个衙役"唔……"就开始喊，然后把小民吓得腿肚子直哆嗦，说话语无伦次，就是有威严。

"亦行有九德。亦言其人有德，乃言曰：载采采。"那个"亦"好几本书上注解说应该读成"迹"，痕迹的迹。有没有道理呢？有道理。我又拿来甲骨文，大家想象一下国家的国，看这个国。大家后面看不见，回去可以查。这个国就是一个戈护着一个人口的口，没有外边的框儿。要注意，甲骨文国家的国是没有外面国字框儿的。然后到了周代的毛公鼎，国家的国字体有变，那个戈把口包起来了，就跟甲骨文的左右字形不一样，还是没有外边那个框儿。所以你想象一下，痕迹的迹去掉半包围的走之儿就变成了亦，对吧？所以解释成"亦"好像是说不通，解释成"迹"有点儿生硬，但是有道理，大家可以做参考。那我们下面的解释，就按照"迹"来解释。就是"迹行有九德，迹言其人有德"，什么意思？考察他真实的行为，叫迹。组织部来考察，你都干了些什么事儿，叫迹行。考察你说了什么话，叫迹言。已经说出去了，已经做出来了。如果有九德，然后通过考核说这个人真有德，那么就告诉他说，"载采采"。载采采是什么意思呢？你可以被重用了，领导要找你谈话了，下一步要委以重任。"采采"，就相当于事事的意思。无所事事这个词大家明白吧？事事，第一个事动词，动宾结构。第二个事名词，要从事干一个什么事儿。

"禹曰：'何？'"禹又请教了，什么内容？"皋陶曰"，大家注意呀，这一段话精彩极了！精练极了！不是高度的智慧，说不出来。"宽而栗，柔而立，愿而恭，乱而敬，扰而毅，直而温，简而廉，刚而塞，强而义。彰厥有常吉哉！"一连串说了几个？九个，对不对？九德。不管具体怎么解释，这九德把握住一个词儿，中道。管你宽、柔、愿、乱、扰、直、简、刚、强九种表现，一定要把握后面的状态，栗、立、恭、敬、毅、温、廉、塞、义。这样一对应的话，您甚至都不用一一地去考量，这词什么意思呀，那词什么意思呀，不要陷到里面。无论什么情况下，无论对什么人，对什么事儿，要保持自己的度，就是中道。简单地说，说话不能过分，也不能不足，不能过火，也不能把饭做生了。通过这个原则，理解这九条原则。过于宽容的人，你必须有所坚持，这能明白吧？否则的话没原则。同样，过于温柔的人，你要有所独立。这个水能立住，水柔不柔，天下至柔莫若水。它怎么能立？柔而立。你看这个瓶里的水，现在它就是柔而立，能明白吗？至柔，但是能够立在我的手中，因为有什么？有一个能让它立的东西，这就是柔而立。

人是一样的。就像我这些年有几个"立"，我一定要看经典，我一定要行经典，然后我一定要表述经典，表述经典不是我自己的意思，是经过经文和自己身体双重印证，包括老师的赞同，几条合在一块儿，没错，好，可以讲出来，接着往前走。

"愿而恭"，"愿"，解释成厚，恭敬厚道。这个"乱"要注意，它正好意思是相反的，是治理的治的意思。如果你把一个地方管理得井井有条，变得颐指气使，像昨天我们一个朋友形容一个被抓起来的董事长，纪检组来了还很牛，牛到什么程度，朋友当场就跟我们学，开会就这样坐，董事长脸望天，不看底下人。因为来的纪检组据说是抓了政治局以上的两位领导的执行者，董事长的意思你们再牛，有我牛吗？人不能因为有点儿成绩，自己地位高，就对人对事不恭敬，那实际上就是杀伐自己的身家性命，无德。

"扰而毅"，这个"毅"被陈毅元帅拿去做名，刚毅、坚毅。"扰"是什么？当外面有干扰的时候怎么排除？一定是自己有坚持了，这明白吧？

"直而温"，你像我们这种人，往往就是心直口快，直肠子，我对你好，人家说我不用你对我好，为什么？脸难看，话难听。所以直话打一下太极，温柔一点儿、策略一点儿、幽默一点儿，让人闻弦音而知雅意，就好了，说话的艺术。子贡评价孔子第一字就是温，温良恭俭让。望之俨然，即之也温。一望像黑铁塔似的，一米九一多，一个山东大汉，很严肃，一接触，温柔敦厚。

"刚而塞"，刚强，刚就容易出缝儿。我打比方，这瓶子里面扔进去石子，石子之间会有缝儿，这就填不满。你先放石子，后放高粱米，再往里放小米，都能放进去对不对？可是一开始你就塞满小米，后面什么都放不进去了。塞，塞满、充斥的意思。塞于天地之间。

"强而义"，刚强、强大，失去了仁义、本义、道义，那就成了强盗土匪的做法。

"彰厥有常吉哉！""彰"，就是表彰，表彰他有常德吉祥。一个人如果白天的时候能够日宣三德，以上这种九德，日宣三德，无论白天黑夜，修身齐家。如果每天能够恭敬地行到六德，然后在国家岗位上兢兢业业，叫"亮采有邦"。一个是在家里面，一个是在单位里面，三德可以在家里落实，在单位你起码得六德，那九德当然更好了，所以叫"翕受敷施"。合在一块儿，家里的事情做好，单位的事情做好，你把你普遍的这种德行全部一以贯之地、一视同仁地施行，那就是家里家外，自己身，到社会，一共是九德，叫"九德咸事"，好了，天下太平，就做圆满了。

"俊乂在官"什么意思？"俊"，在千人里面超常为俊，百人里面超常为乂，这都是一时之选。十人里面选一个为士，对不对？好了，俊、乂、士这概念全都出来了。这些杰出的人才都被选到国家公务员的岗位上，是一个什么结果？野无遗贤，对吧？每一个岗位都有最杰出的人才在做。然后官僚之间、同僚之间、百僚之间互相地学习，"百僚师师"，互相地吸取长处，补短处。"百工唯时"，与时偕行，及时处理公务，不拖沓。"抚于五辰"，"五辰"相当于是孔子《论语》里面说的"为政以德，譬如北辰"。"庶绩其凝"，所有的事情按部就班就都做好了。"为政以德，譬如北辰，居其所而众星拱之。"说得太精彩了！受他的鼓动，我好像也打了鸡血一样，觉得古代这种官员这种境界，尤其是这种文字般若，四个字的句式，像《诗经》那样，说得非常精彩；三个字的竟然一气灌注，能说出来九个，汪洋浩瀚的文字气势就全部出来。尤其是自己写文章的，体会一下，为什么人家能表达到这种程度！

"无教逸欲"，就是别偷懒。这是正面的说完了，反面的来强调一下。"逸欲"，放逸，欲是私欲，无论官员还是学生，都要警示。比如说沉迷于网络，沉迷于电子游戏，沉迷于手机，看什么不该看的内容。父母熬不过儿女，早睡了，从十一点到后半夜两三点，谁知道这两三个小时他在干吗？正应该养身体的时候，他做着最杀伐阳气的事情。首先天补，没补着，因为只有睡熟了，上天的补益才会进入人身。营卫之气那个营气是阳气在经络里面运行为营，为什么我把《黄帝内经》讲成经济学著作，经营这个词从哪儿来的？从《黄帝内经》里来的。我们经络里面充斥着能量，那叫经营，为营气，没有它，就是麻痹的，你想伸手，它不听你使唤。现在叫神经，神经要是有病的话叫神经病，很麻烦。弹射出体外的那种能量，就是两个人离得很近，还没接触，你能感觉到一种场能，麻酥酥的。越敏感的人，感受越明显，那就是卫气，你身体能量弹出体外。

小的时候我们做实验，说拿手指头指着你的眉心，就觉得痒，然后觉得不安全。如果拿刀尖指着感受是更加明显的，不信您试试。就是什么？您那个卫气已经感受到了威胁，所以人是灵啊，活的。一旦放逸，等于你身体里面营气卫气全都被解除武装，然后邪气可以长驱直入，所以您看长期熬夜的人，不干正事儿的人，眼神黯淡无光，皮肤粗糙，说话声音嘶哑，学习成绩就是直线下降，很可惜。

人代天工，天人合一

"友邦兢兢业业"，管理国家的人，一定要做到兢兢业业、认认真真，不能够松懈。

"一日二日万几"，日理万机是不是从这儿来的我不确定，但是很像是，每天有无数个机会。

"无旷庶官，天工，人其代之"，旷工、旷工，我认为旷工这个词就是从《尚书·皋陶谟》里来的。您看"无旷庶官"，庶人和官员都不要无所事事，都要兢兢业业把自己的活儿做好。注意啊，"天工，人其代之"，人代天工。为什么说这一篇是中国上古天人合一观的政治哲学的最精妙、最明确的表达？这两句话已经说出来了。天之工，谁来代替、去执行呢？人啊！人做了违犯天理的事情，天会惩罚他吗？你看见了吗？有的时候说遭天谴，对不对？被水淹了，被火烧了，古代说这叫被天谴，但是更靠谱儿的是人间的法律、政令去收拾他。所以后面极为精彩，我把精彩的四句话先提出来念给大家。

"天叙有典"，上天有常道，这是天叙有典。"天秩有礼"，人间要有规范、要有规矩，长幼尊卑，要有制度，叫天秩有礼。"天命有德"，你真有德的话，上天就给你的命。我们现在官员文件下来叫什么？任命，对不对？这词儿从哪儿来的？它为什么叫任命不叫别的？说任命了吗？任命了，红头文件下来了，可以庆祝了。从天命有德来的。你能当官，现世有德，你的德行足够了，上天才会任命你这个官职。你说我不是官职，我要做这个事儿，就像我突然在2008年的某一刻被一个灵感击中，当时就知道，哎哟，这件事情很重大。我当时还想为什么是我？当时自己还问，为什么是我？到后来老实了，就不问了。干就完了，哪那么多妄念，所以天命有德。第四个，"天讨有罪"，有罪谁去讨？天讨。你说天没讨，那人间就给他定罪，五种罪行。所以下面这段话我们连起来读，您看一下为什么皋陶和大禹能同一待遇！

"天叙有典，敕我五典五惇哉！天秩有礼，自我五礼有庸哉！同寅协恭和衷哉！天命有德，五服五章哉！天讨有罪，五刑五用哉！政事懋哉懋哉！"一气灌注，无法形容他境界之美！

"天叙有典"，所以上天给我们道理，被圣人总结出来，记录下来就成了典。父要严、母要慈，兄友弟恭，夫妻和睦，朋友交要有信都属于五典的含义。历代圣人都有总结，后来仁义礼智信叫五常，对不对？那么医中的圣人说，你有了这五常，你能生出五藏，"天布五行，以运万类；人禀五常，以有五藏"。你敦厚其德，才能有德相。为什么我不好意思照镜子？因为我德薄，土德薄，不惇。好在这两天有老师说，哎，你胖了。我说量体重增加了八斤，再往下我还会厚下去，那就是"五典五惇哉"！将来整个这个地方圆满了。

"天秩有礼，自我五礼有庸哉！"从古代说五礼是什么？天子、诸侯、大夫、卿、士。现在是中央、省、市、县、乡，五个级别，道理是一样的。同人，和衷共济，众志成城，就是这个意思。

"天命有德，五服五章哉！"彰显你的德行，每一个官员的任命，宣布该同志的政治素质，就是考核结果。你仔细琢磨一下，现在的礼数跟古代表象上好像有区分，实质上完全一致。我们谈的是实质、内核、精神，就是彰显他的德行。

"天讨有罪，五刑五用哉！"五刑我们详细地介绍过，因为很凄惨，所以我们在这里不再重复，你回想一下就行了。以前那种五刑太残酷。用刑是什么？罚罪，天讨有罪。这就是上天旨意，谁来代行呢？人！能明白吗？那么人心和天心在什么时候是一心？你有德行的时候，你践行德行的时候，天人合一，就会逢凶化吉，秘诀告诉大家。所以你有真实的德行，不骗人，那我告诉你，你心里真的会坦坦荡荡，无有恐惧，远离颠倒梦想，这就是修心的结果。如果人前一个样背后一个样，你一定会打退堂鼓，一定会觉得心里不安，一定会觉得有担心的事情。为什么？人心跟天心不是同频共振。一旦同频共振，坦坦荡荡，为官白天不怕纪委谈话，晚上不怕恶鬼叩门，它也不敢。它也不敢！你要明白这句话，如果有鬼的话。因为什么？我看古书说正义的人头光广大，根本就不是一个频率的。

"政事懋哉懋哉！"如果你这么去做的话，国家的政事繁荣昌盛、政治清明。

"天聪明，自我民聪明"，上天的聪明来自哪里？来自我和人民！这不是天人合一吗？所以你要想知道天心，你看民心。你说民在哪儿？三个人以上公开的意思，就是天的意思。

"天明畏，自我民明威"，我这个版本第一个畏是畏惧的畏，第二个是海明威的威，跟前面"天聪明自我民聪明"相配得居然不一样，所以存疑。上天有所阐释、有所宣扬，就会通过民众的心理、言辞、行为表现出来。人民大众要是对你不感冒，就会编各种段子出来，段子就是民心，有些段子里面显示的就是真实的不满。所以古代有采风，能明白吗？我们读《诗经》，读风、雅、颂，你看风的解释就是说专门有采诗官是天子派下去的，到各国去采风，采什么风啊？就是民风通过文字表示出来。大家什么心思，采来的诗一看，是德行，那就是受了天子的德化，如风行草上，民受其化。如果人民有怨言，就知道朕绩不德，天子马上就会悔改，或者是说赶紧惩除腐败。从哪里来的？我们的文化一以贯之，极其伟大！"达于上下"，自天子以至于庶人，信息沟通顺畅。"敬哉有土！"有国有土有家的人士，你们一定要尊敬这些天道伦理啊！敬哉有土！千万不要掉以轻心哪！

"皋陶曰：'朕言惠可厎行？'"我所说的这些话，能够落实吗？禹就像小学生似的回答，可以落实，而且能够取得好成绩。

"皋陶曰：'予未有知。'"他老人家说完了，表示了一下谦逊，我没啥水平，也不知道什么。像诸葛亮给后主写的"今当远离，临表涕零，不知所言"，他这话就这个意思。"予未有知，思曰赞赞襄哉！"看上去很古奥的话，你用后面的人，表示同一个谦卑的意思，去贯通地理解，一下子就能够抓住它的基础的含义。

这一篇就是《皋陶谟》的全部，希望大家回去至少在休夏的三十六天养精期期间，常读经典、常行经典、常思己过、常行善事、常积阴德、造福自己、造福家庭、造福子孙、造福国家社会，大家合起来一定能够让我们伟大的国家建立繁荣昌盛的伟业！

谢谢大家！今天结束得早。我们秋天再见！

大连海事大学中华传统文化小组校正初稿

戊戌年十月二十日钟永圣校于北京大学哲学系图书馆

《尚书通解》后记

校正《尚书通解》（一）文稿时，我正在北京大学忙于两项拖延已久的写作任务：一项是为中央电视台讲座栏目准备的《管子治齐》讲稿，一项是为北京电影学院准备的剧本底稿《汉文帝》。两项任务都需要深入了解上古史，否则都难以叙述清楚写作对象的历史背景和文化精神。好在身处北京大学，一方面可以借助"不动的图书馆"，去北京大学图书馆查询历史背景；另一方面可以向"能动的图书馆"、哲学导师楼宇烈先生请教中国传统文化的相关问题。

从汉朝以来，历朝历代的著名学者，即使没有仔细研究过《尚书》，也至少通读过《尚书》。列为儒家"四书五经"之一的《尚书》，地位尊崇，但往往因为错简、文字古奥等原因，对文意的争议也极大。在学术领域，把《尚书》作为毕生研究对象的学者，人数众多，硕果累累，成就非凡。《尚书》学俨然上升成为一门独立的学问。从现在流行比较广的《尚书》研究成果看，王鸣盛的《尚书后案》，段玉裁的《古文尚书撰异》，孙星衍的《尚书今古文注疏》，王夫之的《尚书引义》，王先谦的《尚书孔传参正》，曾运乾的《尚书正读》，杨树达的《尚书说》，杨筠如的《尚书核诂》，周秉钧的《尚书易解》等，都是这一领域的翘楚。但是这些研究成果都建立在音韵学和训诂学的基础上，一般的读者难以接触，难以读懂，由此导致年轻学子难窥《尚书》堂奥，难以产生对中华史的正确认知。

我在大连市新华书店六楼明德堂所作的《论语通解》公益讲座，其实是作为"大连学习讲坛"的中华优秀传统文化讲座内容之一，从2014年到2018年，总共花了四年多时间，完成了七十三讲才圆满。之后就紧接着开始《尚书通解》的讲座，直接从《论语》的最后一篇《尧曰》，过渡到《尚书》的第一篇《尧典》，在文意和连贯性上实现了"无缝对接"。

借用公益讲座和网络传播的优势，我们尽可能用通俗化的表达进行历史叙述，尽量抛开对一字一词的考证式的解释，而着重在人性分析上面，着重对重大历史事件的前后因果进行分析，理清其中的关系和脉络。以古今"人性大体不变"为基本原则，把沉寂的古代经典，活化成历历在目的往事，帮助人们理解中华上古历史，就像是了解自己的祖先、长辈的历史功绩一样，把它当作活生生的人物与事件来理解，才有可能得到正确的认识，而不是把它当作埋在地下的枯骨、失去了现代社会功能的文物来考证。

中华的历史源远流长，记录历史的典籍也拥有悠久的历史，据称上古有"三坟、五典、八索、九丘"。按照孔安国在《尚书序》里面所说，三坟指伏羲、神农、黄帝之书；五典是指有关少昊、颛顼、高辛、陶唐、有虞的著作；八索就是八卦之说；九丘就是指九州之志。可是由于后世战乱与耗散，大部分上古之书早已湮灭，只有《尚书》成为整理三坟、五典的可靠历史典籍，为司马迁写作《史记》所大量援引，可见其弥足珍贵。只有认真学习，才能对得起这种经典中的经典。

按照先贤的做法，研究《尚书》当"核之以古训，衡之以语法，求之以史实，味之以文情"，我实在是才疏学浅，只能以"虽不能至，心向往之"策励自己。不过我提出一个可供大家参考的独特思路，就是通过践行人人可以实践的道家传承，去体会中华文明随顺自然、天人合一的巨大成就，根据历史文献的记载，推知历史的鲜活风貌，而不是拘泥于残缺的文献、锈迹的古董和学者的考证。

大连新华书店的同仁和大连海事大学中华优秀传统文化学习小组的同仁，不辞辛劳，把这些讲座的视频整理出文字，精心校对，令人感佩。

钟永圣

己亥年三月初三黄帝诞辰

北京大学哲学系图书馆